ISBN 978-1-897295-14-4
Écrit, imprimé et relié au Canada

Chargée de l'édition : Ruby Kaplan

Rédacteur en chef : Art Coulbeck

Auteurs : Ron Felsen, Sara Garnick, Sylvia Goodman, Carolyn Muirhead, Anne Popovich et Linda Shaunessy

Révision linguistique : Maurice Dayan et Danièle Rae

Artistes : Alex Diochon et Bill Kimber

Artiste couverture : Bruno Côté

Conception graphique : Cynthia Cake pour Heidy Lawrance Associates

Conception artistique : Ruby Kaplan

Production sonore : HARA Productions

R.K. Publishing Inc.
E-mail : ruby@rkpublishing.com
frenchtextbooks@rkpublishing.com
Site web : www.rkpublishing.com
Tel. 905-889-3530
Toll free. 1-866-696 9549
Fax. 905-889-5320

Remerciements

- Adolph Gottlieb, *Green Foreground*, 1972 © Adolph and Esther Gottlieb Foundation; VAGA (New York)/SODART (Montréal)

- © Andy Warhol Foundation for Visual Arts/SODRAC (2007) pour *Campbell Soup Can : Tomato* (1964) par Andy Warhol

- Michel Arseneault pour *Pourquoi sommes-nous si moutons?* (L'Actualité)

- Les Débrouillards et les Explorateurs, pour *Le mystère de la chambre*

- Écrits des Forges Poésie, pour *Le vaisseau d'or* et *La romance du vin* (tirés d'*Émile Nelligan, écrits*)

- Les éditions Casterman, pour *L'amour d'Aïssatou* par Andrée Clair (extraits)

- Éditions de Fallois, pour *Le château de ma mère* par Marcel Pagnol (extraits)

- Éditions de la Table Ronde, pour *Antigone* par Jean Anouilh (extraits)

- Éditions Denoël, pour *Courage!* par Sempé et Goscinny (tiré des *Vacances du petit Nicolas*)

- Éditions Gallimard, pour *Au revoir, les enfants* par Louis Malle (extraits) et pour *Pour faire le portrait d'un oiseau* par Jacques Prévert (tiré de *Paroles*)

- Éditions Pierre Tisseyre, pour *Rupture* par Claire Martin

- Éditions Prise de Parole, pour *Solange* par Pierre Karch (tiré de *Nuits blanches*)

- EMI Music Canada, pour *Hockey* par Pierre Bertrand et Monique Gignac; interprétation de Beau Dommage © Les éditions Bonté Divine, Admin : Musinfo Publishing Group Inc.

- *Quand les roses*, words and music by Salvatore Adamo, O. Saintal and J. Deboeck © 1963 (renewed 1991), EMI MUSIC PUBLISHING BELGIUM N.V. All rights for the world excluding the United States controlled by EMI BLACKWOOD MUSIC INC. All rights reserved International copyright secured. Used by permission.

- Groupes Sogides Inc.™ QUÉBÉCOR MEDIA, pour *La religieuse qui retourna en Irlande* par Roch Carrier

- Anne-Marie Lecomte pour *Le goût des rondelles d'oignon* (Châtelaine)

- Leméac Éditeur Inc., pour *Les belles-sœurs* par Michel Tremblay (1972) (extraits) et pour *Nelligan* par Michel Tremblay (1990) (extraits)

- René Lewandowski pour *Du rêve à l'action* (L'Actualité)

- Louis Malle/NEF, pour *Au revoir, les enfants* (photographie)

- Pascal Millot pour *Quand j'étais petit* (Châtelaine)
- Martin Laprise, pour *Quand j'étais petit* (photographies)
- Musée d'Art de Philadelphie, Droits et Reproductions/Photographie, pour les reproductions des sculptures de Rodin
- La Presse, pour *Roadsworth s'en tire à bon compte* par Nicolas Bérubé
- Deputy Mayor Joe Pantalone (Ward 19 – Toronto), pour Harbord and Grace (photo)
- © 2005 Radio-Canada.ca; pour *Congo, le peintre chimpanzé : Monet de singe* par Yves Schaëffner
- © Succession Marcel Duchamp / SODRAC (2007), pour *Fontaine* (1917) par Marcel Duchamp
- Van Gogh Museum Enterprise bv, pour *La chambre jaune* par Vincent Van Gogh

Nous tenons à remercier tout particulièrement les enseignants et enseignantes, les conseillers et conseillères pédagogiques pour leurs précieuses contributions.

Kevin Arnott,
Conseil scolaire du District de Simcoe

Agatha Bolton,
Conseil scolaire du district de York

Lisa Braccio,
Conseil scolaire de Hamilton-Wentworth

Agniesca Buczek,
Conseil scolaire catholique de Dufferin-Peel

Louise Colozza,
Conseil scolaire de Thames Valley

Annamaria d'Aurora,
Conseil scolaire de Hamilton-Wentworth

Yvonne Dufault,
Conseil scolaire du district de York

Cilla Dunn,
Conseil scolaire de Nippissing-Parry Sound

Brenda Éthier,
Conseil scolaire d'Ottawa

Enza Iodice,
Conseil scolaire catholique de Dufferin-Peel

Susie Lascaris,
District scolaire de Toronto

Laura McNairn,
Conseil privé

Stephanie Malo,
Conseil scolaire du District de Toronto

Thomas Marshall,
Conseil scolaire catholique de Niagara

Alfonso Monachino,
Conseil scolaire catholique de Niagara

Mary-Lou Morassut,
Conseil scolaire de Huron-Superior

Sandra Nelson,
Conseil privé

Monique Roy,
Conseil scolaire du nord-est de l'Ontario

Eugene Willis,
Conseil scolaire du District de Toronto

Nous remercions l'aide financière du gouvernement du Canada par l'entremise du Programme d'aide au développement de l'industrie de l'édition (PADIÉ) pour nos activités d'édition.

Nous reconnaissons le gouvernement de l'Ontario par l'entremise de l'Initiative pour l'industrie du livre de l'Ontario de la Société du développement de l'industrie des médias.

Unité 3: Rêves et réalité

Je lis

- *La parure* (conte)
- *Les belles-sœurs* (pièce de théâtre, extraits)
- *Du rêve à l'action* (article)

J'apprends

- à utiliser les pronoms possessifs
- à utiliser le « faire » causatif
- à former et à utiliser l'infinitif passé

Tâche finale

- Écrire une composition dans laquelle tu compares et contrastes deux personnages tirés des lectures de l'unité.

Unité 4: La force de l'esprit

Je lis

- *Antigone* (pièce de théâtre, extraits)
- *Au revoir, les enfants* (scénario cinématographique, extraits)
- *Pourquoi sommes-nous si moutons?* (article)

J'apprends et je comprends

- un peu d'histoire antique et moderne
- l'importance des mythes dans notre société
- à utiliser les expressions négatives
- à utiliser l'infinitif négatif
- à utiliser *peut-être* et *peut-être que*

Tâche finale

- Écrire une dissertation

Unité 5 : Je t'aime, je ne t'aime plus!

Je lis

Rupture (nouvelle)

Cyrano de Bergerac (pièce de théâtre, extraits)

Le goût des rondelles d'oignons (article)

Deux poèmes de Pierre Ronsard

Quand les roses (paroles de la chanson)

J'apprends

- À utiliser les conjonctions suivies du subjonctif.
- À utiliser le pronom interrogatif **lequel**.
- À utiliser les expressions de temps **voilà, depuis, il y a** et **ça fait**.
- À utiliser le nouveau vocabulaire de l'unité.
- À faire des comparaisons et des distinctions entre les différentes sortes d'amour.

Tâche finale

- Participer à une table ronde en jouant le rôle d'un(e) auteur(e)

RITES DE PASSAGE
Souvenirs d'enfance

1

Je communique...

- ⊃ un extrait des *Vacances du petit Nicolas*
- ⊃ un extrait du *Château de ma mère*
- ⊃ le conte, *La religieuse qui retourna en Irlande*
- ⊃ un article de la revue *Châtelaine*
- ⊃ la chanson *Hockey* de Beau Dommage
- ⊃ un extrait de *L'amour d'Aïssatou*

Je partage...

- ⊃ mes idées sur la lecture
- ⊃ mes souvenirs d'enfance
- ⊃ les expériences d'enfance dans la Francophonie
- ⊃ les questions sociales qui portent sur l'enfance

J'apprends et je comprends...

- ⊃ comment utiliser la concordance des trois temps – l'imparfait, le passé composé et le plus-que-parfait
- ⊃ comment utiliser le présent du subjonctif après des expressions de sentiment, de volonté, de permission, de crainte et d'ordre
- ⊃ comment former et utiliser le passé du subjonctif
- ⊃ le nouveau vocabulaire de l'unité

Ma tâche finale...

- ⊃ Recherche, présentation et discussion sur une question sociale importante touchant à l'enfance

En route!

⊃ À ton avis, quels sont les moments les plus importants dans la vie d'un enfant?

⊃ Quels sont tes plus importants souvenirs?

⊃ De quelles injustices les enfants du monde souffrent-ils?

Courage!

par Goscinny et Sempé

« Tout seul, comme un grand, Nicolas est parti à la colo. Et s'il a eu un moment de faiblesse en voyant ses parents devenir tout petits, là-bas, au bout du quai de la gare, Nicolas retrouvera le bon moral qui le caractérise, grâce au cri de ralliement de son équipe… »

L e voyage en train s'est très bien passé; ça prend toute une nuit pour arriver où nous allons. Dans le compartiment où nous étions, notre chef d'équipe, qui s'appelle Gérard Lestouffe et qui est très chouette, nous a dit de dormir et d'être sages pour arriver bien reposés au camp, demain matin. Il a bien raison. Je dis notre chef d'équipe, parce qu'on nous a expliqué que nous serions des équipes de douze, avec un chef. Notre équipe s'appelle l'équipe « Œil-de-Lynx » et notre chef nous a dit que notre cri de ralliement c'est « Courage! »

Bien sûr, on n'a pas pu beaucoup dormir. Il y en avait un qui pleurait tout le temps et qui disait qu'il voulait rentrer chez son papa et sa maman. Alors, un autre a rigolé et lui a dit qu'il n'était qu'une fille. Alors, celui qui pleu-

Avant de lire

- Quand tu étais enfant, allais-tu seul(e) en vacances ou avec tes parents? Comment étaient ces vacances?
- Quel est ton meilleur souvenir de vacances? Quel est ton plus mauvais souvenir?
- Si tu es déjà allé(e) en colonie de vacances, t'y es-tu bien amusé(e)? Pourquoi ou pourquoi pas? Qui te manquait pendant ton séjour en « colo »?
- Selon toi, à quel âge est-il acceptable, qu'un enfant voyage seul? Explique ta réponse.

- En France, on appelle l'endroit où les enfants passent du temps en été, une « **colonie de vacances**. » Le nom populaire raccourci d'une colonie de vacances est **une** « **colo**. » En Amérique du Nord on l'appelle un camp de vacances.

- La **SNCF** (Société nationale des chemins de fer français) est la compagnie qui contrôle tous les trains en France, sauf les métros. Les couleurs de la compagnie sont le jaune et le bleu. Si vous cherchez un train ou un horaire de trains, il faut trouver les pancartes jaunes et bleues de la SNCF.

rait lui a donné une baffe et ils se sont mis à pleurer à deux, surtout quand le chef leur a dit qu'il allait les faire voyager debout dans le couloir s'ils continuaient. Et puis, aussi, le premier qui a commencé à sortir des provisions de sa valise a donné faim à tout le monde, et on s'est tous mis à manger. Et de mâcher ça empêche de dormir, surtout les biscottes, à cause du bruit et des miettes. Et puis les types ont commencé à aller au bout du wagon, et il y en a eu un qui n'est pas revenu et le chef est allé le chercher, et s'il ne revenait pas, c'était parce que la porte s'était coincée, et il a fallu appeler le monsieur qui contrôle les billets pour ouvrir la porte, et tout le monde s'énervait, parce que le type qui était dedans pleurait et criait qu'il avait peur, et qu'est-ce qu'il allait faire si on arrivait dans une gare, parce que c'était écrit qu'il était interdit d'être là-dedans quand le train était dans une gare.

Et puis, quand le type est sorti, en nous disant qu'il avait bien rigolé, le chef nous a dit de revenir tous dans le compartiment, et ça a été toute une histoire pour retrouver le bon compartiment, parce que comme  tous les types étaient sortis de leurs compartiments, plus personne ne savait quel était son compartiment, et tout le monde courait et ouvrait des portes. Et un monsieur a sorti sa tête toute rouge d'un compartiment et il a dit que si on n'arrêtait pas ce vacarme, il allait se plaindre à la SNCF, où il avait un ami qui travaillait dans une situation drôlement haute.

On s'est relayés pour dormir, et le matin nous sommes arrivés à Plage-les-Trous, où des cars nous attendaient pour nous conduire au camp. Notre chef, il est terrible, n'avait pas l'air trop fatigué. Pourtant, il a passé la nuit à courir dans le couloir, à faire ouvrir trois fois la porte du bout du wagon : deux fois pour faire sortir des types qui y étaient coincés et une fois pour le monsieur qui avait un ami à la SNCF, et qui a donné sa carte de visite à notre chef, pour le remercier.

Dans le car, on criait tous, et le chef nous a dit qu'au lieu de crier, on ferait mieux de chanter. Et il nous a fait chanter des chouettes chansons, une où ça parle d'un chalet, là-haut sur la montagne, et l'autre où on dit qu'il y a des cailloux sur toutes les routes. Et puis après, le chef nous a dit qu'au fond il préférait qu'on se remette à crier, et puis nous sommes arrivés au camp.

Là, j'ai été un peu déçu. Le camp est joli, bien sûr : il y a des arbres, il y a des fleurs, mais il n'y a pas de tentes. On va coucher dans des maisons en bois, et c'est dommage, parce que moi je croyais qu'on allait vivre dans des tentes, comme des Indiens, et ça aurait été plus rigolo. On nous a emmenés au milieu du camp, où nous attendaient deux messieurs. L'un avec pas de cheveux et l'autre avec des lunettes, mais tous les deux avec des shorts. Le monsieur avec pas de cheveux nous a dit :

– Mes enfants, je suis heureux de vous accueillir dans le Camp Bleu, où je suis sûr que vous passerez d'excellentes vacances, dans une ambiance de saine et franche camaraderie, et où nous vous préparerons pour votre avenir d'hommes, dans le cadre de la discipline librement consentie. Je suis M. Rateau, le chef du camp, et ici je vous présente M. Genou, notre économe, qui vous demandera parfois de l'aider dans son travail. Je compte sur vous pour obéir à ces grands frères que sont vos chefs d'équipe, et qui vous conduiront maintenant à vos baraques respectives. Et dans dix minutes, rassemblement pour aller à la plage, pour votre première baignade.

Et puis quelqu'un a crié : « Pour le Camp Bleu, hip, hip! » et des tas de types ont répondu « Hourra ». Trois fois comme ça. Très rigolo.

Notre chef nous a emmenés, les douze de l'équipe Œil-de-Lynx, notre équipe, jusqu'à notre baraque. Il nous a dit de choisir nos lits, de nous installer et de mettre nos slips de bain, qu'il viendrait nous chercher dans huit minutes.

– Bon, a dit un grand type, moi je prends le lit près de la porte.

– Et pourquoi, je vous prie? a demandé un autre type.

– Parce que je l'ai vu le premier et parce que je suis le plus fort de tous, voilà pourquoi, a répondu le grand type.

– Non, monsieur; non monsieur! a chanté un autre type. Le lit près de la porte, il est à moi! J'y suis déjà!

– Moi aussi, j'y suis déjà! ont crié deux autres types.

– Sortez de là, ou je vais me plaindre, a crié le grand type.

Nous étions huit sur le lit et on allait commencer à se donner quelques gifles quand notre chef est entré, en slip de bain, avec des tas de muscles partout.

– Alors? il a demandé. Qu'est-ce que ça veut dire? Vous n'êtes pas encore en slip? Vous faites plus de bruit que ceux de toutes les autres baraques réunies. Dépêchez-vous!

– C'est à cause de mon lit... a commencé à expliquer le grand type.

– Nous nous occuperons des lits plus tard, a dit le chef, maintenant, mettez vos slips. On n'attend plus que nous pour le rassemblement.

– Moi je ne veux pas me déshabiller devant tout le monde! Moi je veux rentrer chez mon papa et ma maman! a dit un type, et il s'est mis à pleurer.

– Allons, allons, a dit le chef. Voyons, Paulin, souviens-toi du cri de ralliement de notre équipe : « Courage! » Et puis, tu es un homme maintenant, tu n'es plus un gamin.

– Si! Je suis un gamin! Je suis un gamin! Je suis un gamin! a dit Paulin, et il s'est roulé par terre en pleurant.

– Chef, j'ai dit, je peux pas me mettre en slip, parce que mon papa et ma maman ont oublié de me donner ma valise à la gare.

Le chef s'est frotté les joues avec les deux mains et puis il a dit qu'il y aurait sûrement un camarade qui me prêterait un slip.

– Non monsieur, a dit un type. Ma maman m'a dit qu'il ne fallait pas prêter mes affaires.

– T'es un radin, et je n'en veux pas de ton slip! j'ai dit. Et bing! Je lui ai donné une gifle.

– Et qui c'est qui va me détacher mes chaussures? à demandé un autre type.

– Chef! chef! a crié un type. Toute la confiture s'est renversée dans ma valise. Qu'est-ce que je fais?

Et puis on a vu que le chef n'était plus avec nous dans la baraque.

Quand nous sommes sortis, nous étions tous en slip; un chouette type qui s'appelle Bertin m'en avait prêté un; nous étions les derniers au rassemblement. C'était drôle à voir, parce que tout le monde était en slip.

Le seul qui n'était pas en slip, c'était notre chef. Il était en costume, avec un veston, une cravate et une valise. M. Rateau était en train de lui parler, et il lui disait :

– Revenez sur votre décision, mon petit; je suis sûr que vous saurez les reprendre en main. Courage!

Je comprends

Réponds aux questions suivantes.

1. Pourquoi Nicolas était-il un peu nerveux avant de partir pour la colo?

2. Qu'est-ce que l'administration de la colo avait fait pour aider les enfants à avoir « un bon moral »?

3. Décris un incident dans le train ou à la colo que tu trouves très typique des enfants.

4. Trouve un incident humoristique dans ce conte. Pourquoi l'as-tu trouvé drôle?

5. Qu'est-ce qui s'est passé quand le chef a laissé les enfants seuls dans la baraque? Explique deux problèmes auxquels il aurait dû penser.

6. À ton avis, le chef est-il parti ou est-il resté? Explique ta réponse.

7. Aimerais-tu faire le travail de chef? Pourquoi ou pourquoi pas?

8. Dans ce conte, il y a des personnages stéréotypes. Décris-en un.

Je mets en application

Prépare un monologue dans lequel tu prends l'un des rôles suivants :

- le rôle du chef de l'équipe Œil-de-Lynx. Ce monologue aura lieu pendant que tu fais ta valise pour quitter la colo. Trouve des arguments pour et contre cette action dramatique. Présente ton monologue à ton groupe.

- le rôle de la maman du petit Nicolas. Ce monologue aura lieu après son retour chez elle de la gare. Présente des arguments pour et contre l'envoi de son enfant à la colo, ainsi que ses peurs et ses doutes.

- Présente ton monologue à ton groupe.

J'approfondis

En groupes, discutez de la question suivante : Les colonies de vacances pour enfants, sont-elles une bonne ou une mauvaise idée?

Considérez les questions suivantes :

- Que peut-on apprendre dans une colonie de vacances?

- À quel âge devrait-on aller dans une colonie de vacances?

- Quels problèmes peut avoir (ou causer) un enfant pendant ses vacances dans une colonie de vacances?

- Devrait-on séparer les filles et les garçons dans la colonie? Expliquez vos raisons.

➠ Rédigez une liste de réponses issues de votre groupe, puis échangez votre liste avec un autre groupe. Discutez des idées de l'autre groupe et suggérez des solutions aux problèmes mentionnés.

➠ Rapportez à la classe vos conclusions sur la première question, en utilisant les réponses aux autres questions pour appuyer vos idées.

J'observe!
La concordance des temps

Rappel : l'imparfait

Observe les phrases suivantes :

- Il y en <u>avait</u> un qui <u>pleurait</u> tout le temps et qui <u>disait</u> qu'il <u>voulait</u> rentrer chez son papa et sa maman.

- Dans le car, tout le monde <u>criait</u>.

- Tout le monde s'<u>énervait</u> parce que celui qui <u>était</u> dedans <u>pleurait</u>.

- Nous <u>étions</u> huit sur le lit, et nous <u>étions</u> sur le point de nous battre quand notre chef est entré.

- Alors, un monsieur a sorti sa tête rouge d'un compartiment en disant que si on n'<u>arrêtait</u> pas ce vacarme il <u>allait</u> se plaindre à la SNCF.

Choisis une des phrases ci-dessus qui montre quand et comment on utilise l'imparfait :

- Pour faire des descriptions au passé.

- Pour exprimer une action qui se continue dans le passé (ou encore, qui est typique ou se répète comme une habitude).

- Pour décrire des émotions, des états, des intentions ou des possibilités du passé.

- Pour indiquer une action qui a été interrompue par une autre action dans le passé.

- Dans une phrase conditionnelle, pour représenter une condition possible mais pas encore réalisée.

- Pour le discours indirect

Rappel : le passé composé

Observe les phrases suivantes :

- Nicolas **est parti** tout seul à la colo.

- Sa maman **a oublié** de lui donner sa valise.

- Notre chef nous **a dit** de dormir.

- Le type qui pleurait lui **a donné** une gifle.

- Il **a fallu** appeler le contrôleur pour ouvrir la porte.

➠ Est-ce que les actions dans les phrases ci-dessus ont été complétées ou non?

➠ Combien de fois chaque action a-t-elle eu lieu?

➠ Explique dans tes propres mots la différence entre l'imparfait et le passé composé.

Je pratique...

A. Décris le petit Nicolas et ses camarades à la colonie, en utilisant l'imparfait des verbes suivants :

1. Nicolas... être
2. Son chef... avoir
3. Leur équipe... s'appeler
4. Tout le monde... s'habiller
5. Les garçons... dormir

6. Le monsieur à la tête rouge... aller
7. Paulin... pleurer
8. Ils... se battre
9. M. Rateau... se coucher
10. Les gars... attendre

B. Fais des phrases en utilisant le passé composé et en ajoutant les éléments nécessaires pour décrire ce qui s'est passé à la colo.

Exemple : on/ ne pas/ s'amuser...

On ne s'est pas amusé le premier jour **parce qu'on était fatigué.**

1. nous/ voyager en train
2. je/ donner une gifle
3. le chef/ se fâcher
4. le chef du camp/ dire
5. Paulin/ ne pas se déshabiller

6. les garçons/ crier beaucoup
7. le chef/ partir
8. le monsieur à la tête rouge/ se plaindre
9. nous/ ne pas comprendre
10. les camarades/ ne pas se dépêcher

Je mets en application

A. En groupes, créez une saynète où vous illustrez un problème typique de vacances avec des enfants. Utilisez le conte *Courage!* comme inspiration et utilisez beaucoup d'exemples de l'imparfait et du passé composé, tels que « *Il m'a donné une gifle!, Il s'est mis dans mon lit!* » ou « *Je ne voulais pas lui prêter un slip , alors il a pleuré!* »

⟹ Présentez votre saynète à la classe.

⟹ La classe discutera du problème que vous avez créé et suggérera des solutions.

B. En groupes de trois ou quatre personnes, discutez des plus beaux souvenirs de vacances de votre enfance respective. Choisissez le meilleur de vos souvenirs et racontez-le à la classe. N'oubliez pas d'y inclure l'imparfait et le passé composé.

Saviez-vous?

La Provence

La Provence est l'une des plus belles régions de France. Elle se trouve au sud du pays. Quelques-unes de ses villes principales sont Marseille, Aix-en-Provence et Nice. Une petite ville qui est devenue très célèbre à cause de son festival du cinéma s'y trouve aussi – la ville de Cannes. La Côte d'Azur, où se trouvent Cannes et Nice, fait partie de la Provence. Il y a là de belles plages et beaucoup d'autres villes qui attirent les touristes, comme St. Tropez. Un grand nombre d'artistes, comme Cézanne, ont représenté ce paysage dans leurs peintures, à cause de sa beauté et ses couleurs vives.

Cette région a un climat très agréable, chaud et sec, et presque toujours ensoleillé. Grâce à ce climat et de la proximité de la mer Méditerranée, la Provence est devenue un lieu touristique très populaire en hiver aussi bien qu'en été. Elle est aussi très célèbre pour sa cuisine qui utilise beaucoup d'olives, d'huile d'olive, de fruits de mer et de légumes comme les poivrons et les aubergines. La salade niçoise, un plat régional fameux, contient du thon, des olives noires, des tomates et des œufs. Les fleurs de la région sont tellement belles et nombreuses que la région est devenue un lieu de production de parfums. La lavande et le jasmin sont particulièrement typiques de la Provence.

La région a été fort influencée par sa proximité de l'Italie; on peut entendre chez les Niçois un accent qui ressemble à l'accent italien. L'Italie a également influencé la cuisine provençale.

Néanmoins, la région n'est pas du tout un paradis pour ses habitants. Dans les montagnes il y a beaucoup de fermiers qui ont de difficultés à vivre, à cause du manque d'eau potable, de la nécessité de cultiver les oliviers pendant plusieurs années avant qu'ils ne produisent leurs fruits, et des problèmes d'accès au marché, causés par les chemins extrêmement étroits et sinueux. Les habitants de la région se sentent très différents des autres Français, et des fois, ont été traités de primitifs par les autres. De nos jours, la vie est devenue plus facile, à cause de l'afflux de touristes et de personnes venant d'autres pays qui sont prêts à acheter, à des prix très élevés, des maisons estivales sur cette terre si belle et si chaude.

la France

Provence

Je comprends...

À deux, utilisez les renseignements sur la Provence que vous avez lus afin de créer une conversation téléphonique entre un touriste et un membre de sa famille au Canada. Décrivez une journée typique de vacances en Provence.

Le château de ma mère

de Marcel Pagnol... extrait

Un matin, nous partîmes sous un ciel bas, posé sur les crêtes, et à peine rougeâtre vers l'est. Une petite brise fraîche, qui venait de la mer, poussait lentement de sombres nuages : mon père m'avait forcé à mettre, sur ma chemise, un blouson à manches, et sur ma tête, une casquette.

Des noms géographiques mentionnés dans le texte

le Taoumé – une rivière

la Baume-Sourne – une rivière

le Passe-Temps – une rivière et les collines qui bordent cette rivière

Allauch – une montagne

le Jardinier – une rivière

les Escaouprés – des rapides

Avant de lire

- Imagine ton lieu de vacances parfait. Comment serait-il?

- Qu'est-ce qu'il y aurait à voir et à faire?

- Utilise des photos ou des illustrations pour montrer ce lieu à ta classe.

Saviez-vous?

Le héros de ce roman est un jeune garçon, Marcel Pagnol, qui est en vacances en Provence. Là-bas, il a fait la connaissance d'un jeune paysan de la région, Lili Bellons. Pendant les vacances, Lili et Marcel ont eu beaucoup d'aventures et se sont bien amusés ensemble, bien que leurs familles soient très différentes sur le plan de l'éducation et sur le plan économique. Les garçons ont exploré tous les alentours, ensemble.

*« **Le château de ma mère** » est le deuxième roman de Marcel Pagnol qui raconte ses souvenirs d'enfance. Le premier s'appelle « **La gloire de mon père.** » Les deux livres célèbrent la nature et l'ambiance provençales. Les deux livres ont été mis en film et ont connu un grand succès à l'écran.*

Lili arriva, sous un béret...

La matinée se passa comme à l'ordinaire, mais vers dix heures, une ondée nous surprit près des barres du Taoumé. Elle dura une dizaine de minutes, que nous passâmes sous les rameaux épais d'un grand pin : mon père mit à profit ce repos pour nous enseigner qu'il ne fallait en aucun cas se mettre à l'abri sous un arbre. Il n'y eut pas de coup de tonnerre et nous pûmes bientôt gagner la Baume-Sourne, où nous déjeunâmes.

Nous avions tendu en chemin une cinquantaine de pièges, et les chasseurs avaient abattu quatre lapins et six perdrix.

Le temps s'était éclairci, et l'oncle affirma :

« Le ciel s'est purgé. C'est fini. »

Après avoir battu en vain le vallon du Jardinier, les hommes nous quittèrent et prirent la route de Passe-Temps pendant que nous remontions vers nos terrains de chasse.

Tout en grimpant le long des éboulis, Lili me dit :

« Nous ne sommes pas pressés. »

Nous allâmes nous étendre, les mains sous la nuque, au pied d'un vieux sorbier qui se dressait au centre d'un massif d'aubépine.

« Je ne serais pas étonné, dit-il, si nous prenons quelques sayres ce soir, parce qu'aujourd'hui, c'est l'automne. »

Je fus stupéfait.

Dans les pays du Centre et du Nord de la France, dès les premiers jours de septembre, une petite brise un peu trop fraîche va soudain cueillir au passage une jolie feuille d'un jaune éclatant qui tourne et glisse et virevolte, aussi gracieuse qu'un oiseau... Elle précède de bien peu la démission de la forêt, qui devient rousse, puis maigre et noire, car toutes les feuilles se sont envolées à la suite des hirondelles, quand l'automne a sonné dans sa trompette d'or.

Mais dans mon pays de Provence, la pinède et l'oliveraie ne jaunissent que pour mourir, et les premières pluies de septembre, qui lavent à neuf le vert des ramures, ressuscitent le mois d'avril. Sur les plateaux de la garrigue, le thym, le romarin, le cade et le kermès gardent leurs feuilles éternelles autour de l'aspic toujours bleu, et c'est en silence au fond des vallons, que l'automne furtif se glisse : il profite d'une pluie nocturne pour jaunir la petite vigne, ou quatre pêchers que l'on croit malades, et pour mieux cacher sa venue il fait rougir les naïves arbouses qui l'ont toujours pris pour le printemps.

C'est ainsi que les jours des vacances, toujours semblables à eux-mêmes, ne faisaient pas avancer le temps, et l'été déjà mort n'avait pas une ride.

Je regardai autour de moi sans rien comprendre.

« Qui t'a dit que c'est l'automne?
– Dans quatre jours, c'est Saint-Michel, et les sayres vont arriver. Ce n'est pas encore le grand passage – parce que, le grand passage, c'est la semaine prochaine, au mois d'octobre... »

Le dernier mot me serra le cœur. Octobre! LA RENTRÉE DES CLASSES!

Je refusai d'y penser, je repoussai de toutes mes forces la douloureuse idée : je vivais alors dans un état d'esprit que je ne compris que plus tard, lorsque mon maître Aimé Sacoman nous expliqua l'idéalisme subjectif de Fichte. Comme le philosophe allemand, je croyais que le monde extérieur était ma création personnelle, et qu'il m'était possible, par un effort de ma volonté, d'en supprimer, comme par une rature, les événements désagréables. C'est à cause de cette croyance innée, et toujours démentie par les faits, que les enfants font de si violentes colères, lorsque l'événement dont ils se croient maîtres les contredit impudemment.

Je tentai donc de supprimer le mois d'octobre. Il se trouvait dans l'avenir, et offrait donc moins de résistance qu'un fait du présent. J'y réussis d'autant mieux que je fus aidé dans mon entreprise par un grondement lointain, qui arrêta net la conversation.

Lili se leva et tendit l'oreille : le grondement roula de nouveau, là-bas, sur Allauch, de l'autre côté du Taoumé.

« Ça y est, dit Lili. Tu vas voir dans une heure!... C'est encore loin, mais ça vient. »

En sortant des églantiers, je vis que le ciel s'était assombri.

« Et qu'est-ce que nous allons faire? Si nous retournions à la Baume-Sourne?
– Ce n'est pas la peine. Je sais un endroit, presque au bout du Taoumé, où on ne se mouillera pas, et on verra tout. Viens. »

Il se mit en route.

À cet instant même, un roulement de tonnerre – déjà un peu plus rapproché – fit trembler sourdement le paysage. Il se tourna vers moi.

« N'aie pas peur. Nous avons le temps. »

Mais il pressa le pas.

Je comprends...

Réponds aux questions suivantes.

1. Comment savons-nous qu'il allait faire mauvais temps ce jour-là?
   Que portaient les garçons?

2. Que s'est-il passé vers 10 heures?

3. Qu'a fait le groupe d'hommes et de garçons?
   Pourquoi n'aurait-il pas dû faire cela, à ton avis?

4. Quel était le mois de l'année?
   Que se passait-il typiquement dans le paysage à cette saison?

5. Comment l'automne du Nord de la France est-il différent
   de l'automne en Provence?

6. Quelle était l'importance de ce mois pour Marcel?
   Comment l'auteur souligne-t-il cela?

7. Qui était Fichte? Que croyait-il au sujet de la pensée?

8. Pourquoi Marcel voulait-il « supprimer » l'automne?
   Es-tu d'accord avec lui?

9. Explique le grondement qu'ils ont entendu.

10. Quelles émotions les garçons ont-ils éprouvées?
    Trouve des phrases du texte qui confirment ta réponse.

J'approfondis...

1. Pagnol utilise beaucoup de langage figuratif, très beau et très évocateur.
   Explique, dans tes propres mots, les phrases suivantes :
   • *Les feuilles se sont envolées à la suite des hirondelles.*
   • *L'automne a sonné dans sa trompette d'or.*
   • *L'été déjà mort n'avait pas une ride.*

2. Quelle est l'impression générale que Pagnol voulait créer
   de l'automne en Provence?
   Donne des exemples pour illustrer ton point de vue.

Le château de ma mère... suite

Nous escaladâmes deux cheminées, tandis que le ciel devenait crépusculaire. Comme nous arrivions sur l'épaule du pic, je vis s'avancer un immense rideau violet, qu'un éclair rouge déchira brusquement, mais sans bruit. Nous franchîmes une troisième cheminée qui était presque verticale, et nous arrivâmes sur l'avant-dernière terrasse, que surmontait de quelques mètres le plateau terminal.

Dans la barre, à cinquante pas de nous, s'ouvrait au ras du sol une crevasse triangulaire, dont la base n'avait pas un mètre de large. Nous y entrâmes. Cette sorte de grotte, qui s'élargissait au départ, devenait plus étroite en s'enfonçant dans la roche et la nuit. Rassemblant quelques pierres plates, il installa une sorte de banquette face au paysage. Puis, il mit ses mains en porte-voix et cria vers les nuages : « Maintenant, ça peut commencer! » Mais ça ne commença pas.

À nos pieds, sous les plateaux des trois terrasses, plongeait le vallon du Jardinier, dont la pinède s'étendait jusqu'aux deux hautes parois rocheuses des gorges du Passe-Temps, qui plongeaient à leur tour entre deux plateaux désertiques.

À droite, et presque à notre hauteur, c'était la plaine en pente du Taoumé, où nos pièges étaient tendus. À gauche du Jardinier, la barre, bordée de pins et de chênes verts, marquait le bord du ciel. Ce paysage, que j'avais toujours vu trembler sous le soleil, dans l'air dansant des chaudes journées, était maintenant figé, comme une immense crèche de carton. Des nuages violets passaient sur nos têtes, et la lumière bleuâtre baissait de minute en minute, comme celle d'une lampe qui meurt.

Je n'avais pas peur, mais je sentais une inquiétude étrange, une angoisse profonde, animale. Les parfums de la colline – et surtout celui des lavandes – étaient devenus des odeurs, et montaient du sol, presque visibles.

Plusieurs lapins passèrent, aussi pressés que devant des chiens, puis des perdrix grandes ouvertes surgirent sans bruit du vallon, et se posèrent à trente pas sur notre gauche, sous le surplomb de la barre grise.

Alors, dans le silence solennel des collines, les pins immobiles se mirent à chanter.

C'était un murmure lointain, une rumeur trop faible pour inquiéter les échos, mais frissonnante, continue, magique.

Nous ne bougions pas, nous ne parlions pas. Du côté de Baume-Sourne, un épervier cria sur les barres, un cri aigu, saccadé, puis prolongé comme un appel; devant moi, sur le rocher gris, les premières gouttes tombèrent.

Très écartées les unes des autres, elles éclataient en taches violettes, aussi grandes que des pièces de deux sous. Puis, elles se rapprochèrent dans l'espace et dans le temps, et la roche brilla comme un trottoir mouillé. Enfin, tout à coup, un éclair rapide, suivi d'un coup de foudre sec et vibrant, creva les nuages qui s'effondrèrent sur la garrigue dans un immense crépitement.

Lili éclata de rire : je vis qu'il était pâle, et je sentis que je l'étais aussi, mais nous respirions déjà plus librement.

La pluie verticale cachait maintenant le paysage, dont il ne restait qu'un demi-cercle, fermé par un rideau de perles blanches. De temps à autre, un éclair si rapide qu'il paraissait immobile, illuminait le plafond noir, et de noires silhouettes d'arbres traversaient le rideau de verre. Il faisait froid.

« Je me demande, dis-je où est mon père.
– Ils ont dû arriver à la grotte de Passe-Temps, ou à la petite baume de Zive. »

Il réfléchit quelques secondes, et dit soudain :
« Si tu me jures de ne jamais en parler à personne, je vais te faire voir quelque chose. Mais il faut que tu jures croix de bois, croix de fer. »

C'était un serment solennel, qui n'était exigé que dans les grandes occasions. Je vis que Lili avait pris un air grave, et qu'il attendait. Je me levai, j'étendis la main droite, et au bruit de la pluie, je prononçai d'une voix claire la formule :

> *Croix de bois, croix de fer,*
> *Si je mens, je vais en enfer.*

Après dix secondes de silence – qui donnèrent toute sa valeur à la cérémonie – il se leva :

« Bon, dit-il. Maintenant, viens. On va aller de l'autre côté.

– Quel autre côté?

– Cette grotte, ça traverse. C'est un passage sous le Taoumé.

– Tu y es déjà passé?

– Souvent.

– Tu ne me l'avais jamais dit.

– Parce que c'est un grand secret. Il y en a que trois qui le savent : Baptistin[1], mon père, et moi. Avec toi, ça fait quatre.

– Tu crois que c'est si important?

– Tu penses! À cause des gendarmes! Quand on les voit d'un côté du Taoumé, on passe de l'autre. Eux, ils ne savent pas le passage – et avant qu'ils aient fait le tour, tu es loin! Tu as juré : tu ne peux plus le dire à personne!

– Pas même à mon père?

– Il a son permis, il n'a pas besoin de savoir ça. »

* 1 – *Baptistin était le frère de Lili.*

Au fond de la grotte la crevasse devenait plus étroite, et elle partait sur la gauche. Lili s'y glissa, l'épaule en avant. « N'aie pas peur. Après, c'est plus large. » Je le suivis.

Le couloir montait, puis redescendait, puis s'en allait à droite, puis à gauche. On n'entendait plus la pluie, mais les grondements du tonnerre faisaient trembler la roche autour de nous.

Au dernier tournant, une lueur parut. Le tunnel débouchait sur l'autre versant, et les Escaouprès devaient être à nos pieds, mais une nappe de brume les couvrait entièrement. De plus, des nuages venaient vers nous, en rouleaux gris : ils déferlèrent comme une marée montante, et nous fûmes bientôt noyés : on ne voyait pas à dix pas.

La cave où nous étions était plus large que la première, des stalactites pendaient du plafond, et le seuil en était à deux mètres du sol.

La pluie tombait maintenant avec rage, drue, rapide, pesante, et tout à coup les éclairs se succédèrent sans arrêt : chaque coup de tonnerre ne faisait que renforcer la fin du précédent, dont le début nous revenait déjà par les échos durement secoués.

Devant le seuil de la grotte, un pételin vibrait au choc des gouttes, et perdait peu à peu ses feuilles luisantes. À droite et à gauche, nous entendions couler des ruisseaux, qui roulaient des graviers et des pierres, et bouillonnaient au bas de petites chutes invisibles.

Nous étions parfaitement à l'abri, et nous narguions les forces de l'orage, lorsque la foudre, sanglante et hurlante, frappa la barre tout près de nous et fit tomber tout un pan de roche.

Alors nous entendîmes craquer les troncs d'arbres que les blocs bondissants brisaient au passage, avant d'éclater, comme des coups de mine, sur le fond lointain du vallon.

Cette fois-là, je tremblai de peur, et je reculai vers le fond du couloir.

« C'est beau! » me dit Lili.

Mais je vis bien qu'il n'était pas rassuré;
il vint s'asseoir près de moi, et il reprit :
« C'est beau, mais c'est couillon.
– Est-ce que ça va durer longtemps?
– Peut-être une heure, mais pas
plus. »

Des filets d'eau commencèrent à
tomber des fentes de la voûte
ogivale, dont le sommet se
perdait dans la nuit, puis un
jet d'eau nous força à changer
de place.

« Ce qui est malheureux, dit Lili,
c'est qu'on va perdre une douzaine
de pièges... Et les autres, il va falloir
bien les faire sécher près du feu, et les
graisser, parce que... »

Il s'arrêta net, et regarda fixement derrière
moi. Du bout des lèvres, il murmura : « Baisse-toi
doucement, et ramasse deux grosses pierres! »

Soudain terrorisé, et rentrant la tête dans mes épaules, je restai immobile. Mais je
le vis se baisser lentement, les yeux toujours fixés sur quelque chose qui se trouvait
derrière moi et plus haut que moi... Je me baissai à mon tour, lentement... Il avait
pris deux pierres aussi grosses que mon poing : je fis de même.

« Tourne-toi doucement », chuchota-t-il.

Je fis tourner ma tête et mon buste : je vis, là-haut, briller dans l'ombre deux yeux
phosphorescents.

Je dis dans un souffle :
« C'est un vampire?
– Non. C'est le grand-duc. »

En regardant de toutes mes forces, je finis par distinguer le contour de l'oiseau.

Perché sur une saillie de la roche, il avait bien deux pieds de haut. Les eaux l'avaient
chassé de son nid, qui devait être quelque part dans le plafond.

« S'il nous attaque, attention aux yeux! » chuchota Lili.
L'épouvante m'envahit soudain.
« Partons, dis-je, partons! Il vaut mieux être mouillé qu'aveugle! »
Je sautai dans la brume : il me suivit.

Je comprends...

Réponds aux questions suivantes.

1. Comment savons-nous que la tempête allait être très sévère?
   Comment était l'atmosphère?
   Comment se comportaient les animaux?

2. Comment les garçons ont-ils réagi à la tempête?

3. Comment sait-on que Lili était pour Marcel un vrai ami?

4. Comment Marcel a-t-il formulé sa promesse?
   Connais-tu d'autres formes semblables à celles que Marcel a employées?
   Décris-les.

5. Qu'est-ce que Lili a montré à Marcel?
   Pourquoi était-ce un grand secret?

6. Pourquoi était-il difficile d'y entrer?

7. Pourquoi Marcel tremblait-il de peur?

8. Que devait faire Marcel, selon Lili? Pourquoi?
   Quelle était la réaction de Marcel?

J'approfondis...

Les enfants aiment quelquefois se faire peur. En groupes, discutez de cette idée et donnez des exemples tirés de votre expérience personnelle.

J'observe!

La concordance des temps du passé (suite)
Le plus-que-parfait

Observe les phrases suivantes.

- Je vis que Lili **avait pris** un air grave.
- Les eaux l'**avaient chassé** de son nid.
- Ce paysage, que j'**avais** toujours **vu** trembler sous le soleil, était maintenant figé.
- Je vis que le ciel s'**était assombri**.
- Mon père m'**avait forcé** à mettre, sur ma chemise, un blouson à manches.

Réponds aux questions suivantes :

1. Quel temps a-t-on utilisé pour les verbes soulignés? Pourquoi?

2. Quel est le rapport entre ce temps-là et le passé composé?

3. Observe à nouveau les exemples. Quelle était la première action?
   a) Lili a pris un air grave. Marcel l'a remarqué.
   b) L'oiseau a quitté son nid. Les garçons l'ont vu.
   c) Le paysage sous le soleil était en été. Marcel y pense.
   d) Le ciel s'est assombri. Marcel l'a remarqué.
   e) Le père a forcé Marcel à mettre le blouson avant de quitter la maison. Marcel se rend compte qu'il fait frais.

Je pratique...

Imagine la journée d'hier de Marcel Pagnol.
Qu'avait-il déjà fait avant de rentrer à la maison?

Exemple : déjeuner avec Lili.
            Il avait déjeuné avec Lili avant d'y rentrer.

1. sortir avec son père

2. s'habiller chaudement

3. rencontrer Lili

4. s'émerveiller d'une tempête

5. monter à une caverne

6. voir un grand oiseau majestueux

7. se rendre compte qu'il était presque la rentrée

8. s'échapper d'une caverne

9. aller au mont

10. entendre le secret de Lili

Je mets en application

À l'âge de cinq ans, tu avais déjà fait et appris beaucoup de choses. Mais à l'âge de 14 ans, tu n'avais pas encore tout fait ni appris.

A. En groupes, partagez :
   (a) les choses que vous aviez déjà faites à l'âge de cinq ans
   (b) les choses que vous n'aviez pas encore faites à l'âge de 14 ans.

B. Comparez votre liste avec celle d'un autre groupe.

Exemples : À l'âge de cinq ans j'avais déjà appris à lire.
À 14 ans je n'<u>étais</u> pas encore <u>allé</u> en Afrique.

J'approfondis…

Pense aux vacances que tu as prises avec tes parents. Quand vous êtes arrivés à votre destination, qu'aviez-vous déjà fait? Compose une description de cinq à sept phrases, en utilisant le plus-que-parfait.

Exemple : *Quand nous sommes arrivés au chalet, nous avions déjà voyagé pendant deux jours. Moi, j'avais écouté de la musique pendant des heures. Mon père avait arrêté la voiture à plus de dix stations-service, parce que mon petit frère avait toujours besoin d'aller aux toilettes. Ma mère avait préparé vingt sandwiches et nous les avions tous mangés…*

J'observe!
La concordance des temps au passé

Rappel :

Observe les exemples suivants :

1. Marcel **avait mis** un blouson à manches sur sa chemise, parce qu'il <u>faisait</u> un peu froid. Il y <u>avait</u> des nuages et une brise fraîche quand Marcel et son père **sont allés** explorer le terrain.

2. Mais je <u>vis</u> Lili se baisser lentement les yeux toujours fixés sur quelque chose qui <u>se trouvait</u> derrière moi et plus haut que moi. Je me <u>baissai</u> à mon tour lentement. Lili **avait pris** deux pierres aussi grosses que mon poing.

➠ Quel est le temps de chaque verbe souligné?

➠ Pourquoi a-t-on choisi ces temps?

➠ Explique les rapports des actions en les plaçant sur une ligne de temps.

AVANT	**APRÈS**
mon père **avait arrêté** la voiture	quand nous **sommes arrivés** au chalet

PENDANT
mon petit frère <u>avait</u> besoin
d'aller aux toilettes

- Avec une action AVANT une action au passé composé ou au passé simple, on utilise le <u>plus-que-parfait</u>.

- Avec i)   une action qui continue
  - ii) une action qui est habituelle
  - iii) une description de sentiments, d'état ou physique
    on utilise l'<u>imparfait</u>.

- Pour décrire les actions complètes au passé, on utilise le <u>passé composé</u> ou le <u>passé simple</u>.

Je pratique...

Construis des phrases en utilisant la concordance des temps du passé à l'aide des éléments suggérés.

Exemple : Marcel (crier) « non »... Lili (mentionner) que... c'(être) l'automne

Marcel **a crié** « non » parce que Lili **avait mentionné** que c'**était** l'automne.

1. Lili et Marcel (entrer) dans la cave... il (commencer) à pleuvoir et... la pluie (tomber).

2. Lili (faire) un clin d'œil... l'oncle (dire) que... il (ne pas aller) pleuvoir.

3. Les hommes (déjeuner)... ils (marcher) longtemps et... ils (être) fatigués.

4. Lili (se lever) soudain... il (entendre) un grondement et... il (savoir) qu'il y aurait une tempête.

5. Marcel (sentir) un peu surpris... il (voir) toujours le paysage sous le soleil et... maintenant la lumière (être) bleuâtre.

6. Lili (éclater) de rire... un éclair (crever) les nuages et... il (respirer) plus librement.

Je mets en application

Raconte un petit incident (sept à dix phrases) que tu as observé récemment dans lequel un enfant était impliqué.

N'oublie pas d'y inclure :

• comment l'incident a commencé,

• les émotions que tu as éprouvées

Utilise le plus de verbes que tu peux écrire à l'imparfait, au passé composé et au plus-que-parfait.

Tu veux de l'aide?

Utilise le modèle ci-dessous.

Modèle

Hier, j'ai vu l'enfant de mes voisins tomber de sa bicyclette. Il l'avait reçue seulement une semaine auparavant et il n'était pas très expert. C'était une belle bicyclette rouge avec un klaxon. Il voulait tellement impressionner ses amis! Il a décidé de descendre la colline près de sa maison, à toute vitesse. Il est alors monté sur la colline et il a commencé à la descendre sur son vélo. Il allait de plus en plus vite quand, tout à coup, il s'est rendu compte qu'il avait oublié comment arrêter la bicyclette. Il est arrivé au bas de la colline et VLAN! Sa bicyclette et lui sont tombés dans un buisson à côté de la rue. J'ai éprouvé beaucoup de pitié pour lui parce que j'avais eu le même accident à son âge.

Tâche riche I

Raconte à la classe une expérience (vraie ou imaginaire) que tu as eue, en vacances, quand tu étais enfant et qui a changé, ou fortement influencé, ta vie.

- Décris l'endroit où les événements ont eu lieu et les gens qui faisaient partie de l'expérience.

- Raconte la série des événements.

- Explique quelle leçon tu as apprise et ce que tu aurais pu faire différemment.

➡ Utilise les lectures de cette partie de l'unité pour t'en inspirer.

➡ Utilise aussi beaucoup d'exemples du passé composé, de l'imparfait et du plus-que-parfait, en essayant de faire une bonne concordance des trois temps.

➡ Essaie de parler naturellement, avec beaucoup d'expression. Pendant ta présentation, tu peux utiliser tes notes pour t'aider, mais ne la lis pas entièrement.

J'observe!

Rappel : le présent du subjonctif

En route!

- À deux, discutez de ce que vous imaginiez comme professions quand vous étiez enfants. Est-ce que vos ambitions étaient réalistes? Expliquez.

- Avec ton ou ta partenaire, présentez une saynète dans laquelle on interviewe un adulte sur son choix de profession. Est-ce la profession qu'il ou elle avait envisagée en tant qu'enfant? Est-ce qu'il ou elle regrette son choix?

Observe les phrases suivantes :

- Pour réussir comme acteur ou actrice, il faut que tu **prennes** des cours.

- Il est essentiel que tu **sois** discipliné(e) et prêt(e) à travailler.

- Il est nécessaire que tu **passes** beaucoup d'auditions.

- Il faut surtout que tu **veuilles** réussir!

Réponds aux questions suivantes :

1. Les verbes soulignés, sont-ils au présent ou au passé?

2. Comment s'appelle la forme de ces verbes?

3. Quelles sont les expressions qui exigent que cette forme les suive?

4. Comment le présent du subjonctif se forme-t-il?

Je pratique...

Mets les phrases ci-dessous au présent du subjonctif, en utilisant les éléments donnés. Il s'agit d'instructions ou de questions posées à un ou une enfant.

Exemple : il faut que/ tu/ nettoyer ta chambre

Il faut que tu **nettoies** ta chambre.

1. Crois-tu que/ tes amis/ pouvoir t'aider?

2. Il est bon que/ je/ savoir toujours où tu es.

3. Il faut que/ ton ami Georges/ ne pas venir /à la maison trop fréquemment.

4. Il est préférable que/ nous/ être toujours d'accord.

5. Il n'est pas nécessaire que/ tu/ revenir avant huit heures.

6. Je doute que/ nous/ avoir le temps d'aller à ce magasin.

7. Il ne faut pas que/ tu/ se laver les cheveux trois fois par jour.

8. Penses-tu que/ toi et tes amis/ utiliser trop l'Internet?

J'approfondis

As-tu remarqué d'autres expressions qui exigent le subjonctif?
Donne des exemples.

Je mets en application

À deux, jouez les rôles d'un ou d'une enfant qui pense suivre une certaine profession et d'un ou d'une adulte (parent, grand-parent, ami de la famille) qui lui donne des conseils. Utilisez beaucoup d'exemples au présent du subjonctif. Présentez votre dialogue à la classe.

Modèle

Enfant – Je veux être pompière quand je serai grande. Que faut-il que je <u>fasse?</u>

Adulte – Premièrement, il est nécessaire que tu <u>sois</u> en excellente condition physique. C'est un travail très dur.

Enfant – Faut-il que j'<u>aille</u> à l'université?

Adulte – Non, mais il est nécessaire que tu <u>suives</u> un programme spécial au collège et que tu y <u>obtiennes</u> un diplôme.

J'écoute

La religieuse qui retourna en Irlande

par Roch Carrier

Avant d'écouter

Cherche les renseignements suivants sur Internet :

- Qui est Roch Carrier?
- Pourquoi a-t-il été si important pour la littérature au Canada?
- Quel est le conte qu'il a écrit qui est devenu très célèbre au Canada et ailleurs? (Tu as probablement vu le film animé tiré de ce conte.)
- Comment s'appelle le vrai village où ces contes ont eu lieu? Où est-il situé?

Pense à tes premières expériences à l'école.

- Quelles étaient tes réactions aux premiers jours de l'école?
- Te souviens-tu de quelque chose ou de quelqu'un, en particulier? Décris cette chose ou cette personne.
- Quelles émotions as-tu ressenties au moment où tu as appris à lire?
- Décris un(e) enseignant(e) à l'école primaire dont tu te souviendras toujours. Est-ce que les souvenirs que tu as de cette personne sont bons ou mauvais? Donnes-en des détails.

Maintenant, écoute l'histoire.

Je comprends...

Réponds aux questions suivantes.

1. Qu'est-ce que le petit Roch a annoncé à sa mère?

2. Quelles émotions Roch et sa mère ont-ils éprouvées avant l'arrivée de son père?

3. Comment la réaction du père était-elle différente de celle de Roch?

4. Pourquoi le père a-t-il réagi ainsi?

5. Pourquoi Roch n'avait-il pas compris que sœur Brigitte avait un accent?

6. D'où venait sœur Brigitte?

7. Comment Roch a-t-il appris que sœur Brigitte était âgée?

8. Pourquoi Roch a-t-il tellement essayé d'imiter sœur Brigitte?

9. Trouve des indices suggérant que sœur Brigitte indiquait souvent que son pays natal lui manquait.

10. Qu'est-il arrivé à sœur Brigitte?

11. Explique pourquoi la fin du conte est triste et ironique.

12. Roch dit, dans le conte, qu'il parlait « avec naïveté ». Trouve quelques exemples qui soulignent cette naïveté.

J'observe!

Le présent du subjonctif avec des expressions de volonté, de sentiment, de souhait, d'ordre et de permission

Observe les phrases suivantes :

- Je veux que ton père <u>soit</u> là.
- Les parents n'appréciaient pas beaucoup que les enfants <u>apprennent</u> à lire leur langue maternelle avec un accent anglais.
- L'église n'a pas permis que sœur Brigitte <u>revienne</u> en Irlande.
- Les parents avaient peur que leurs enfants ne <u>puissent</u> pas parler correctement le français.
- La mère de Roch était contente que son fils <u>puisse</u> lire.
- J'avais peur que sœur Brigitte <u>soit</u> malade.
- À cette époque, l'église ordonne que les religieuses <u>portent</u> des vêtements spéciaux.

➠ Quelle est la forme des verbes soulignés?

➠ Quel mot précède tous ces verbes?

Examine le verbe ou l'expression dans la première partie de chaque phrase qui exige le subjonctif. Trouve une expression qui exprime :

    a) la volonté   d) un ordre

    b) un sentiment   e) la permission

    c) un souhait

Je pratique...

Crée des phrases avec les expressions données ci-dessous.
N'oublie pas de mettre le verbe de la phrase originale au subjonctif.

Exemple : Je ne réussis pas. Mes parents/ avoir peur que
          Mes parents ont peur que je ne <u>réussisse</u> pas.

1. Les religieuses ont un passé. Roch/ être surpris que

2. Les enfants ne sont pas dissipés. Sœur Brigitte/ vouloir que

3. Roch lit avec un accent anglais. Les parents/ être déçus que

4. Il peut lire. Roch/ être fier que

5. Tu as un accent vraiment québécois. Je/ s'étonner que

6. Les enfants lisent avec l'accent de sœur Brigitte. Les parents/ ne pas aimer que

7. Les enfants lui disent des choses naïves. Sœur Brigitte/ permettre que

8. Les religieuses vont dans d'autres pays. L'église/ désirer que

Voici une liste d'expressions qui exigent le subjonctif.

accepter que	être content(e) que
aimer mieux que	être fâché(e) que
approuver que, désapprouver que	être surpris(e) que
s'attendre à ce que	être fier, fière que
conseiller que	être désolé(e) que
défendre que	être ravi(e) que
demander que	être déçu(e) que
désirer que	être enchanté(e) que
dire que	être ennuyé(e) que
(dans le sens de « donner un ordre »)	
empêcher que	être étonné(e) que, s'étonner que
exiger que	être heureux, heureuse que
permettre que	être mécontent(e) que
préférer que	être soulagé(e) que
prier que	être triste que
proposer que	être vexé(e) que
s'opposer à ce que	avoir peur que
ordonner que	être dommage que
souhaiter que	craindre que
suggérer que	
supplier que	
tenir à ce que	
tolérer que	
vouloir que	
vouloir bien que	

Mets chacun de ces verbes ou chacune de ces expressions dans une des catégories :

- la volonté
- le sentiment
- le souhait
- un ordre
- la permission.

Cherche les mots que tu ne connais pas dans le lexique ou dans un dictionnaire.

Je mets en application

Utilise des expressions de volonté, de souhait, d'ordre ou de sentiment pour exprimer ce que l'enfant et le parent diraient dans chacune de ces situations difficiles à l'école.

N'oublie pas d'utiliser le présent du subjonctif dans tes phrases.

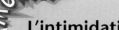

L'intimidation

Enfant – Je veux qu'ils cessent de me voler mes livres!

Parent – J'exige que tu dises au professeur qu'ils se comportent mal envers toi.

1. des difficultés avec les devoirs
2. une dispute avec un bon ami ou une bonne amie
3. une très mauvaise note en mathématiques
4. un autobus qui arrive trop tard le matin
5. ne jamais être choisi(e) pour les équipes de sport
6. des difficultés à voir le tableau en classe
7. avoir besoin de quelque chose qui coûte très cher
8. avoir toujours un déjeuner qu'on déteste

J'approfondis

Imagine que tu es un parent et que ton enfant rentre à la maison après les cours avec un problème. Ce problème peut être associé à l'apprentissage ou un problème avec les autres élèves, comme le chantage ou l'intimidation. À deux, créez une conversation en jouant les rôles de l'enfant et du parent.

N'oublie pas d'inclure :

- une explication du problème
- les réactions du parent
- beaucoup d'expressions qui exigent le subjonctif
- les réactions de l'enfant
- des suggestions ou des ordres

Enfant – Maman, je veux que tu m'aides! Cette peste d'Amélie m'a volé mon déjeuner! C'est la troisième fois!

Parent – Comment? Je ne suis pas du tout contente qu'elle fasse une telle chose! En as-tu parlé à ton enseignant?

Enfant – J'ai peur qu'il le dise à Amélie et qu'elle me fasse quelque chose pour se venger.

Parent – Alors, je vais lui parler. Je n'accepte pas que mon enfant soit tourmenté à l'école!

Je lis
Quand j'étais petit
par Pascale Millot

Ils ont entre 7 et 12 ans. Ils sont nés au Québec, au Koweït ou au Liban. Ils vivent dans des familles unies, décomposées ou recomposées, à la ville, en banlieue ou à la campagne. Châtelaine a rencontré une vingtaine d'enfants qui nous racontent comment ils imaginent leur vie future…

Avant de lire

- Quand tu étais enfant, que pensais-tu de la vie? En étais-tu content(e)? Explique.
- De quoi avais-tu peur?
- Qu'est-ce que tu aurais voulu changer?
- Pensais-tu avoir la même vie que tes parents ou avais-tu des aspirations différentes? Si oui, lesquelles?
- Te sentais-tu en sécurité?
- Est-ce que ton enfance était différente de celle des enfants d'aujourd'hui? Si oui, comment? Si non, qu'est-ce que tu as en commun avec eux?

Michel Lemay, pédopsychiatre à l'hôpital Sainte-Justine, à Montréal, m'a donné un jour cette jolie définition du mot éducation : « C'est savoir protéger son enfant quand il en a besoin et le laisser suffisamment libre pour qu'il puisse être acteur de son devenir. »

Pour les jeunes Québécois d'aujourd'hui, être acteur de son devenir signifie affronter la longue vie qui s'étend devant eux : la moitié des enfants nés aujourd'hui vivront jusqu'à 100 ans. Cela veut dire aussi faire face à la séparation de ses parents (un couple sur deux divorce), apprendre à vivre sans frère ni sœur (la moitié des enfants sont uniques), passer à travers les mailles de statistiques alarmantes qui ne donnent pas cher de leur peau. On le sait : le Québec détient le triste record du plus haut taux de suicide chez les jeunes; un enfant sur cinq vit sous le seuil de pauvreté; seulement 30% des garçons et 48% des filles ayant commencé des études secondaires en 1998 obtiendront un diplôme d'études collégiales.

Mais cela veut dire aussi vivre dans une des sociétés les plus riches au monde, où la mortalité infantile a quasiment disparu et où les enfants sont considérés de véritables trésors.

Dans ce contexte, comment envisagent-ils leur avenir?
Quels sont leurs espoirs?
Leurs craintes?
Leurs désirs?
Que pensent-ils de l'avenir?

Châtelaine a rencontré une vingtaine d'enfants de 7 à 12 ans, d'origines diverses et issus de tous les milieux. Ils ont répondu avec sérieux et spontanéité à quelques vingt questions. Surprise : ce qu'ils nous ont dit n'est pas si différent de ce que nous aurions répondu à leur âge. Ils rêvent toujours de grands châteaux de contes de fées et non de maisons robotisées. Seuls les carrosses se sont transformés en BMW.

Comme nous, les enfants sont le reflet de la société dans laquelle ils évoluent. Ils attachent donc une grande valeur à l'argent, quel que soit leur milieu d'origine. Ils trouvent que leurs parents travaillent trop. Ils voudraient supprimer les guerres, « la chicane », les tornades et la pollution. Et ils ont tous, ou presque, une même grande peur qui les habite : la mort, la leur ou celle de leurs proches.

Jérémie Dussault-Lefèvre, 8 ans. Vit en garde partagée avec Julia et Charlie. Ses parents sont graphistes. Elle aimerait vivre en Gaspésie, parce que le rocher Percé est très beau. Elle voudrait ressembler à elle-même.

Charlie Marois, 10 ans. Vit en garde partagée avec sa sœur Julia et sa demi-sœur Jérémie. Sa mère est photographe et son père rédacteur publicitaire. Il voudrait être inventeur et devenir patron. Il aimerait ressembler à lui-même.

Julia Marois, 11 ans. Vit en garde partagée avec son frère Charlie et sa demi-sœur Jérémie. Elle voudrait être actrice. Elle aimerait vivre où il fait chaud, au bord de la mer, à un endroit où il y a des écuries et pas trop de voisins. Elle aimerait ressembler à elle-même, sans les boutons.

QUE PENSES TU DE L'AVENIR?

Marianne : « Ça va être un temps perturbant avec beaucoup de trafic. Quand on va être grands, il y aura plein d'autos et ça va prendre beaucoup de temps pour aller travailler. On va se sentir mal. »

Ghawna : « En l'an 3000, tout le monde va être mort. Alors, il faut en profiter. »

Nancy : « J'ai peur de l'ouragan qui s'en vient et je ne sais pas où me cacher. »

Shanie : « Ça va être une fête. Je vais vieillir et il va se passer plein d'affaires. »

QU'EST-CE QU'UNE BELLE VIE?

Salim : « Avoir ma propre auto pour aller où je veux sans que ma mère me dise quoi faire. Et être acteur et riche. »

Fanny : « Avoir le choix. Faire de bonnes études, avoir des animaux et vivre avec quelqu'un qui est bien. »

Charlie : « Avoir tout ce que je veux, mais en restant un enfant. »

Jérémie : « Avoir plein de serviteurs, être super gâtée... »

AIMERAIS-TU AVOIR LA MÊME VIE QUE TES PARENTS?

Julia : « Oui, car ils ont une belle vie. Ils ne sont pas trop stressés et nous consacrent du temps. »

Jérémie : « Non, car j'aime pas le travail de ma mère sur l'ordinateur et mes parents se sont séparés et il y a eu beaucoup de chicane. »

Shanie : « Des fois oui, des fois non, car ils doivent toujours me répéter la même chose. »

Vanessa : « Non, car mes parents ont eu des coups de règle quand ils allaient à l'école. »

Marianne : « Non, car mes parents se sont séparés et j'ai trouvé ça dur. »

Nancy : « Oui, car mes parents ont une belle vie. Ils ne sacrent pas. Ils ont une grande maison et sont presque riches. »

QUE VOUDRAIS-TU CHANGER DANS LE MONDE?

Marianne : « Que les gens ne se fassent pas écraser, car il n'y aurait plus d'humains sur la terre. Ce serait plate. »

Vanessa : « Qu'il n'y ait plus de vol ni de pollution. »

Sandra : « Qu'il n'y ait plus de guerres, car les gens sont effrayés. »

Hugo : « Qu'il n'y ait plus d'armes à feu, plus de cigarettes, plus de vin, plus de bière, car ça rend les gens fous et ça peut les faire mourir. »

QUE VOUDRAIS-TU CHANGER DANS TA VIE?

Salim : « Être moins tannant et plus intelligent. »

Sandra : « Qu'il n'y ait plus de chicane entre sœurs chez moi. »

Fanny : « Que tous mes amis soient acceptés aux écoles secondaires où j'ai fait les admissions. »

Jérémie : « Qu'il n'y ait plus d'école ni de guêpes. »

Charlie : « J'aimerais tout savoir. J'inventerais un produit que j'avalerais et je saurais tout. Je n'aurais plus besoin d'aller à l'école. »

DE QUOI AS-TU PEUR?

Julia : « De mourir, de me faire voler, enlever ou d'être dans la rue, que mes parents meurent. »

Jérémie : « J'ai peur que mes parents meurent, car ma mère a déjà fumé et mon père fume encore et mon grand-père est mort à cause de ça. »

Hugo : « Que mes parents meurent. De me faire tuer par une arme. De me faire tuer par le temps, par la vieillesse. »

Fanny : « J'ai peur que la couche d'ozone soit plus assez épaisse et que la Terre soit trop chaude et que tout le monde meure et que je meure avant la fin de ma vie. »

Marianne : « J'ai peur que toute ma famille meure et que je sois la seule vivante. »

Salim : « J'ai peur de rien, parce que je suis un homme. »

Ghawna : « J'ai peur que mes parents vieillissent et qu'ils puissent plus bouger. »

Nancy : « J'ai peur de vieillir, que ma face se dégrade et de ne pas avoir de travail et de faire les poubelles. »

Sandra : « J'ai peur que mes sœurs soient en danger et qu'elles ne soient pas protégées. »

Élisabeth : J'ai peur des bruits la nuit. J'ai peur de ne pas réussir à me débrouiller toute seule. »

De gauche à droite :

Salim Jouden, 10 ans. Son père est sans emploi et sa mère s'occupe de la maison. Il rêve de vivre dans son pays, le Koweït, dans une grande maison où il élèverait ses enfants. Il voudrait être acteur. Il aimerait ressembler à un lutteur professionnel.

Mélanie Maltais, 10 ans. Vit en famille d'accueil. Elle aimerait être professeure.

Sandra Cadieux, 11 ans. Vit en famille d'accueil avec ses sœurs. Elle rêve d'habiter une maison blanche avec un balcon à l'arrière et une belle porte, comme les maisons des princesses. Elle veut être vétérinaire, actrice ou chanteuse. Elle aimerait ressembler à sa mère d'accueil.

Nancy Hawa, 10 ans. Son père est électricien, sa mère s'occupe de la maison. Elle rêve de vivre dans son pays, le Liban, avec ses cousines, ses tantes et des servantes. Elle aimerait être docteure ou chanteuse et ressembler à Céline Dion.

Ghawna Jouden, 11 ans. Elle aimerait ressembler à sa cousine Mélanie.

Fanny H. Lamarre, 12 ans. Sa mère est adjointe dans un magazine. Son père est professeur d'université. Elle aimerait vivre dans un endroit tranquille, avec des arbres. Elle voudrait ressembler à un chat et être vétérinaire ou peintre.

Shanie Tomassini, 8 ans. Vit avec sa mère qui est graphiste. Elle aimerait vivre dans les Laurentides, où habite sa tante, parce qu'en été il fait « super chaud » et qu'en hiver il y a beaucoup de neige. Elle aimerait ressembler à sa voisine Audrey, car elle est adolescente et gentille.

Élisabeth Péloquin, 8 ans. Son père est entrepreneur et sa mère est employée de banque. Elle voudrait être professeure ou caissière et aimerait ressembler à son amie Marika.

AS-TU HÂTE D'ÊTRE GRAND?

Ghawna : « Oui, pour aller à l'université, mais non, car quand je serai vieille, j'ai peur d'être laide. »

Charlie : « Non, parce que ça a l'air dur la vie d'adulte. »

Julia : « Non, j'ai peur d'avoir des problèmes d'argent. »

Hugo : « Non, car je n'ai pas envie d'avoir de problèmes avec un ordinateur qui ne marche pas quand tu en as besoin. »

Jérémie : « Non, car quand on est enfant, on peut passer l'Halloween. »

Élisabeth : « Non, car il faut commencer par être un enfant avant d'être grand. Si je n'avais pas été enfant, je n'aurais pas pu vivre. »

LES ADULTES TE RESPECTENT-ILS?

Sandra : « Pas tous. Mes parents me respectent. Ils ne me frappent pas. Quand ils crient, c'est toujours pour nous améliorer. D'autres frappent et ils font des choses pas catholiques avec les enfants. »

Hugo : « Les parents écoutent pas toujours ce qu'on dit. »

Charlie : « Des fois, ils ne nous respectent pas, car ils ont le droit de crier et pas nous. »

TE SENS-TU PARFOIS SEUL(E)?

Nancy : « Quand mes amis se disent des secrets. »

Marianne : « Quand je fais une grande marche pour aller chez mon amie et qu'elle n'est pas là. »

Shanie : « Quand je m'ennuie de mon papa. »

Hugo : « Ça m'arrive souvent, parce que je suis enfant unique. Je m'ennuie la fin de semaine, quand on va dans des musées plates ou quand on va voir des expos plates comme *Le mois de la photo*. »

De gauche à droite :

Tania Cadieux, 7 ans. Elle aimerait ressembler à ses grandes sœurs Sandra et Mélanie, et voudrait travailler dans une ferme.

Marianne Pacheco, 8 ans. Vit en garde partagée. Sa mère est employée de bureau. Elle rêve d'habiter en « Amérique » avec son cousin portugais. Elle aimerait ressembler à sa mère qui a « les cheveux toujours gonflés ».

Sabrina Paris-Gosselin, 12 ans. Son père est éboueur et sa mère est téléphoniste. Elle voudrait être technicienne en santé animale.

Sabrina Cadieux, 9 ans. Elle rêve de vivre dans un grand château avec une piscine.

Vanessa Leclerc, 10 ans. Vit en famille d'accueil avec Tania, Sandra, Sabrina et Mélanie. Elle rêve de ressembler à la chanteuse Monica, du duo Monica et Brandy, et voudrait être docteure ou professeure.

CROIS-TU EN DIEU?

Marianne : « Oui, je suis catholique. »

Salim : « Oui, je suis musulman. »

Nancy : « Dieu existe, car sinon, pourquoi j'aurais les cheveux noirs? »

Shanie : « C'est le créateur et si je n'y croyais pas, je me demanderais toujours comment je suis là. »

Fanny : « Il a peut-être déjà existé, mais plus aujourd'hui. »

Charlie : « S'il y a plein de monde qui croit en Dieu, c'est qu'il doit exister. »

Hugo : « Je n'y crois pas. Je crois que ce sont les gens morts de notre famille qui exaucent nos vœux. »

Jérémie : « J'y crois un peu, car quand mon grand-père est mort, j'ai regardé dans le ciel et j'ai fait le vœu que mes amies apparaissent au coin de la rue, et c'est arrivé. »

Élisabeth : « Oui, sinon on n'aurait pas été créés sur la Terre. »

VEUX-TU VIVRE EN COUPLE?

Élisabeth : « Oui, car c'est moins compliqué, on a plus d'aide. On est plus une grosse famille. »

Hugo : « Oui, car tu peux parler à quelqu'un. Tu n'es pas tout seul. »

Fanny : « Ça ne me dérangerait pas d'être célibataire. S'il y a quelqu'un dans ma vie, on ne se mariera pas, mais on va vivre ensemble. »

TE SENS-TU EN SÉCURITÉ?

Tania : « À Laval, je me sens bien, car il y a moins de violence qu'à Montréal. »

Marianne : « Non, j'ai failli me faire voler par un voleur près de chez moi. »

Jérémie : « Pas toujours, car il y a des agresseurs dans le quartier. »

Julia : « Quand Jolène Riendeau s'est fait enlever, je ne me sentais pas en sécurité. »

PENSEZ-VOUS TROUVER DU TRAVAIL FACILEMENT?

Marianne : « Non, car tout le monde perd son travail. »

Salim : « Non, car je veux être acteur et je ne sais pas où est le studio. »

Nancy : « Oui, avec mon intelligence, je vais devenir docteure. »

Sandra : « Si tu finis mal l'école, ça va être difficile de trouver un emploi et tu vas travailler au McDonald's et ça paye pas. »

QU'EST-CE QU'UNE VRAIE FAMILLE?

Tania : « C'est l'amour. »

Marianne : « Pas de chicanes et personne qui meurt jeune. »

Salim : « C'est de l'action. Quand je me bataille avec mon père. »

Sandra « C'est être tous ensemble au moins une fois par an, à Noël. »

Charlie et Julia : « Celle qu'on a. »

Je comprends...

Réponds aux questions suivantes.

1. Quel est le pourcentage de jeunes Québécois d'aujourd'hui qui vivra jusqu'à cent ans ou plus?

2. Quelles sont les statistiques « alarmantes » et pourquoi?

3. Comment la vie des jeunes d'aujourd'hui est-elle bonne, comparée à celle des générations antérieures?

4. Qui a fait ce sondage? Avec qui?

5. Qu'est-ce qui a de la valeur aux yeux de ces enfants?

6. Examine les descriptions individuelles des enfants. Quels sont ceux qui viennent de circonstances difficiles? Explique ta réponse.

7. Explique l'expression « vivre en garde partagée ». Cette situation semble-t-elle déranger les enfants? Justifie ta réponse en citant les entrevues.

8. De quoi ont-ils peur? Est-ce que leurs peurs sont logiques? Explique ta réponse.

9. Qu'est-ce qu'une « famille d'accueil »? Pourquoi est-ce nécessaire?

10. Les enfants aiment-ils l'idée de devenir adulte? Pourquoi ou pourquoi pas?

J'approfondis...

En groupes, préparez une liste de :

- ce dont ces enfants ont peur
- ce qui les font se sentir seuls
- ce qu'ils voudraient changer dans leurs vies et dans le monde
- leurs attitudes envers le travail et les professions

À présent, dressez une liste de ces mêmes catégories pour vous, les adolescents.

Comparez les deux listes. Y a-t-il des différences? Des similarités? Expliquez pourquoi ces différences ou ces similarités existent.

Présentez vos conclusions à la classe. Utilisez un graphique pour illustrer le degré des différences ou des similarités entre les enfants et les adolescents pour chaque catégorie.

J'observe!
Le subjonctif ou l'infinitif?

Observe les phrases suivantes.

- J'ai peur que ma face se <u>dégrade</u>.
- J'ai peur que toute ma famille <u>meure</u>.
- J'aimerais qu'on <u>produise</u> une pilule qui éliminerait la méchanceté.

J'ai peur d'<u>être</u> laide.

J'ai peur d'<u>avoir</u> des problèmes d'argent.

J'aimerais tout <u>savoir</u>.

Je veux <u>être</u> acteur.

➠ Combien de verbes y a-t-il dans chaque phrase?

➠ Quels sont les sujets de ces verbes?

➠ Quand il y a deux sujets différents, quelle est la forme du deuxième verbe?

➠ Quand il y a un même sujet pour les deux verbes, quelle est la forme du deuxième verbe?

Je pratique...

Crée deux phrases en utilisant les éléments suggérés.

- Dans la première phrase tu es le sujet des deux verbes.
- Dans la deuxième, tu es le sujet du premier verbe, mais le deuxième a un nouveau sujet.

Attention!

un sujet pour les deux actions ⟶ l'infinitif

deux sujets différents ⟶ **un verbe au subjonctif**

Exemple : être content/ avoir une belle maison

      a) Je suis content d'**avoir** une belle maison.

      b) Je suis content que nous **ayons** une belle maison.

1. avoir peur/ partir

2. être ravi/ recevoir de beaux cadeaux d'anniversaire

3. regretter/ ne pas être riche

4. vouloir/ avoir un bon emploi

5. préférer/ ne pas être adulte

6. aimer mieux/ vivre à la campagne

7. être fier/ gagner de bonnes notes

8. être déçu/ ne pas être avocat

Je lis

Hockey
de Beau Dommage

Depuis qu'chus né qu'joue au hockey
Comme toué p'tits gars dans mon quartier
J'rêvais d'gagner la coupe Stanley
Mon idole c'tait Jean-Claude Tremblay
Je r'gardais toué matchs à tv
Ent'mon père pis LeCavalier.

Quand ils sont v'nus l'contrat d'ins mains
J'jouais pour les juniors de Rouyn
J'avais pas l'meilleur coup d'patin
Mais j'travaillais fort dans les coins
J'tais jeune pis j'avais peur de rien
J'ai signé pour les Canadiens

Tu v'nais m'voir jouer presque tout l'temps
Mais j'jouais pas souvent, j'réchauffais
l'banc
Tu rêvais d'avoir des enfants
J't'ai mariée ent'deux coupes Stanley
Pour le meilleur et pour le pire
T'allais dev'nir veuve du hockey

Les enfants s'dépêchaient d'souper
Pour voir leur père jouer à tv
En espérant le voir compter
D'octobre aux éliminatoires
Du Holiday Inn à patinoire
J'traversais les États sans les voir

Avant de lire

- Quand tu étais petit(e) voulais-tu être célèbre? Aurais-tu aimé être joueur de hockey ou d'un autre sport professionnel? Pourquoi ou pourquoi pas?
- Nomme quelques joueurs de hockey célèbres. Pour quelles équipes jouent-ils ou jouaient-ils?
- Pense à quelqu'un qui est devenu célèbre, mais qui ne l'est plus aujourd'hui. Quels sont tes sentiments à présent envers ce personnage?
- Fais des recherches sur le groupe Beau Dommage. Qui sont-ils? D'où viennent-ils? Quelle sorte de musique jouaient-ils?

Astheure j'pense pus rien qu'à mes genoux
J'ai tout l'temps peur aux mauvais coups
Le monde commence à me crier chou
À'école les enfants se font niaiser
C'est dur pour eux autres comme pour moé
Leur père s'ra jamais comme Tremblay

J'ai débarqué, j'les ai accrochés
Pis t'es pus une veuve du hockey
Être échangé c'tait pas pour moé
Astheure j'ai une taverne dans Villeray
Des fois j'aimerais l'dire à tv
C'que c'est pour vrai jouer au hockey
C'que c'est pour vrai jouer au hockey.

Paroles et musique de Pierre Bertrand et Monique Gignac

Je comprends...

Réponds aux questions suivantes.

1. Cette chanson raconte la vie d'un joueur de hockey. En cinq ou six phrases (de tes propres mots), raconte ce qui lui est arrivé.

2. Pourquoi l'histoire est-elle triste?

3. Comment sa vie diffère-t-elle de (ce qu'on imaginerait de) celle d'une vedette de hockey?

4. Depuis combien de temps voulait-il jouer au hockey? Qui était son idole?

5. Décris-le comme joueur. A-t-il eu du succès? Explique ta réponse.

6. Comment a-t-il rencontré sa femme?

7. Explique l'expression « veuve du hockey. »

8. Lui et sa femme se sont mariés « pour le meilleur et pour le pire. » À ton avis, quelles étaient les meilleures parties de ce mariage? Quelles étaient les pires?

9. Comment la vie de ses enfants a-t-elle été difficile parfois?

10. Quel message le hockeyeur veut-il nous communiquer à travers cette chanson?

J'approfondis

À deux, faites une entrevue entre un journaliste et le joueur de la chanson. Posez entre six et huit questions et répondez-y, en insistant surtout sur l'enfance du joueur et l'effet de sa carrière sur ses propres enfants.

Utilisez des expressions de volonté, de permission, de souhait, de sentiment et d'ordre avec le présent du subjonctif ou l'infinitif, selon le cas.

Tâche riche 2

Choisis une personne célèbre ou quelqu'un que tu connais bien.

A) Raconte un événement clé de son enfance.

- Écris deux paragraphes, 200 à 400 mots environ.
- Utilise beaucoup d'exemples du passé composé, de l'imparfait et du plus-que-parfait pour raconter l'événement.

B) Explique comment cet événement a affecté sa vie et son caractère d'aujourd'hui.

- Utilise des expressions de volonté, de sentiment, de permission, de souhait et d'ordre avec le subjonctif quand tu expliqueras l'effet de l'événement.
- Pour plus d'inspiration, relis *Hockey* et l'extrait du *Château de ma mère*.

Saviez-vous?

Le Niger

Le Niger est un pays situé au centre de l'Afrique du Nord-Ouest, entre le Mali, l'Algérie, la Libye, le Tchad et le Nigeria. Il touche aussi les pays de Burkina Faso et Bénin. Sa capitale est Niamey. Une grande partie du pays fait partie du Sahel, une partie du désert Sahara. Sa langue officielle est le français, mais il n'y a qu'une minorité qui le parle. La majorité parle le haoussa, une langue ethnique qui est beaucoup utilisé pour le commerce.

Les Nigériens sont un peuple très musical et très artistique; leur textile et leur art sont très populaires auprès des touristes. Malheureusement, ce pays est extrêmement pauvre. Il est le cent soixante seizième vis-à-vis de la pauvreté par rapport aux 177 pays qui font partie des Nations Unies.

Son économie dépend de l'uranium (Le Niger est le deuxième producteur mondial d'uranium) et de l'agriculture. La sécheresse au Sahel a causé beaucoup de problèmes, comme la crise alimentaire de 2005. De plus, les prix de l'uranium sont en baisse.

Le Niger a déclaré son indépendance par rapport à la France le 3 août, 1960, mais il avait auparavant une histoire brillante, ayant été le siège du grand empire Fulani au XVe siècle. Les Nigériens sont fiers de leur premier président, Diori, qui, avec les présidents de la Tunisie et du Sénégal, a créé la francophonie. Le Niger a accueilli les Cinquième Jeux de la Francophonie en 2005.

Politiquement, il y a de la stabilité depuis 1999, mais la rébellion armée des années 90 a laissé beaucoup de problèmes au Nord du pays où d'anciens rebelles continuent à attaquer les gens.

Je lis

L'amour d'Aïssatou

d'Andrée Clair (extraits)

Aïssatou, Alirou et Sounmaïla, 1ère partie

Aïssatou a toujours connu Sounmaïla.Une bande d'enfants qui joue, crie, court dans le sable. À l'affût de chaque événement, de chaque nouveauté. Abdallah, qui, après un séjour dans la capitale, a remplacé son turban par une petite calotte brodée. Le marquage d'un jeune chameau. La dispute entre un Touareg et un commerçant haoussa. Le mariage d'un vieux notable avec une jeune Peule, sa dixième ou onzième épouse; naturellement, il n'a toujours que quatre épouses : à partir de la cinquième, il en a répudié une avant chaque nouveau mariage. Des Européens, venus en Land Rover. Les premiers qu'Aïssatou voyait. Elle a eu peur. Surtout d'un homme aux cheveux d'une couleur jamais vue : très clairs, jaune pâle, presque blancs, comme de la paille de mil. Avec les autres enfants, elle finit par se rapprocher d'eux, en donnant la main à son grand frère Alirou, et en se cachant derrière lui. Aïssatou a remarqué Sounmaïla à cause d'Alirou. Alirou et Sounmaïla, du même âge, étaient inséparables.

Avant de lire

- Quand tu étais enfant, quelle était ton attitude envers l'école? L'aimais-tu? Aimais-tu y aller? Pourquoi ou pourquoi pas?

- Si tu n'avais pas pu aller à l'école, comment te sentirais-tu aujourd'hui?

- Fais des recherches sur des pays où le taux de scolarité est très bas, où très peu d'enfants peuvent aller à l'école. Trouve trois pays et deux raisons qui pourraient expliquer un taux de scolarité aussi bas.

Dans son roman « L'amour d'Aïssatou », Andrée Clair raconte l'histoire d'Aïssatou, la fille d'un chef de village du Niger. Bien que le gouvernement exige que tous les enfants reçoivent une éducation, il est très difficile d'appliquer ce principe dans de petits villages éloignés de la capitale. Aïssatou voulait aller à l'école et sa mère était déterminée à ce que sa fille devienne infirmière.

En 1960, ils eurent sept ans. L'année où ils devaient aller à l'école. C'est toujours un événement dans une famille. Cette année-là, la rentrée fut un événement exceptionnel pour tous : l'indépendance du Niger avait été solennellement proclamée, le 3 août, après quelques soixante ans d'occupation française. Depuis, le gouvernement, entre autres choses, insistait pour que le pays compte davantage d'écoliers : pour se développer, il faut s'instruire. Le Président disait, à la radio, qu'il fallait scolariser non seulement les garçons, mais aussi les filles.

À Donakou, le chef, pour donner l'exemple, annonça qu'il enverrait tous ses enfants, entre sept et dix ans. Oui, même les filles. On n'apprécia pas tellement. Le gouvernement dit des choses de gouvernement. Les paysans, eux, font des choses de paysans. L'école pour les garçons des familles de notables qui ne travaillent pas elles-mêmes la terre, passe encore. Mais les filles! elles n'en ont pas besoin.

Ce fut le moment que choisit Balkissa, la mère d'Aïssatou pour assurer que sa fille irait à l'école quand elle en aurait l'âge. Car ainsi, affirmait Balkissa, Aïssatou serait instruite et pourrait diriger sa vie comme elle le voudrait.

L'ensemble du village, stupéfait, la blâma. Ça lui faisait du bien, au village, de la blâmer : il se défoulait sur elle, une simple femme qui aurait dû se taire. On clamait tout haut à son sujet… ce qu'on n'aurait pas osé chuchoter sur le chef.

Ce qui donnait, en outre, très bonne conscience au village, c'est que Balkissa n'avait que vingt-trois ans. Pour une femme, c'est déjà vieux. Mais cet âge ne lui conférait, tout de même, aucune autorité pour donner son avis, que, de plus, on ne lui demandait pas. Et elle avait seulement trois enfants, très jeunes. Un bébé mort au bout de quelques semaines et une fausse couche, ça n'ajoute rien. Au contraire.

Toutefois, en ces temps d'indépendance toute neuve, où certains attendaient de voir d'où le vent soufflerait, où d'autres intriguaient, il était difficile de retourner la situation contre Balkissa. Elle affirmait avec beaucoup de vivacité convaincante que, puisqu'on était indépendant, il fallait se débrouiller soi-même. Les gens du gouvernement avaient l'habitude, il fallait les écouter. On devait donc envoyer le plus d'enfants possible à l'école. Y compris les filles. Du reste, tous les enfants – filles et garçons – des ministres, des commandants, des fonctionnaires, allaient à l'école. Pourquoi? Pour diriger aussi, tiens! Comme leurs pères ou se marier à des dirigeants. Alors, si les enfants des autres prenaient le même chemin…

On pouvait déceler de l'ironie, parfois dans la voix de Balkissa. Au début, on crut qu'elle agissait uniquement pour contrarier son mari, personnage de bonne famille, comme elle, mais de caractère faible. Après, on hésita. En tout cas, Balkissa découvrit, toute seule, que sa position, pour personnelle qu'elle fût à l'origine, prenait d'autres dimensions.

Brahim, le père d'Aïssatou, ne répondit rien à Balkissa. Non pas qu'il fut d'accord, oh non! Avant tout, il était trop surpris. Où sa femme avait-elle trouvé ces idées? Mais il n'avait pas l'esprit très rapide et il venait, après huit ans de mariage, de prendre une seconde épouse, une fillette presque. Fouréra avait quatorze ans. Effrayée, elle essayait de ne pas se faire remarquer. Mais si on la regardait, on ne pouvait qu'être frappé par son visage ferme, triste, parfois désespéré. Depuis son arrivée dans la cour, la tornade régissait les nouveaux rapports des parents d'Aïssatou. Brahim, bien ennuyé, évitait de heurter de front sa « grande femme ». Il ne voulait pas se séparer d'elle. Il l'aimait encore trop, la nuit. Bien qu'elle commençât à ne plus être très jeune. La nouveauté, c'est excitant, mais l'habitude, la connaissance d'un corps, de ses réactions, c'est aussi bien appréciable. Et elle n'était pas d'une famille à qui on pouvait renvoyer sa fille du jour au lendemain. Les projets de Balkissa au sujet d'Aïssatou… ça lui passerait…

Balkissa pensait que sa fille, instruite, trouverait un bon travail à la ville. Elle s'y marierait avec un fonctionnaire. Comme elle serait aussi instruite que son mari, ou pas beaucoup moins, elle n'aurait pas de coépouse.

Enfin… Balkissa l'espérait. Parce qu'après tout, un homme est toujours un homme, fonctionnaire ou pas. C'est si facile, la polygamie. Et la répudiation, donc! Et vous avez déjà vu un homme refuser la facilité? Surtout dans ce domaine! Quand même, sa fille aurait un pouvoir supplémentaire.

Donc, Aïssatou savait qu'elle irait plus tard à l'école. Aussi, ce jour de la rentrée 1960, habillée d'un pagne tout neuf, comme sa mère, elle l'accompagna avec beaucoup de curiosité et un peu de regret : ce n'était pas encore son tour. Alirou marchait, avec fierté, dans son boubou blanc, neuf aussi. Sounmaïla et sa mère allaient, à côté de lui.

Devant l'école, les deux instituteurs attendaient. Jusqu'à l'année dernière, Donakou ne possédait qu'une classe. En banco, l'argile séchée au soleil, dont sont faites toutes les constructions. Pour cette année, qui marquait une date entre toutes les dates, le chef avait fait construire, à côté, une classe-paillotte et avait réclamé à cor et à cri, un deuxième enseignant. Il avait écrit au Ministre, au député, au préfet, alerté le sous-préfet, le responsable politique. Résultat de toutes ces démarches, hasard ou coïncidence, on avait envoyé un tout jeune homme, un débutant, arrivé seulement hier soir.

Aïssatou regardait de tous ses yeux. Les instituteurs firent mettre les élèves en rangs, deux par deux. Alirou et Sounmaïla se tenaient l'un à côté de l'autre, un peu intimidés. Ensemble, ils disparurent dans la classe-paillotte. Ensemble, ils revinrent à midi. Ensemble, ils repartirent l'après-midi, le lendemain, puis chaque jour.

Je comprends…

Réponds aux questions suivantes.

1. Comment sais-tu que la polygamie est une pratique courante dans le pays?

2. Trouve des détails qui indiquent que l'histoire a lieu en Afrique et aussi que la société autour d'Aïssatou est assez close, avec peu de contacts avec le reste du monde.

3. Nomme deux événements importants qui ont eu lieu au Niger cette année-là. Explique comment ils ont affecté la famille d'Aïssatou.

4. Quelle était l'attitude générale à Donakou vis-à-vis de la scolarisation des filles?

5. Combien d'enfants Balkissa a-t-elle eus? À quel âge s'est-elle probablement mariée?

6. Quelle décision Balkissa a-t-elle prise, suite à l'indépendance du pays?

7. Décris Brahim, le mari de Balkissa. Comment a-t-il réagi aux nouvelles idées de sa femme?

8. Que voulait Balkissa pour sa fille?

J'approfondis...

Un des thèmes de cet extrait est la polygamie, où un homme peut avoir plus d'une épouse.

En groupes, discutez des avantages et des désavantages de la polygamie
   a) pour les hommes
   b) pour les femmes
   c) pour les enfants.

Partagez vos conclusions avec la classe.

Aïssatou, Alirou et Sounmaïla, 2ᵉ partie

Sounmaïla faisait partie de la vie d'Aïssatou, sans que celle-ci y prête tellement d'attention. C'était un fait normal et ordinaire. Sounmaïla arrivait le matin, appelait Alirou si celui-ci ne l'attendait pas dehors. Souvent Aïssatou les accompagnait, et le chemin était toujours très gai. Les deux garçons étaient vêtus maintenant d'un short et d'une chemise, mais Aïssatou conservait le souvenir de deux boubous blancs se glissant dans la case-paillotte pendant que sa mère, lui serrant la main très fort, lui affirmait, la tête haute, avec toute la force de son espoir :

- Regarde bien, Aïssatou! Toi aussi, tu entreras dans cette classe.

Aïssatou, à travers son frère, suivait plus ou moins la vie de l'école. Elle aimait et admirait Alirou. Elle était curieuse. Et puisqu'elle deviendrait une écolière… Cela lui sembla toujours naturel. Sa mère lui en parlait tellement… Un petit frère, Daouda, vint au monde. Puis, Balkissa fit une fausse couche. Enfin, Aïssatou eut presque sept ans.

Le père était bien ennuyé : sa femme avait persévéré dans son idée. Elle avait un caractère ferme et décidé. Parfois, elle était dure. De plus en plus souvent. Refuser qu'Aïssatou aille à l'école n'apporterait au chef de famille que des complications dans sa vie conjugale avec sa grande femme. Il commençait à se lasser de sa seconde épouse, toujours jolie, oui, mais passive, rétractée même, fermée, ne souriant jamais. Et pour comble, elle ne lui avait pas donné d'enfants. Pourtant, quand il l'avait remarquée, elle était éclatante de vie et de gaieté. Qu'est-ce qu'elle avait? Il était un homme riche. Il lui donnait de beaux pagnes et des bijoux en or. Alors?

Une troisième épouse semblait indispensable à Brahim. Assez ennuyé par la perspective d'une conversation qui, il le craignait, ne serait pas aisée, il se saisit de l'occasion et proposa le marché à Balkissa : il se mariait une nouvelle fois. Et Aïssatou irait à l'école.

Il n'y eut pas de conversation. Balkissa toisa son mari avec mépris, lui tourna le dos, lentement, comme indifférente, et reprit ses occupations. Sans un mot. Le père d'Aïssatou, soulagé et vexé, préféra prendre insolence et silence pour une acceptation. C'en était une. Balkissa avait décidé qu'Aïssatou serait instruite. Elle le serait. Il en coûterait bien sûr à Balkissa. De toutes façons, la femme paye toujours, pour n'importe quoi. Son cœur devint encore plus dur pour son mari. Son maître... Balkissa eut un petit rire acide. Pas le maître de ses pensées, en tout cas. La troisième épouse, Haoua, fraîche et pimpante, arriva quelques jours après.

Le lundi de la rentrée, Balkisssa, le visage fier et sérieux, conduisit Aïssatou à l'école.

Aïssatou était heureuse. De plus, elle serait avec son frère et Sounmaïla. Elle se trompait. Les deux garçons changeaient de classe et partaient dans celle en banco.
À la récréation, elle se précipita vers Alirou et son ami. C'était si amusant l'école : il fallait partager sa joie avec eux. Alirou et Sounmaïla, qui jouaient avec d'autres garçons, n'écoutèrent pas la petite fille et la plantèrent là. Interdite, son élan coupé, Aïssatou, incrédule, vit les garçons qui couraient, riaient, l'ignoraient. Elle leur en voulut.

Puis, peu à peu, elle souffrit moins de leur abandon. Du reste, elle devenait de plus en plus amie avec Salika, qui habitait dans la concession voisine de la sienne. Elles aussi devinrent inséparables. Jusqu'à ce premier jour de classe, elles étaient deux fillettes se voyant presque tous les jours et jouant souvent ensemble. Sans plus. C'est pendant cette première récréation que leur amitié prit un vrai départ.

Aïssatou, immobile, en plein désarroi, regardait son frère et Sounmaïla. Elle sentit qu'on lui prenait la main. Elle se retourna. C'était Salika. Elle la regardait avec une grande lumière dans les yeux.

Elles décidèrent, toutes deux, qu'elles en sauraient autant que les deux garçons. Ces crâneurs... pour qui se prenaient-ils? Du reste, apprendre était très intéressant, et elles étaient fières d'être des écolières.

Quand elles sortaient de l'école, elles faisaient comme beaucoup d'autres, se lançant à la tête les mots français qu'elles venaient d'apprendre, pour étonner ceux et celles qui n'allaient pas en classe. Très peu admiraient, et même, beaucoup se moquaient :

- Elles veulent parler comme les Blancs! Elles veulent aussi se faire blanchir la peau? Et avoir de la paille de mil sur la tête!

Puis la manie leur passa. Ce n'était pas tellement drôle de répéter des phrases, auxquelles pour le moment, elles ne comprenaient pas grand-chose.

Je comprends...

Réponds aux questions suivantes.

1. Quelles émotions Aïssatou éprouvait-elle le jour de la rentrée de son frère et de son ami Sounmaïla?

2. Qu'avait fait le chef pour se préparer pour cette année d'école?

3. Qu'affirmait toujours Balkissa à Aïssatou?

4. Décris Balkissa.

5. Qu'a coûté à Balkissa le fait que Brahim à accepté qu'Aïssatou aille à l'école? Pourquoi?

6. Quelle mauvaise surprise Aïssatou a-t-elle eue à son premier jour d'école?

7. Qui a remplacé Alirou et Sounmaïla dans la vie d'Aïssatou? Qu'ont décidé Aïssatou et son amie?

J'approfondis...

Choisis un des personnages suivants à représenter :

- Balkissa
- Aïssatou
- Brahim
- Alirou
- Sounmaïla

Explique en cinq à sept phrases tes pensées au sujet de la scolarisation des filles. N'oublie pas de baser tes idées sur le contenu du texte que tu viens de lire. Utilise le vocabulaire de l'histoire.

J'observe!

Le passé du subjonctif.
Observe les phrases suivantes.

- Aïssatou est triste que les garçons ne lui aient pas parlé à l'école.
- Elle est contente qu'elle et Salika soient devenues amies et qu'elles aient pu passer du temps ensemble.
- Elle est ravie que sa mère ait trouvé une façon de l'envoyer à l'école.
- Balkissa est fière que sa fille soit allée à l'école.
- Mais elle n'est pas contente que son mari se soit marié encore une fois.

➡ Quel est le temps des verbes soulignés?

➡ Quelle est la forme du verbe auxiliaire? Explique pourquoi.

➡ Quelle est la première action qui prend place dans chaque phrase?

➡ Explique dans tes propres termes quand il faut utiliser le passé du subjonctif.

Je pratique...

Fais des phrases complètes en employant le passé du subjonctif.

Exemple : je/ être triste/ les enfants/ ne pas recevoir de cadeaux
Je suis triste que les enfants n'aient pas reçu de cadeaux.

1. nous/ désapprouver/ le chef/ envoyer les filles à l'école

2. elle/ aimer mieux/ les garçons/ ne pas sortir sans elle

3. les parents/ avoir peur/ le chef/ prendre une mauvaise décision

4. Balkissa/ être fière/ sa fille/ aller à l'école

5. Ce/ être dommage/ toutes les filles/ ne pas avoir la même occasion

6. Brahim/ regretter/ sa femme/ prendre une décision sans le consulter

7. Les professeurs/ être étonnés/ autant de filles arriver

8. Balkissa/ être vexée/ son mari/ prendre une nouvelle épouse

Je mets en application...

A. Pense à tout ce qui est arrivé dans ta vie l'année dernière. Compose des phrases en utilisant les expressions suivantes ainsi que le passé du subjonctif pour exprimer tes sentiments.

je regrette que...	*je suis ravi(e) que...*	*je suis étonné(e) que...*
je suis fâché(e) que...	*je suis déçu(e) que...*	*je suis ennuyé(e) que...*
je suis mécontent(e) que...	*je suis heureux/ heureuse que...*	*je suis triste que...*

Exemple: Je regrette que ma sœur n'ait pas reçu une bonne note en biologie.

B. Maintenant, pense à ce qui est arrivé aux enfants du Canada et du monde. Utilise les mêmes expressions pour créer des phrases.

Exemple : Je suis furieux/furieuse que tant d'enfants soient morts de faim.

Tâche riche 3

Choisis un problème social (la pauvreté, les conflits entre classes sociales, la violence dans les médias) qui a un grand impact sur les enfants. Choisis un thème qui t'ait touché dans les textes de cette unité.

- Écris une lettre, un courriel ou une entrée dans un blogue où tu expliqueras le problème, tu y exprimeras ton opinion et tu suggèreras des solutions possibles ou éventuelles.
- Écris entre 200 à 300 mots.
- Utilise le plan de ton Cahier afin de t'aider.

Modèle

Des débuts de courriels à la page éditoriale d'un journal.

Le 26 octobre

Messieurs,

À mon avis, la violence dans les jeux vidéo a une très mauvaise influence sur les enfants d'aujourd'hui. Ils sont toujours en train de voir des scènes de violence terrible et, en plus, ils y participent! Un enfant qui tue trente personnes par jour, même si c'est dans un jeu vidéo, ne peut pas développer d'attitudes saines et coopératives envers la race humaine.

Messieurs,

Je trouve triste qu'il y ait dans notre riche pays des enfants qui doivent se coucher chaque soir sans avoir mangé suffisamment. C'est vraiment un scandale et le gouvernement doit absolument faire quelque chose pour corriger cette situation

Tâche finale

Pense aux problèmes sociaux qui peuvent avoir un effet sur les enfants, tels que le racisme, la pauvreté, la violence dans les médias, les drogues, l'intimidation et l'abus.

- Choisis un problème de la liste ci-dessus, des passages de lecture de cette unité ou des articles que tu auras trouvés dans des journaux ou des revues. Fais des recherches sur le problème pour trouver des exemples, des statistiques et des opinions expertes. Utilise l'Internet, des revues, des encyclopédies et des livres. Tu pourrais aussi utiliser des poèmes, des chansons ou des films comme sources de documentation. Établis une bibliographie en bonne et due forme pour identifier tes sources.

- Organise une présentation orale de dix à quinze minutes où tu expliqueras le problème en détail, tu suggéreras des solutions et tu animeras une discussion du problème avec la classe.

- Utilise des aides visuelles pour aider la classe à mieux comprendre le problème : des graphiques, des photos ou des scènes de films.

- Utilise le plan dans ton Cahier pour organiser ta présentation, tes aides visuelles, ta bibliographie et la discussion que tu animeras.

LE CŒUR DE L'ARTISTE

2

Je communique...

- des articles de journaux
- *Pour faire le portrait d'un oiseau* par Jacques Prévert
- la nouvelle *Solange*
- trois extraits de l'opéra *Nelligan*
- deux poèmes par Émile Nelligan

Je partage...

- mes idées sur les arts
- ma définition d'un chef-d'œuvre
- mes opinions sur le graffiti
- mes idées sur le génie

J'apprends et je comprends...

- Comment utiliser le pronom relatif *lequel*
- Comment utiliser les verbes de perception et le verbe *laisser* suivi d'un infinitif
- Comment utiliser le pronom *on* pour éviter la voix passive
- Comment écrire un article de journal et une lettre d'affaire

Ma tâche finale...

- Écrire une lettre pour exprimer des opinions.

Artiste : Adolph Gottleib
Titre : Green Foreground, 1972

La maison dansante

Artiste : Auguste Rodin
Titre : Le penseur, 1880

Artiste : Léonard de Vinci
Titre : La Joconde, 1506

Artiste : Andy Warhol
Titre : Campbell Soup Can, 1960

Artiste : Claude Monet   Titre : Nymphéas, 1914

Gare Lyon St.Exupery

Artiste : Marcel Duchamp
Titre : Fontaine

L'Opéra de Sydney

Artiste : Auguste Rodin
Titre : La main de Dieu,
1898

En route!

⊃ Diderot, philosophe et écrivain français, a déclaré aux artistes
de son époque : « Avant tout, émouvez-moi, surprenez-moi,
déchirez-moi le cœur, faites-moi trembler, pleurer, frissonner,
agressez-moi, ensuite seulement réjouissez mes yeux si vous
pouvez. »

Je lis...

L'Art, c'est quoi?

CONGO, LE PEINTRE CHIMPANZÉ : MONET DE SINGE

par Yves Schaëffner.

On connaît Congo comme le
« Cézanne du monde des singes. » Son
mentor, Desmond Morris, un béhavioriste
d'animaux, a découvert que Congo a
rapidement appris à utiliser ses
pinceaux et crayons pour créer des
formes aux couleurs vives. Comme les artistes humains,
Congo essayait de garder un équilibre dans ses œuvres et
de produire des contrastes intéressants. Il pouvait aussi
sentir quand la toile était achevée car, à ce moment-là,
il refusait de reprendre à nouveau son pinceau.

**Plus de 32 000$, c'est le montant qu'a déboursé un amateur d'art
américain pour acquérir trois toiles du peintre chimpanzé Congo!**

Des enchères qui grimpent

La maison d'art britannique Bonhams, espérait, au mieux, obtenir 1 800$ pour les
trois tableaux de Congo, le chimpanzé. À la surprise générale, les trois œuvres ont
suscité un engouement spectaculaire lundi dernier à Londres et les enchères se sont
envolées à plus de 32 000$! C'est un amateur d'art américain, Howard Hong, qui a
finalement remporté les peintures convoitées.

Le protégé de l'auteur du *Singe nu*

Précisons que « Congo The Chimp » n'était pas un singe quelconque. Congo,
appartenant, en fait, à Desmond Morris, le célèbre auteur du *Singe nu*, avait déjà fait
preuve de ses talents particuliers à la télé dans les années cinquante. Mieux encore,
il avait participé à une exposition controversée « d'art chimpanzé » en 1957. Des
images d'archives de Congo « au travail » présentées par la BBC, montrent que le
chimpanzé était fort studieux et... particulièrement agacé si quelqu'un tentait de lui
retirer son œuvre avant qu'il n'ait apposé sa touche finale. Il se mettait à hurler!

Un « artiste » prolifique

Suivant les travaux d'autres scientifiques, Desmond Morris tentait de comprendre
comment ces animaux pouvaient s'intéresser, sinon à l'art, au moins à la peinture.
Sous les encouragements de Morris, Congo aura finalement produit plus de quatre
cents dessins et peintures durant sa courte période créatrice (de l'âge de deux ans à
quatre ans). Morris s'était persuadé en observant Congo que les chimpanzés avaient
une sensibilité artistique.

Avant de lire

- Donne ta définition personnelle de l'Art.
- Qui décide si une œuvre a de la valeur artistique et mérite l'attention et l'admiration du public?
- Le talent artistique est-il inné?

Lis les articles suivants qui mentionnent deux artistes et leur influence sur le monde de l'Art.

Une pulsion créatrice universelle?

Tout cela relève plus du cirque que de l'art, pensez-vous? Son « style », qualifié en son temps « d'expressionnisme abstrait », a pourtant séduit Miró qui aurait acheté une de ses toiles et Pablo Picasso qui en aurait accroché une dans son studio. Ce dernier – qui considérait souvent l'art primitif comme une de ses références -, pensait également qu'il existait une « pulsion créatrice universelle. » Bien que rudimentaires, les peintures et dessins de Congo – ou barbouillis, selon plusieurs – témoignent toutefois d'un sens certain de l'équilibre et des couleurs.

Du jamais vu!

Le spécialiste d'art moderne et contemporain chez Bonhams, Howard Rutkowski, affirmait, lundi, qu'il s'agissait, selon lui, d'une première. « Je doute qu'une œuvre de chimpanzé ait jamais été mise aux enchères avant aujourd'hui. Je ne pense pas que quelqu'un n'ait jamais été assez fou pour faire cela. Je suis sûr que les autres maisons d'art pensent que c'est une idée folle. » Une idée folle qui a quand même rapporté près de vingt fois plus que prévu! Et pas en « monnaie de singe! »

Je comprends...

Réponds, oralement, aux questions suivantes.

1. Explique l'importance des gens suivants dans l'histoire de Congo :
   (a) Desmond Morris
   (b) Howard Hong
   (c) Joan Miró et Pablo Picasso
   (d) Howard Rutkowski

2. As-tu été surpris(e) par le prix qu'on a reçu pour les toiles de Congo? Explique ta réponse.

3. À ton avis, pourquoi une maison d'art respectable offrirait-elle au public des toiles peintes par un chimpanzé?

Je discute...

En groupes, discutez des questions suivantes, et partagez vos idées avec d'autres groupes.

- Pourquoi les connaisseurs sont-ils disposés à payer une fortune pour posséder les objets d'art?
- Peut-on comparer l'art de Congo à celui des autres peintres? Justifiez vos réponses.

Saviez-vous?

Des faits intéressants.

En 1962, avant son exposition aux États-Unis, on avait estimé la valeur de « La Joconde » par Léonard de Vinci à cent millions de dollars.

En 2004, aux États-Unis, pendant une vente aux enchères, un acheteur anonyme a payé 93 millions de dollars pour une peinture de Pablo Picasso *Garçon à la pipe*. Si on inclut les autres frais, le prix total a dépassé 104 millions de dollars. En 2006, Ronald S. Lauder, le co-fondateur de la Galerie Neue à New York, a acheté une peinture de Gustav Klimt pour 135 millions.

On a payé 5 616 750 dollars pour une sculpture en porcelaine (créée par l'artiste Jeff Koons) du chanteur Michael Jackson et de son chimpanzé Bubbles.

Je mets en application...

Si tu étais un autre artiste dont les toiles se vendaient ce jour-là, quelle aurait été ta réaction en entendant que ton « compétiteur » était un chimpanzé?

Avec un ou une partenaire, créez une conversation avec Howard Rutkowski, le spécialiste d'art moderne chez Bonhams. Dans ce dialogue, donnez au moins 2 bonnes raisons pour convaincre monsieur Rutkowski que la vente des toiles de Congo est offensante et choquante. Bien sûr, monsieur Rutkowski essaiera de justifier les actions de Bonhams. (Servez-vous des idées et du vocabulaire de la page 54 du Cahier.)

Je lis

Art urbain « Roadsworth s'en tire à bon compte »

par Nicolas Bérubé

À la différence des « tagueurs » typiques, l'art de Peter Gibson découle de beaucoup de réflexions. C'est un artiste qui essaie de faire une déclaration politique et qui lutte contre un paysage urbain ennuyeux et banal.

Avant de lire

- Penses-tu que le graffiti est une forme d'art ou plutôt une forme de vandalisme? Justifie ta réponse.
- Explique la différence entre un graffiti et un « tag. »
- As-tu déjà peint des graffiti? Si oui, explique les circonstances.

La Presse

Le jeudi 19 janvier 2006

L'artiste montréalais, Peter Gibson, vient d'être absous de près de 50 chefs d'accusation qui auraient pu le ruiner complètement, avec des amendes de 100 000 $ assorties d'un casier judiciaire.

Une des réalisations de Peter Gibson, alias Roadsworth

M. Gibson, connu sous le pseudonyme de Roadsworth, s'était fait remarquer en 2004 pour avoir peint des hiboux, des barbelés et des fermetures éclair sur la chaussée de certaines rues du Plateau Mont-Royal et du Mile End, à Montréal.

Cette intervention artistique avait aussi été remarquée par la police, qui avait ouvert une enquête pour mettre la main au collet de M. Gibson en novembre 2004. Aux yeux de la Ville de Montréal, M. Gibson était un « méga graffiteur » apposant sa « signature » partout et méritait de recevoir une punition exemplaire.

Or, c'est finalement sa qualité d'artiste et non de graffiteur qui a eu le dessus. Mardi, M. Gibson a reçu une absolution conditionnelle en vertu d'un arrangement à l'amiable entre son avocat et les procureurs de la Ville. Cette entente stipule que l'artiste devra faire 40 heures de travaux communautaires dans des activités liées au domaine des arts visuels, et qu'il devra garder la paix et ne pas utiliser des pochoirs et de la peinture en aérosol dans la rue. M. Gibson pourra continuer à faire des interventions publiques, mais devra auparavant obtenir l'autorisation de la Ville.

Selon son avocat, Jean-Philippe Desmarais, la sympathie du public à l'égard de M. Gibson a pesé dans la balance. « Je crois que la Ville voulait en faire un cas type pour prouver qu'elle ne tolère pas les graffiteurs. Mais, force est de constater que M. Gibson n'est pas un graffiteur type. Il travaille avec des pochoirs et possède une véritable démarche artistique. Et son histoire a attiré la sympathie du public et des médias. »

En janvier 2005, *La Presse* avait d'ailleurs publié un éditorial réclamant l'absolution complète de M. Gibson. « Pourquoi permettre aux entreprises d'installer d'immenses affiches criardes en bordure de routes, mais empêcher un artiste qui propose des interventions infiniment plus discrètes de peindre un coin de bitume? » disait-on.

Les interventions de M. Gibson visaient surtout à « travestir » le marquage déjà présent sur la chaussée. Avec quelques pochoirs, il avait transformé une place de stationnement en commutateur ouvert à la position « ON ». Il avait également décidé de « protéger » les passages cloutés du quartier en y peignant, de part et d'autre, des fils barbelés. Les interventions ont toujours été réalisées sur le trottoir ou dans la rue, mais jamais sur une propriété privée ou un bâtiment. L'été dernier, le Bureau d'art public de la Ville de Montréal a même autorisé M. Gibson à peindre une fausse piste cyclable dans le Vieux Montréal dans le cadre d'un événement culturel.

Je comprends...

1. Selon la police montréalaise, quel était le « crime » de Peter Gibson?

2. On voulait lui infliger une « punition exemplaire ».
   À qui servirait-elle d'exemple?

3. Explique comment tout le monde a gagné.

4. Pourquoi le public et les médias ont-ils eu de la sympathie envers M. Gibson?

5. Explique dans tes propres mots le point de vue de La Presse.

6. Comment M. Gibson avait-il respecté les droits des propriétaires de mobilier privé?

Je discute

À l'époque des Impressionnistes, les critiques ont ridiculisé la technique et les sujets. Le Salon a refusé d'exposer les peintures, mais, en fin de compte, le public et le monde artistique ont accepté le style. À l'avenir, penses-tu que le public acceptera l'art des graffiteurs et le trouvera de valeur?

Saviez-vous?

À Toronto

« Style in Progress » est une organisation à but non-lucratif qui essaie de promouvoir une meilleure compréhension des formes d'art urbain comme le graffiti, la musique hip hop et la danse. Le groupe organise des expositions d'art, des spectacles et des projets dans la communauté, afin d'exposer les talents de jeunes artistes au public.

En l'an 2005, la ville de Toronto a décerné un prix à « Style in Progress » pour avoir contribué à la beauté du paysage urbain. De plus, on a attribué une bourse à 10 artistes/graffiteurs pour qu'ils peignent des boîtes à utilité de Bell. Le premier projet a réussi et, en mars 2006, Bell a donné son autorisation de peindre quarante boîtes de plus.

Avant

Après

Je discute

Les gouvernements municipaux ne veulent pas que les propriétés soient vandalisées. Cependant les artistes urbains veulent s'exprimer ouvertement et exposer leur art au public. Le projet « Bell Box » et les œuvres de Peter Gibson ont offert des solutions productives à l'impasse.

Travaille avec un ou une partenaire afin de proposer plusieurs autres projets qui pourraient être acceptables aux deux.

Ensuite, partagez vos idées avec la classe.

Exemple :

Toi : Il y a beaucoup de petits parcs dans notre ville qui n'ont que deux ou trois bancs laids... Personne n'y va.

Partenaire : C'est vrai. Si on demandait à un artiste de peindre des dessins sur les bancs, les parcs seraient bien plus intéressants.

J'observe!

Le pronom relatif *lequel*

Rappel : Les pronoms relatifs
Observe les phrases suivantes.

L'impressionnisme est un style qui a inspiré beaucoup d'artistes. Monet était un artiste qui peignait en plein air.	Ce qui m'inspire, c'est l'art Impressionniste. Je ne sais pas ce qui arrivera.	sujet du verbe
Les toiles qu'il a peintes* sont de style abstrait. L'artiste que j'ai étudié utilisait les aquarelles.	Ce qu'il a peint était du style abstrait. Peux-tu expliquer ce que l'artiste voulait dire?	objet direct
La collection d'œuvres du Musée d'Orsay est une exposition dont les Parisiens sont très fiers. C'est un sculpteur dont le monde se souviendra.	Je sais ce dont les Parisiens sont fiers. Camille Claudel ne pouvait pas réaliser ce dont elle rêvait.	objet de la préposition « de ». On utilise « dont » et « ce dont » pour combiner deux idées et éviter la répétition de la préposition « de + un nom ». **Exemple :** C'est un sculpteur. Le monde se souviendra **de ce sculpteur.**
« qui » « que » et « dont » sont des pronoms relatifs qui se rapportent à un nom ou un pronom (**l'antécédent**) L'antécédent = une personne ou une chose. *quand on utilise le pronom relatif « que », le participe passé qui le suit, conjugué avec l'auxiliaire « avoir », doit s'accorder avec l'antécédent.	On utilise les pronoms relatifs « ce qui », « ce que » et « ce dont » quand il n'y a pas d'antécédent.	Il y a d'autres expressions qui sont suivies de la préposition « de ». **Exemple :** *avoir besoin de, avoir honte de, avoir peur de, parler de, rêver de, être content de.*

Le pronom relatif lequel

A. Observe les phrases suivantes.

- Le ciseau avec **lequel** je taille est très utile dans mon travail.
- La galerie dans **laquelle** le conservateur travaille achète beaucoup de toiles.
- Les musées pour **lesquels** j'ai fait des recherches m'ont bien payé.
- Les peintures sur **lesquelles** Monet a signé son nom sont les originales.

➠ Quel genre de mot précède la forme de « lequel » dans ces phrases?

➠ *Lequel* est un pronom relatif; chaque phrase a un antécédent. Identifie-le.

➠ Pourquoi la forme de *lequel* change-t-elle dans chacune de ces phrases?

> On utilise le pronom relatif *lequel* pour combiner deux phrases
> sans répéter les idées.
> Le pinceau est très fin. Je peins avec le pinceau.
> Le pinceau <u>avec lequel</u> je peins est très fin.

> *Lequel* suit une préposition.
> *Lequel* s'accorde en genre et nombre avec son antécédent.

B. Observe ces phrases où la préposition qui précède *lequel* est « à ».

- Le musée <u>**auquel**</u> il rend visite est un ancien palais.
- L'artiste <u>**à laquelle**</u> je parle demeure à Florence.
- Les ateliers <u>**auxquels**</u> nous allons sont très modestes.
- Les classes d'art <u>**auxquelles**</u> ils assistent sont pleines de débutantes.

➠ Comment combine-t-on le pronom « *lequel* » et la préposition « à »?

C. Observe les phrases suivantes où la préposition qui précède *lequel* est « de ».

- Le nouveau musée à propos <u>**duquel**</u> j'ai lu ouvrira demain.
- La galerie moderne <u>**de laquelle**</u> il m'a parlé se trouve à New York.
- Les montagnes près <u>**desquelles**</u> il peint sont neigeuses.**

➠ Comment combine-t-on le pronom *lequel* et la préposition « de »?

➠ Dans les deux premières phrases, quel autre pronom relatif pourrait-on utiliser au lieu de *duquel* ou *de laquelle*?

> **Si la préposition « **de** » fait partie d'une locution de plusieurs mots comme
> *près de, à côté de* ou *au milieu de,* on **ne peut pas** utiliser « **dont** ».
> Il faut utiliser la forme correcte de *lequel*.

Je pratique...

Dans chacune des phrases suivantes :

i) identifie l'antécédent.

ii) Quelle forme de « *lequel* » est nécessaire?
   a) lequel
   b) laquelle
   c) lesquels
   d) lesquelles

1. L'ancienne émission à ▮▮▮▮ Congo a participé, s'appelait « Zoo Time. »

2. Les outils avec ▮▮▮▮ le chimpanzé peint sont le pinceau et le crayon.

3. L'art pour ▮▮▮▮ Roadsworth est connu est une forme d'art environnemental.

4. Les toiles sur ▮▮▮▮ il travaillait étaient du style abstrait.

5. Une sensibilité artistique est une qualité sans ▮▮▮▮ on ne peut pas peindre.

6. Un chef-d'œuvre est le but vers ▮▮▮▮ tous les artistes s'efforcent de s'orienter.

7. « *La Joconde* » est une œuvre devant ▮▮▮▮ les admirateurs demeurent fascinés.

8. C'est le jardin dans ▮▮▮▮ Monet a créé ses plus belles peintures.

9. Bonhams est la maison d'art à ▮▮▮▮ on associe les toiles de Congo.

10. Ce sont les bâtiments derrière ▮▮▮▮ les tagueurs ont bombé leur message.

Je mets en application

Au début de cette unité, tu as vu des images de bâtiments, de peintures et de sculptures. Quelques-unes étaient traditionnelles, mais d'autres étaient d'un style plus avant-garde.

- À ton avis, lesquelles avaient un style avant-garde? Pourquoi?
- Quels sont les éléments qui rendent une œuvre extraordinaire?
- Quelles œuvres considères-tu extraordinaires au début de l'unité?
  Donne une raison pour chaque choix.

Fais une liste de huit attributs qui décriraient un « chef-d'œuvre. »
Utilise un minimum de trois formes du pronom relatif *lequel* dans tes phrases.

Exemple :
Le sujet **auquel** l'artiste s'attèle doit être fascinant.

Partage tes idées avec un ou une partenaire et ensuite, avec la classe. Sois prêt à expliquer tes idées. Pendant la discussion, ajoute à ta liste d'autres idées logiques provenant d'autres étudiants.

Tâche riche I

Imagine que tu es critique des arts pour Radio Canada. Il faut que tu aies une entrevue avec Peter Gibson, l'artiste urbain, ou Desmond Morris, le mentor de Congo. Tu dois leur poser cinq questions qui devraient provoquer une discussion profonde au sujet de leur carrière, leurs motifs, leur style et la valeur artistique de leurs œuvres.

- Utilise les adjectifs de la page 54 de ton Cahier, les détails de l'article qui se rapportent à ton entrevue et la description d'un chef-d'œuvre pour enrichir la discussion.

- N'oublie pas d'incorporer *lequel* dans l'entrevue!

Attention au niveau des questions!

Regarde ces questions qui mentionnent un incendie au centre-ville. Un reporter parle à un politicien.

Quels genres de questions exigent plus de réflexion et permettent de tirer plus d'informations importantes de l'interviewé(e)?

Les questions auxquelles on répond simplement avec *Oui* ou *Non* n'ajoutent rien d'intéressant à l'entrevue. Il faut les éviter.

1. Quels seront les effets de l'incendie sur l'économie de la ville?

2. Qu'ont dû faire les policiers et les pompiers pour sauver les victimes?

3. Avez-vous vu l'incendie?

4. L'incendie a détruit quatre centres d'affaires importants et la ville a perdu des milliers de dollars. Quelles sont les étapes que les gouvernements municipaux et provinciaux suivront pour remettre l'économie à flot?

5. Selon le rapport des pompiers, à combien de dollars estime-t-on les dégâts?

Je lis
Pour faire le portrait d'un oiseau
par Jacques Prévert

Peindre d'abord une cage
avec une porte ouverte
peindre ensuite
quelque chose de joli
quelque chose de simple
quelque chose de beau
quelque chose d'utile
pour l'oiseau.
Placer ensuite la toile contre un arbre
dans un jardin
dans un bois
ou dans une forêt
se cacher derrière l'arbre
sans rien dire
sans bouger...
Parfois l'oiseau arrive vite
mais il peut aussi mettre de longues années
avant de se décider
Ne pas se décourager
Attendre
attendre s'il le faut pendant des années
la vitesse ou la lenteur de l'arrivée de l'oiseau
n'ayant aucun rapport
avec la réussite du tableau
Quand l'oiseau arrive

Avant de lire

- Qu'est-ce qui inspire l'artiste, le musicien, le poète ou le photographe?
- Quelles passions le poussent à achever ses oeuvres?

« Je peins comme un oiseau chante. »

— **Claude Monet**

« L'art, c'est la joie de l'intelligence qui voit clair dans l'univers. »

— **Auguste Rodin**

« Cultivez votre amour de la nature, car c'est la seule façon de mieux comprendre l'art. »

— **Vincent Van Gogh**

Pour faire le portrait d'un oiseau
suite

s'il arrive
observer le plus profond silence
attendre que l'oiseau entre dans la cage
et quand il est entré
fermer doucement la porte avec le pinceau
puis
effacer un à un tous les barreaux
en ayant soin de ne toucher aucune des plumes de l'oiseau
Faire ensuite le portrait de l'arbre
en choisissant la plus belle de ses branches
pour l'oiseau
peindre aussi le vert feuillage et la fraîcheur du vent
la poussière du soleil
et le bruit des bêtes de l'herbe dans la chaleur de l'été
et puis attendre que l'oiseau se décide à chanter
Si l'oiseau ne chante pas
c'est mauvais signe
signe que le tableau est mauvais
mais s'il chante c'est bon signe
signe que vous pouvez signer
Alors vous arrachez tout doucement
une des plumes de l'oiseau
et vous écrivez votre nom dans un coin du tableau.

Je comprends...

1. Selon le poète, quelles sont les étapes que l'artiste doit suivre pour achever un tel tableau?

2. **a)** Pour exprimer ses idées, Prévert dépasse les limites de la réalité quotidienne. À quel moment y arrive-t-il dans ce poème?

   b) Quels détails maintiennent les liens entre la fantaisie et la réalité?

3. Quels mots le poète utilise-t-il pour faire appel aux sens? (Qu'est-ce qu'on voit? entend? sent?)

4. Comment l'artiste peut-il savoir qu'il peut enfin signer son nom au coin du tableau?

Saviez-vous?

Van Gogh

« Dans l'application de la couleur, je ne veux suivre aucun système. Je hachure la toile de coups de pinceau irréguliers et, je les laisse tels qu'ils sont. » — Van Gogh

Vincent Van Gogh, né en 1853, était le fils d'un pasteur néerlandais. Il passa sa jeunesse à la recherche d'une vocation. Il essaya plusieurs postes d'apprentissage (comme vendeur d'art, professeur de langues, prédicateur laïc) mais il échoua toujours à cause de sa perte d'enthousiasme rapide, ou de son tempérament difficile. Il était déterminé à servir l'humanité, et, finalement, il choisit l'art pour instrument. Du fait qu'il croyait avec ferveur que Dieu existait dans tout ce qui vivait, il se consacra à montrer la beauté du monde et de la nature dans ses dessins et ses peintures. En 1883, afin de s'isoler dans la nature, il déménagea dans le Nord de la Hollande pour vivre parmi les paysans de la région. Leur vie dure et pauvre devint le sujet de ses premiers tableaux. En 1886, il accompagna son frère Théo, à Paris, où il fit la connaissance de maîtres comme Toulouse-Lautrec, Gauguin, Pissarro et Seurat. Il commença à utiliser des couleurs plus pures et plus vives et des coups de pinceau irréguliers. Puis, il tenta des expériences de changement de perspective et d'équilibre dans ses tableaux. Toujours tourmenté mentalement et solitaire, il se fatigua rapidement de la vie urbaine et il s'en vint à Arles où il s'installa dans sa chère « Maison Jaune. » Là, il tenta de réaliser ses ambitions d'établir une « communauté » d'artistes qui partageraient des philosophies comparables aux siennes. Pendant sa vie d'adulte, Van Gogh fut déchiré par des maladies mentales et physiques. Il fumait toujours sa pipe, buvait trop, mangeait peu et dormait mal. On dit qu'il avait l'habitude de grignoter sa peinture. Ses humeurs sautaient de la tranquillité au désespoir. Il séjourna dans des asiles psychiatriques (une fois pour un an) et endura quelques « crises » mentales. Pendant une de ces crises psychotiques, il menaça son ami Paul Gauguin avec un rasoir et il se trancha un morceau de sa propre oreille. En 1890, pensant qu'il ne guérirait jamais, il se suicida en se tirant un coup de fusil. Aujourd'hui, on reconnaît Van Gogh comme l'un des maîtres du post-impressionnisme. Néanmoins, au moment de sa mort, il était presque inconnu. Il ne vendit qu'un seul tableau du temps de son vivant.

Je mets en application

« J'ai un besoin terrible de…dirai-je le mot…de religion…alors, je vais la nuit dehors pour peindre les étoiles, et je rêve toujours un tableau comme cela avec un groupe de figures vivantes des copains…»
— **Vincent Van Gogh**

1. Est-ce que Vincent Van Gogh aurait considéré sa vie artistique comme un échec? Qu'en penses-tu? Justifie ta réponse.

Le Mystère de la chambre

C'est à Arles dans le Sud de la France, que le peintre Vincen
et une pauvreté extrême. Qu'est-ce que ce tablea

La chambre est mise en valeur par une couleur inattendue : le bleu mauve des murs, qui contraste joliment avec les couleurs plus naturelles des objets et du mobilier.

Les portes et les volets sont fermés, et tout est bien rangé. Mais d'où vient l'impression que le calme n'y est qu'apparent? Pourquoi la solitude qui s'en dégage est-elle si poignante? On dirait que les chaises, le lit et même les vêtements accrochés au mur sont seuls et attendent leur propriétaire!

Van Gogh peint les meubles blancs de sa chambre en jaune orangé pour créer une ambiance ensoleillée. Le peintre ne cherchait pas à reproduire avec exactitude ce qu'il voyait. Il se servait des couleurs pour exprimer des émotions.

Trouves-tu que ces chaises vides et le grand espace inoccupé au milieu de la chambre accentuent l'impression d'absence qui se dégage de la chambre? Certains experts croient qu'une des deux chaises était pour son ami peintre Paul Gauguin, dont il attendait impatiemment la visite.

Je comprends

Associe le mot de vocabulaire de la liste «A» à la bonne définition de la liste «B» :

A.	B.
1. les volets	a) une atmosphère.
2. poignante	b) les tables, les chaises d'une salle.
3. une ambiance	c) les objets (parfois faits de bois) qui couvrent une fenêtre.
4. se dégager	d) évoquant une émotion forte; émouvante.
5. les teintes	e) pas dans sa forme naturelle; manquant de symétrie.
6. les meubles	f) intrépide; courageux.
7. audacieuse	g) les couleurs.
8. distordu	h) émaner de.

Van Gogh a créé ce tableau. Il vivait alors dans une solitude
...ous dit sur le style de Van Gogh et sur ses états d'âme?

Van Gogh a peint trois versions de La Chambre à Arles. La différence entre les toiles? Les teintes utilisées et les petits tableaux accrochés aux murs.*

Tout va par paires dans cette chambre : les chaises, les tableaux, les oreillers…Même le miroir fait écho au cadre suspendu au-dessus du lit. Tout cela renforce l'harmonie des lieux, contrairement au plancher croche, qui crée une impression de déséquilibre.

Van Gogh marie les couleurs d'une manière unique et très audacieuse pour l'époque. Il n'hésite pas à utiliser des couleurs vives. Peux-tu retrouver les couleurs primaires et leur complémentaire (le bleu et l'orange, le rouge et le vert, le jaune et le violet) sur cette toile? Elles sont toutes présentes!

Le plancher de la chambre est l'élément dominant de cette toile. On dirait que tous les meubles ont été poussés le long des murs pour lui laisser toute la place! En le peignant, Van Gogh n'a pas respecté les lois de la perspective, qu'il connaissait pourtant très bien. Ses lignes fuyantes créent un espace distordu comme si le plancher était aspiré vers le haut.

*Note : En fait, Van Gogh a créé 5 versions de la chambre: 3 tableaux à l'huile et 2 esquisses.

1. Utilise les notes (les adjectifs, le sujet, la couleur etc.) que tu as prises sur la page 54 de ton Cahier et explique ta réaction à ce tableau par Van Gogh. Est-ce que ton évaluation a été influencée par l'explication que l'article a donnée? Pourquoi?

2. Après avoir lu l'article *Le mystère de la chambre* et la biographie du peintre, complète l'entrevue qui se trouve à la page 70 de ton Cahier.
   Utilise les informations que tu as apprises au sujet de Vincent Van Gogh.

Je lis...

Solange

par Pierre Karch

Solange

– Mesdemoiselles, Mesdames, Messieurs, car je
prends pour acquis qu'il y a un peu de tout dans ce
groupe, sachez dès maintenant, si cette évidence ne
vous a pas déjà traversé l'esprit, que tout le monde a
du talent. Tout le monde chante, dessine, danse.
Aussi ne vous attendez pas à ce que je loue vos
talents. C'est chose trop ordinaire. Ce qui distingue
l'artiste du commun des mortels, c'est le génie. Et le
génie ne se trouve ni au bout des doigts, ni au bout
des orteils, ni au bout des lèvres. Le génie, c'est au
fond de l'âme qu'il se trouve et bien des jeunes talents,
qui ont du cœur ou qui croient en avoir, n'ont pas
d'âme et n'arriveront jamais à être considérés artistes.
Développez vos talents et laissez libre cours à votre
âme si vous voulez qu'elle s'exprime de façon géniale.
Je peux vous aider à améliorer votre technique, vous
enseigner les trucs du métier mais je ne puis vous
donner de l'âme...

C'est ainsi, ou à peu près ainsi, que Jacques Singret,
professeur de sculpture aux Beaux-Arts, commençait
chaque année scolaire. Il ne décourageait personne
ouvertement mais se désintéressait vite des étudiants
dont les œuvres reprenaient ce qui avait été fait ou
qui ne faisaient pas tôt preuve de génie. Il finissait
ordinairement l'année seul ou avec un ou deux
disciples qu'il suivait de près, qu'il faisait travailler
jusqu'à épuisement, qu'il enrageait, qu'il encourageait,
qu'il insultait, qu'il embrassait, qu'il maniait comme de la glaise et qui l'adoraient
et le haïssaient tout à la fois tant sa personnalité invitait les contrastes.

Solange Desroches avait suivi ses cours assidûment. Il l'avait tourmentée. Elle avait
répondu en faisant devant lui des crises de larmes; elle l'avait même menacé une
fois du ciseau qu'elle tenait alors à la main, geste de révolte qui ne le surprit, ni ne
l'émut. Il avait même ri d'elle, l'avait réduite à rien par ses paroles dures, blessantes :

*« Quand un bon sculpteur
modèle des corps humains,
il ne représente pas seulement la musculature, mais
aussi la vie qui les
réchauffe. »*

— Auguste Rodin

« J'ai vu un ange dans le marbre et j'ai seulement ciselé jusqu'à l'en libérer. »

— Michel-Ange

– Qu'est-ce que c'est que cela? On s'affirme? Comme quoi alors? Comme femme? Une vraie femme aurait frappé. Pas tout à fait un homme non plus. Un homme aurait sacré. Ni homme, ni femme. Simplement bête. Pas même capable d'un bon coup de ciseau.

Elle était sortie en claquant la porte. Il avait haussé les épaules comme pour dire, « Mais qu'est-ce qui lui prend? » La semaine suivante, elle était de retour en classe et tout reprit comme avant, sans excuse, sans concession, sans rappel de l'incident.

Solange était maintenant seule. Elle travaillait dans son atelier, un garage double qu'elle avait loué et où elle pouvait tailler la pierre le jour sans crainte d'être interrompue ou de déranger les voisins. Elle se rendait souvent au garage, regardait, tâtait un gros bloc de pierre mais sans arriver à en faire jaillir l'œuvre. Elle se faisait la main sur de petits objets qu'elle réussissait à placer dans une boutique qui prenait tout ce qu'elle faisait à l'essai. Parfois une pièce se vendait mais, sans l'argent qui lui venait de ses parents, elle serait morte de faim. Elle partageait cette vie de bohème avec cinq autres artistes en herbe comme elle qui chambraient dans une vieille maison qui sentait le cuir, l'huile et le bois. Jeunes gens, jeunes filles, tout plus ou moins célibataires, vivaient dans un accord presque parfait qu'ils devaient plus à leur silence qu'à leur amabilité.

Dans sa chambre, Solange fumait cigarette sur cigarette, prenait une feuille de papier, traçait quelques lignes, chiffonnait le papier et le jetait en boule contre le mur. Elle s'était fait ainsi un tapis d'ébauches croustillantes qui, la nuit parfois, crépitaient dans le silence. Un jour qu'elle arpentait sa chambre, elle s'arrêta soudain et se mit à regarder le plancher avec fascination : les boulettes de papier s'étaient rangées de telle sorte que l'on pouvait voir, dans ce fouillis, une forme souple qui plaisait aux yeux. Solange bénit le hasard qui lui présentait une possibilité : peut-être la première ligne d'une œuvre. Elle étudia le plancher sous tous ses angles, monta sur le lit, la table, la chaise, sortit dans le couloir pour voir la forme à distance mais, en ouvrant la porte, le vent déplaça quelques boulettes de papier et la vision s'effaça. Toutefois Solange avait gardé le souvenir précis de ce qu'elle avait vu. Elle se mit à l'œuvre et exécuta une série d'ébauches. Les heures passèrent. La faim, la soif, la fatigue ne la touchaient plus. Elle travailla le jour. Elle travailla la nuit. Le lendemain tout ce travail qui n'avait abouti à rien de satisfaisant lui fit perdre l'effet du charme premier. Solange était morte de fatigue, elle avait faim et elle avait soif. Elle se mit à pleurer.

– J'étais si proche.

Elle repensa aux leçons de son professeur qui comparait l'éclosion du génie à la vision intuitive de Dieu par le philosophe. Elle s'était crue au bord de cette expérience mystique; il lui semblait maintenant n'avoir fait qu'une fausse couche.

Les jours qui suivirent cette expérience enivrante et, par la suite, déprimante, furent témoins d'une activité intense dans la chambre et l'atelier de Solange. Ses dessins lui paraissaient de plus en plus insignifiants et, dans l'atelier, elle fendait les pierres qu'elle voulut tailler. À force d'entasser échec sur échec, elle se crut une ratée et, poussée par elle ne savait quelle force, elle alla chercher conseil auprès de son professeur qui montra la plus grande satisfaction devant le désarroi de son disciple et qui la congédia en criant :

– Prenez garde! Si vous éteignez cette flamme, vous n'en aurez plus d'autres. Mais méfiez-vous aussi car elle pourrait vous consumer.

« Le vieux commence à radoter ou il se fout de moi. »

Plus malheureuse que jamais, elle n'arrivait plus à dormir, à se reposer. Sa main tremblait; elle ne la maîtrisait plus. Un soir, pourtant, elle se mit à tracer sur les murs, à la noirceur, des lignes qu'elle ne voyait pas. Avait-elle rêvé cette séance nocturne? Elle se réveilla, nue, près de la fenêtre ouverte. Elle se leva, mit sa robe de chambre, alluma une cigarette et se laissa tomber sur la chaise.

Quelle ne fut sa surprise de voir devant elle, dans les moindres détails, les dessins préliminaires de la statue d'un homme couché dans la position d'un chat, le bras droit étendu dans un geste d'accueil. Elle reconnut la ligne courbe qui allait du pied au bout du bras déplié qui l'avait obsédée quelques semaines auparavant. Elle n'en revenait pas. Elle s'approcha du mur, suivit du doigt chaque ligne tracée dans le noir.

Un soulagement tout près de l'extase s'empara d'elle. Elle se recoucha. Tant d'émotions, ces derniers temps, l'avaient tout à fait épuisée. Elle dormit près de vingt-quatre heures. Ses forces refaites, elle attaqua aussitôt le gros bloc de pierre.

À l'activité fébrile des premiers jours, succédèrent des journées pénibles. La pierre semblait plus dure en approchant du cœur. L'œuvre prenait forme mais Solange se fatiguait davantage et chaque coup de marteau lui prenait plus d'énergie que le précédent. Elle espaça ses heures de travail jusqu'à ne plus se rendre qu'une demi-heure par jour à l'atelier. Elle ne se sentait pas la force de compléter sa statue. Elle aurait voulu laisser le reste du travail à quelqu'un de plus fort qu'elle mais, d'un autre côté, elle ne voulait pas partager son œuvre qu'elle cachait jalousement.

La sculpture achevait. Solange se traînait à l'atelier, donnait quelques coups de marteau, s'arrêtait, s'assoyait, se reposait des heures avant de recommencer. Elle se sentait étrange devant sa sculpture comme si cet homme la regardait. Un jour même, elle rougit en s'apercevant que sa blouse était entrouverte.

– Tout de même! Mon grand bonhomme n'est ni le Moïse de Michel-Ange à qui il ne manquait que la voix, ni la créature de Pygmalion qui parlait trop.

Elle dévalorisait même son travail, lui trouvant des défauts, tout plutôt que de s'avouer qu'elle était mal à l'aise devant cet homme nu, très beau, très doux, accueillant, attirant.

– J'ai mis, dans cette sculpture, tout mon talent.

Elle n'osait parler de génie mais son âme était dans cette œuvre plus qu'elle ne pensait. Un autre artiste aurait terminé depuis longtemps mais Solange polissait, reprenait un détail, transférait son regard dans les yeux de marbre qui semblaient s'animer lorsqu'elle tournait autour de la pierre sculptée. Elle avait tellement tenu dans les siennes ses mains de marbre, qu'elle leur avait laissé sa chaleur et elle s'était penchée si souvent sur sa poitrine qu'elle y avait laissé son cœur.

La pierre attendait, dans le sommeil, une âme sœur. Solange se dévêtit sous le regard dur et doux de son homme et s'étendit dans le creux de son bras. Pour la première fois depuis longtemps elle dormit aussitôt couchée d'un sommeil sans rêve, sans soucis du lendemain, sans réveil.

Solange n'a pas payé son loyer depuis deux mois. Son courrier s'est accumulé au pied de sa porte. Demain l'on videra sa chambre. Un autre artiste la remplacera. Les camarades de Solange, qui ne l'ont pas revue depuis le soir où Nicole a aperçu un homme sortir seul de l'atelier, ont suggéré de l'expédier à ses parents. Après tout, qui d'autre voudrait une sculpture grandeur nature de Solange étendue nue la tête un peu relevée comme si elle reposait dans les bras de quelqu'un?

Je comprends…

Qui l'aurait dit?

    a) Solange

    b) Singret

    c) une camarade de chambre

    d) les Desroches

1. Nous ne la voyons pas beaucoup.
      Nous lui envoyons de l'argent.
      C'est si difficile pour elle.

2. Il ne réussira jamais à m'effrayer.
      Si je suis assidue, je pourrai gagner son respect.

3. Je n'ai pas le temps de manger ni de me reposer.
      Il faut que je saisisse l'inspiration quand elle apparaît.

4. Bien sûr, nous partagions la vie de bohème mais je ne la connaissais pas bien.
      Personne ne parlait souvent car tout le monde se perdait dans la réflexion
      ou le travail.

5. Prenez garde! La flamme de l'inspiration n'existera pas longtemps.
      Mais, elle peut vous consumer.

6. Je sais que ceci parait incroyable. Mais, je vous jure que je l'ai vue entrer
      dans le garage mais je ne l'ai jamais vue partir.

7. Ce que je ne peux pas tolérer c'est la médiocrité.

8. Mes mains saignent mais je dois continuer à la polir et la perfectionner.

J'approfondis

- Comment l'auteur nous montre-t-il que Solange est obsédée par sa création? Donne des exemples pour appuyer ton point de vue.

- Le Professeur Singret dit que « c'est le génie qui distingue l'artiste du commun des mortels. » À ton avis, comment un artiste est-il différent des autres? Justifie ta réponse et partage-la avec ton ou ta partenaire.

Je mets en application

Après la disparition de Solange, les détectives ont mené une enquête pour découvrir ce qui lui était arrivé. En fouillant dans sa chambre, ils ont découvert son journal intime. De plus, ils ont parlé à tous ceux qui la connaissaient.

Écris les déclarations données par Nicole (une de ses camarades de classe), les parents de Solange, Singret et le propriétaire de l'atelier.

(ses parents)

Nous sommes si tristes! Nous avons écouté Solange parler toujours de ses ambitions artistiques depuis son enfance. Nous l'avons laissée partir et maintenant, elle a disparu!

J'observe!
Les verbes de perception

Observe les phrases suivantes.

- Les spectateurs **regardent** les ballerines **danser**.

- Les policiers **ont vu** les graffiteurs **bomber**.

- Le chef d'orchestre **écoutera** les musiciens **accorder** leurs instruments.

- Le metteur en scène **a entendu** l'acteur **réciter** ses lignes.

- **J'ai senti** la passion **augmenter** pendant la symphonie.

Les policiers ont vu les graffiteurs bomber.

➠ Qu'est-ce que les verbes soulignés ont en commun?

➠ À quel mode sont-ils écrits?

➠ Où place-t-on le complément d'objet direct?

Je pratique...

Utilise le sujet et le verbe de perception indiqué (au présent) pour réécrire les phrases suivantes.

Exemple : La diva chante. (Je / entendre)
         J'entends la diva chanter.

1. La danseuse étoile fait une pirouette. (elle / voir)

2. L'artisan cisèle. (nous / regarder)

3. Le violoniste joue. (les spectateurs / écouter)

4. Le greffeur dessine. (personne...ne / voir)

5. Le rythme de la musique vibre. (je / sentir)

6. Les cloches sonnent. (vous / entendre)

7. L'acteur chuchote. (on / entendre)

8. Le mime gesticule. (tu / regarder)

9. L'architecte esquisse. (ils / voir)

10. Les castagnettes claquent. (les chorégraphes / écouter)

J'observe!

Les verbes de perception (suite). Observe les phrases suivantes.

A	B
1. J'entends les choristes chanter.	Je **les** entends chanter.
2. Il a vu des couleurs éclater dans le ciel.	Il **en** a vu éclater dans le ciel.
3. Nous écouterons le poète lire son œuvre au café.	Nous **l'**écouterons lire son œuvre au café.
4. Les étudiants ont regardé les sculpteurs travailler.	Les étudiants **les** ont regardé<u>s</u> travailler.
5. Cézanne a senti la brise souffler dans les branches.	Cézanne **l'**a senti<u>e</u> souffler dans les branches.

⟾ Que remplacent les pronoms dans les phrases de la colonne « **B** »?

⟾ Où sont placés ces pronoms?

⟾ Examine bien toutes les phrases. Quand fait-on l'accord avec le pronom complément d'objet direct?

Je pratique...

Mets les phrases suivantes au passé composé et remplace le complément d'objet direct par un pronom. Attention! Fait-on l'accord?

1. Le réalisateur regarde les acteurs répéter avant le tournage du film.

2. Les spectateurs voient le drame survenir.

3. Les fans n'écoutent pas la chorale harmoniser.

4. Entendez-vous tinter les carillons?

5. Ils sentent la tristesse naître dans leurs cœurs.

6. Je vois des danseuses faire leurs chassés.

7. Ne voyez-vous pas se dérouler l'intrigue dans l'opéra?

8. L'artiste entend les petits grillons striduler.

9. J'écoute le soliste chanter d'une voix exquise.

10. Nous sentons la musique monter en crescendo.

Nous l'entendons lire au café.

Observe les phrases suivantes.

A	B
J'ai regardé jouer **les musiciens de l'orchestre**	J'ai regardé accorder **les instruments.**
Il a vu dessiner **les architectes.**	Il a vu dessiner **les plans du projet.**
Nous avons entendu **l'actrice** réciter les lignes.	Nous avons entendu réciter **les lignes.**

➠ Dans les phrases de la colonne « A », qui fait l'action exprimée par l'infinitif?

➠ Dans les phrases de la colonne « B », qui fait l'action exprimée par l'infinitif?

Les instruments n'accordent pas, les plans ne dessinent pas, les lignes ne récitent pas.

Maintenant, examine les mêmes groupes de phrases quand on remplace le complément d'objet direct par un pronom.

A	B
Je les ai regardés jouer.	Je les ai regardé accorder.
Il les a vus dessiner.	Il les a vu dessiner.
Nous l'avons entendue réciter les lignes.	Nous les avons entendu réciter.

➠ Pourquoi les participes passés s'accordent-ils dans les phrases de la colonne « A »?

➠ Pourquoi ne fait-on pas l'accord dans les phrases de la colonne « B »?

Observe les phrases de la colonne « A ». Quand le participe passé est suivi d'un infinitif, il s'accorde si le complément d'objet direct placé avant le verbe fait l'action exprimée par l'infinitif.

Observe les phrases de la colonne « B ». Quand le complément d'objet direct subit l'action de l'infinitif, le participe passé ne s'accorde pas avec le pronom objet direct qui le précède.

Je pratique...

Dans les phrases suivantes, remplace le complément d'objet direct par un pronom complément d'objet direct.

> **Attention!**
> Y a-t-il un accord?

1. Nous avons vu <u>les chevaux</u> galoper dans les champs.

2. Ils ont écouté <u>les oiseaux</u> gazouiller.

3. J'ai entendu <u>les belles mélodies</u> chanter.

4. Tu as vu <u>la scène</u> répéter au théâtre.

5. Ils ont entendu <u>les moutons</u> bêler derrière la grange.

6. Vous avez regardé <u>le concert</u> être télévisé hier soir.

7. J'ai vu peindre <u>le chef-d'œuvre</u>.

8. Elle a regardé <u>la danseuse</u> sauter.

Le verbe *laisser*

Observe les phrases suivantes.

- Le chef d'orchestre laisse le musicien pratiquer.
  (« Le chef d'orchestre laisse pratiquer le musicien » est aussi possible.)

- Le maître a laissé des critiques examiner sa technique.

- Est-ce que les curateurs pouvaient mettre les peintures dans l'exposition?
  Oui, l'artiste les a laissés exposer ses œuvres.

> **Attention!**
> On utilise le verbe « laisser » de la même façon
> que les verbes de perception.

Tâche riche 2

Écris un article (300 à 500 mots) pour un journal quotidien au sujet de la disparition de la jeune artiste, Solange Desroches. Dans cet article, il faut incorporer des faits de l'histoire *Solange*, cinq verbes de perception suivis d'un infinitif et une variété de vocabulaire qui se rapporte au domaine des arts.

- N'oublie pas de créer une manchette percutante.
- Pour t'aider, utilise les notes que tu as écrites à propos du journal intime de Solange et les déclarations des témoins.

Rappel

Comment écrire un article de journal?

- la première phrase / le premier paragraphe répond aux questions **qui, quoi, quand, où** et **pourquoi**.
- les détails les plus importants se trouvent au début de l'article.
- les paragraphes sont courts (1 à 3 phrases au maximum).
- les citations qui révèlent les faits significatifs ajoutent de la crédibilité.
- les informations doivent présenter des faits!
- le ton est objectif. L'article ne dévoile pas ton opinion : n'utilise pas *je* ou *nous*.
- le langage est précis.

Saviez-vous?

Émile Nelligan

Emile Nelligan est né à Montréal en 1879. Il était le fils de David Nelligan, un Irlandais et Émilie Hudon, une Canadienne française. Comme inspecteur des Postes, David était fréquemment absent de la maison. David n'était très sensible ni à la culture ni aux arts et il n'a jamais pu accepter le choix d'Émile de devenir poète. Par contre, sa femme Émilie avait un talent musical et aimait beaucoup les arts. Elle a, sans doute, influencé Émile et encouragé les talents poétiques de son fils.

Comme Émile préférait s'occuper de sa poésie, plutôt que de son travail scolaire, ses résultats étaient en conséquence médiocres. Malgré les désirs de ses parents, il a interrompu ses études en 1897. Peu après, on l'a invité à participer à l'École Littéraire de Montréal, comprenant d'un groupe de poètes et d'intellectuels.

Les œuvres de Verlaine, Baudelaire et Poe, ainsi que les traditions du romantisme, ont profondément affecté Émile. Il essayait d'émuler la vie de bohème de ses idoles - il buvait trop, se révoltait contre les règles de conduite d'usage, rejetait la vie aisée de ses parents et travaillait fébrilement. Enfin sa santé mentale a dégénéré et après certains incidents turbulents, ses parents l'ont enfermé dans un « refuge » (pendant 25 ans) et plus tard, dans un hôpital psychiatrique. Il y est resté jusqu'à sa mort, en 1941.

En fin de compte, Émile Nelligan a écrit environ 170 poèmes, tous entre l'âge de seize et dix-neuf ans.

Michel Tremblay a écrit *Nelligan* en 1990. En le lisant, on croirait lire de la poésie. En fait, c'est le livret d'une opéra. Dans les trois extraits qui suivent on voit les tourments d'Émile et ceux de sa famille.

Je lis

Nelligan

par Michel Tremblay (extraits)

« *Il faut commencer par éprouver ce qu'on veut exprimer.* »

– Vincent van Gogh

« *La peinture est une poésie qu'on voit au lieu de l'entendre, la poésie est une peinture qu'on entend au lieu de la voir.* »

– Léonard de Vinci

Nelligan, premier extrait

David, Émilie, Émile et ses deux sœurs, Éva et Gertrude sont à la plage, près du village de Cacouna en Gaspésie. En voyant l'eau du Saint-Laurent, Émile compose de beaux vers au grand plaisir de Gertrude et sa mère mais au grand chagrin de David (et d'Éva qui partage l'esprit pratique de son père). Ému par la scène, Émile continue à décrire ses propres sentiments. Émilie, à son tour, réfléchit à sa condition mentale.

Émile : ...

J'ai peur, j'ai peur de tout

Je meurs, je meurs de tout!

La vie, la mort, la joie, l'amour,

Le mal me font trembler!

Je meurs, je meurs, de tout

J'ai peur, j'ai peur de tout!

Mais je veux vivre, je veux écrire

Je veux chanter ma peur!

Je veux braver mes démons

Et les signer de mon nom

En couleur et en lettres de feu

Je veux crier des aveux

Dans des poèmes joyeux

Ou vibrants comme des coups de canon

Retrouver enfin Montréal,

Ma chambre de la rue Laval!

Écrire! Écrire! Écrire! Écrire!

Être saisi

Par la poésie!

Émilie : Émile me fait peur.
Je le sens...Je le sens s'éloigner, dériver...
mon mari dirait *drifting...drifting away*...
Il est devenu si passif, si absent, si indifférent à tout...
Drifting away...drifting away....drifting away...

Baudelaire a tué son sourire
Et Poe a détourné sa flamme!
Verlaine a perverti sa vie et pire,
Rimbaud a corrompu son âme.
Et Lautréamont l'a séduit.
Il erre à travers un jardin en flammes.
La poésie hante ses nuits.

Il s'éloigne, se replie, il s'efface,
Il devient froid, se couvre la face.
Il se détourne de tout, il se détourne de moi
Il ne voit plus rien, surtout pas mes émois...
Je le vois qui sombre, moi qui l'ai adoré
Moi qui l'ai vénéré, moi qu'il a vénérée
Il se noie, mon fils se noie!
Mon fils aimé se noie!

Deuxième extrait

La famille Nelligan vit sous une ombre de malheur où tout le monde souffre. Émilie parle de ses sentiments, puis elle essaie de défendre la conduite de son fils contre les attaques de David.

Chez les Nelligan, rue Laval.

Émilie :
Émile ne marche plus dans sa chambre.
Encore une fois le poison a opéré et
mon fils, étendu sur son lit, jette dans
un carnet des horreurs qui me tuent.
Autrefois, il me donnait des poèmes
qui me ravissaient, maintenant, parce
qu'il a honte, parce qu'il a peur, parce
qu'il m'aime, il me cache les produits
corrompus de son imagination malade.

J'ai enfanté sans le savoir
J'ai élevé sans le vouloir
Un ange noir, un solitaire
Qui dans le soir écrit des vers
Qui me font peur.
Qui dans le soir écrit des vers
Qui me font horreur.
Je veux mourir.

Je l'ai guidé sur des chemins
Que je croyais être les siens
J'ai tout donné, sans rien attendre
Sans espérer et sans comprendre
Qu'il faut payer
Sans espérer et sans comprendre
Le prix à payer.
Je veux mourir

Je veux mourir. Aidez-moi
Ou ramenez à la foi
Ce fils confus que j'aimais
Et qui n'est plus.
Je veux mourir. Prenez-moi.
On l'a ravi à ma foi
Je l'ai perdu à jamais
Mon fils n'est plus.

Je l'ai nourri de poésie
J'ai souri à ses fantaisies
C'était un dieu, c'était mon fils
Il était dieu et moi complice
De son bonheur.
Il était dieu et moi complice
De mon malheur.
Je veux mourir.

Je veux mourir. Aidez-moi
Ou ramenez à la foi
Ce fils confus que j'aimais
Et qui n'est plus.
Je veux mourir. Prenez-moi.
On l'a ravi à ma foi
Je l'ai perdu à jamais
Mon fils n'est plus.
J'ai tout perdu, je meurs...
J'ai tout perdu, je meurs...

David :   *That child is sick, Émilie...*

Émilie :   Malade! Étrange, oui, peut-être...Oui, étrange mais pas malade!

David :   *I'm not doing this because I hate him, you know...*
He's my son! I waited as long as I could...
But what if he becomes dangerous!

Émilie :   Quel danger peut-il bien représenter! Tu ne
peux plus le voir, il incarne tout ce que tu détestes
dans la vie : l'imagination! Une vie consacrée à
l'imagination! La présence du beau, de l'art,
de la poésie dans cette maison te dérange
et tu veux l'écraser.

David :   *I love poetry as much as you do!*

Émilie :   *...but not in your house!*

David :   *But not in my house!*

Émilie :   Quand il monte dans sa chambre, je te vois frissonner!
Je te vois lever les yeux au milieu d'une phrase parce
que tu sais qu'il est là-haut et qu'il écrit des vers! Oui,
il écrit des vers! Ne me dis pas que c'est dangereux!

David :   *The danger is not when he's in here...do you know*
what he does when he leaves? Do you know where
he goes? Who are his friends?

Émilie :   *I know who his friends are...*

David :   *Who are they? You never told me! Some neighbours told me that they saw you bringing our son back many times, late at night! That he was drunk! Even worse than that! He's only nineteen! What are you hiding from me? Where were you, two days ago?*

Émilie :   (hésitante) *I don't know what you mean...I don't know what you mean...*

David :   *All Laval street heard you coming back at two o'clock in the morning! Émile was reciting something about the virtues of wine...He drinks, he never washes, he refuses to go to school, he shuts himself in his room for days and then he goes out, God knows where...and doing what? What does he do, Émilie? And who does he do it with? He has to be punished, don't you understand?!*

Émilie :   Qui veux-tu punir? Lui ou moi? Ou toi-même? Veux-tu te punir toi-même de n'être jamais là? De n'avoir jamais élevé ton fils parce que toujours absent? Veux-tu éloigner de ta vue le blâme vivant de notre incapacité à former une famille normale?

David :   *What's wrong with our family?*

(Court silence. Émilie hésite avant de parler.)

Émilie :   (très doucement) Un père anglais. Une mère française. Des enfants forcés à choisir entre leur père et leur mère. Une famille coupée en deux dès le départ, vouée à l'échec. Tu as essayé d'élever Émile en anglais, *my poor David*, mais il se mettait au français dès que tu passais la porte. Est-ce de ça que tu veux le punir? Est-ce le poète que tu veux enfermer dans une institution ou un fils indigne de l'Irlande? *Your son a French poet! A French poet!*

David :   (très calmement) *You must be very tired to say such things to me. I know you don't mean what you just said. I want my family to be happy but I don't want that self-indulgent brat destroying everything. He's a very sick child, Émilie, and he must be put away. He never was normal, you very well know it. Let me take him away from you before it's too late.*

Nelligan, troisième extrait

Après une dispute particulièrement amère entre David et Émile, dans laquelle David exige qu'Émile renonce à sa façon de vivre, David renie Émile comme son fils. Enfin, on a décidé le destin d'Émile – l'internement dans un asile. Sa famille et ses amis l'entourent vers la fin du drame. Émile les voit comme une bande de loups prêts à l'attaquer. Dans ce monologue, Émile essaie de s'expliquer une dernière fois.

Émile jeune : (commence doucement, mais s'enflamme assez vite)
De quoi suis-je coupable? Que me reprochez-vous? (Silence) Tout ce que j'ai fait c'est...noircir de petits cahiers, de petits poèmes qui étaient le reflet de mon âme, de ses douleurs! De quoi suis-je coupable? J'ai couché sur du papier blanc en des taches d'encre noire des douleurs d'adulte naissant; j'ai décrit des vaisseaux d'or, des communiantes, des chapelles ruinées, des camélias et tout ça, c'était mon âme qui criait au secours, acceptez-moi, aimez-moi! J'ai levé le poing, j'ai défoncé le ciel, je l'ai pulvérisé en milliers d'éclats d'or. J'ai essayé d'en parsemer mon chemin pour laisser une trace qu'on pourrait suivre, qu'on pourrait remonter jusqu'à moi et dont on pourrait dire : « Voilà, c'est de lui! C'est de Nelligan! C'est une œuvre de Nelligan! C'est une œuvre de Nelligan! On peut la reconnaître parce que c'est de Nelligan, de Nelligan, d'Émile Nelligan!» Je suis coupable, je suis coupable de poésie!

(Il tombe inconscient.)

Je comprends...

Le personnage indiqué aurait-il dit ces phrases ou non? Justifie ta réponse.

1. En suivant les règles de mes parents, j'ai gagné leur confiance. (Émile)

2. Je crois que toute la famille doit communiquer en anglais. Je suis le maître chez moi. (David)

3. Je suis content que mon fils ait décidé de suivre mes traces. (David)

4. David a été un père fort qui a gardé l'équilibre de la famille. (Émilie)

5. La pauvreté et la souffrance mènent à la créativité. (Émile)

6. Je me sens toujours proche de mon fils. Il me confie toutes ses pensées. (Émilie)

7. Un jour, il nous reviendra. Il faut prendre patience. S'il reste chez nous il se guérira. (David)

8. Émile a mal choisi ses idoles personnelles. Leur poésie sombre a détruit son innocence. (Émilie)

9. Une fois pour tout, je renonce à mes vers. Je ne suis pas prêt à tout perdre. (Émile)

10. Je ne comprendrai jamais le manque de discipline des rêveurs. Ce n'est que les esprits pratiques qui atteindront leurs buts. (David)

J'approfondis

Penses-tu que David et Émilie aient traité Émile de façon juste?
Ont-ils méjugé sa condition mentale?
Qu'y a-t-il dans son comportement qui a mené son père à cette conclusion?
Justifie ton opinion.

Je mets en application

On a vu que la famille Nelligan ne s'accorde pas sur plusieurs sujets.
Est-ce qu'il faut interner Émile dans un asile?

- Dresse une liste d'idées POUR et CONTRE.
- Relis les trois extraits de la pièce et l'article *Saviez-vous?* pour trouver des exemples.
- Tu peux aussi faire des recherches sur Internet.

Le Vaisseau d'or

par Émile Nelligan

Ce fut un grand vaisseau taillé dans l'or massif :
Ses mâts touchaient l'azur, sur des mers inconnues;
La Cyprine d'amour[1*], cheveux épars, chairs nues,
S'étalait à sa proue, au soleil excessif.

Mais il vint une nuit frapper le grand écueil
Dans l'Océan trompeur où chantait la Sirène
Et le naufrage horrible inclina sa carène
Aux profondeurs du Gouffre, immuable cercueil!

Ce fut un Vaisseau d'Or, dont les flancs diaphanes
Révélaient des trésors que les marins profanes,
Dégoût, Haine et Névrose, entre eux ont disputés.

Que reste-t-il de lui dans la tempête brève?
Qu'est devenu mon cœur, navire déserté?
Hélas! Il a sombré dans l'abîme du Rêve!

1 **La Cyprine d'amour** : Souvent, les vieux vaisseaux à voiles avaient une sculpture ornée de bois,
à la proue. Dans ce poème, la sculpture est l'image d'Aphrodite, la déesse de l'amour.*

Je comprends...

Avant de répondre aux questions suivantes, fais les activités dans ton Cahier.

1. Imagine que tu dois faire un dessin pour illustrer chaque strophe du poème
   avec une image. Décris ce que tu dessinerais.

2. Relis la dernière strophe.
   a) Que représente le vaisseau?
   b) Que représente alors l'océan? la tempête? l'écueil?

J'approfondis

Le poème transmet-il un sentiment optimiste ou pessimiste?
Donne des exemples d'images et de vocabulaire pour justifier ta réponse.

La Romance du vin

par Émile Nelligan

Tout se mêle en un vif éclat de gaîté verte.
Ô le beau soir de mai! Tous les oiseaux en chœur,
Ainsi que les espoirs naguères à mon cœur,
Modulent leur prélude à ma croisée ouverte.

Ô le beau soir de mai! le joyeux soir de mai!
Un orgue au loin éclate en froides mélopées;
Et les rayons, ainsi que de pourpres épées,
Percent le cœur du jour qui se meurt parfumé.

Je suis gai! je suis gai! Dans le cristal qui chante,
Verse, verse le vin! verse encore et toujours,
Que je puisse oublier la tristesse des jours,
Dans le dédain que j'ai de la foule méchante!

Je suis gai! je suis gai! Vive le vin et l'Art!...
J'ai le rêve de faire aussi des vers célèbres,
Des rêves qui gémiront les musiques funèbres
Des vents d'automne au loin passant dans le brouillard.

C'est le règne du rire et de la rage
De se savoir poète et l'objet du mépris,
De se savoir un cœur et de n'être compris
Que par le clair de lune et les grands soirs d'orage!

Femmes! je bois à vous qui riez du chemin
Où l'Idéal m'appelle en ouvrant ses bras roses;
Je bois à vous surtout, hommes aux fronts moroses
Qui dédaignez ma vie et repoussez ma main!

Pendant que tout l'azur s'étoile dans la gloire,
Et qu'un hymne s'entonne au renouveau doré,
Sur le jour expirant je n'ai donc pas pleuré,
Moi qui marche à tâtons dans ma jeunesse noire!

Je suis gai! Je suis gai! Vive le soir de mai!
Je suis follement gai, sans être pourtant ivre!...
Serait-ce que je suis enfin heureux de vivre;
Enfin mon cœur est-il guéri d'avoir aimé?

Les cloches ont chanté; le vent du soir odore...
Et pendant que le vin ruisselle à joyeux flots,
Je suis si gai, si gai, dans mon rire sonore,
Oh! si gai, que j'ai peur d'éclater en sanglots!

Je comprends...

1. Cherche dans le poème des exemples de vocabulaire qui évoquent :
   a) le bonheur
   b) la tristesse
   c) la colère
   d) la beauté
   e) la laideur
   f) la vie
   g) la mort

2. Pourquoi Nelligan a-t-il décrit tant d'émotions et d'images opposées dans son poème? Suggère quelques explications.

Tâche riche 3

Le docteur de la famille Nelligan a eu plusieurs séances avec Émile et ses parents et il a fait son diagnostic. Il faut qu'on interne Émile dans un hôpital. Il doit présenter ses évaluations à la famille, surtout à Émilie, qui continue à protéger son fils. Prépare le script du dialogue entre Émilie et le docteur. Il faut que le docteur explique les faits du cas pour justifier sa décision. Donne un minimum de 4 raisons précises. Le ton du médecin doit être objectif et professionnel mais il doit essayer aussi de présenter les faits d'une façon compatissante pour minimiser le choc que pourrait éprouver Émilie.

Utilise la liste de faits « POUR » que tu as préparée pour la question d'application à la page 90. Utilise aussi des opinions que le médecin aurait formées en lisant les deux poèmes.

J'observe!

Observe les phrases suivantes.

a) Émilie et David ont interné le jeune poète.

b) Les étudiants lisent de la poésie tous les matins.

c) Le directeur du musée exposera les peintures de Monet.

d) **On** a présenté le ballet.

e) **On** avait déjà chanté ces mélodies.

f) **On** développera les photographies.

➠ Qui est l'agent (la personne ou la chose qui effectue l'action) dans les phrases a), b) et c)?

➠ Qui est l'agent dans les phrases d), e), f)?

> **Si l'agent n'est pas connu, le français utilise souvent le pronom "on" comme sujet du verbe.**
>
> **L'anglais utilise souvent la construction passive. En français, il est préférable de l'exprimer à la voix active.**

Je pratique…

Utilise les groupes de mots suivants et crée des phrases logiques à la voix active en commençant par « on ». Mets le verbe au passé composé. Ajoute d'autres mots si nécessaire.

Exemple : Des photos originales / créer / ordinateur.
On a créé des photos originales avec l'ordinateur.

1. La participation des femmes à l'École des Beaux-arts / permettre / 1889.

2. Le grand opéra / composer / 19e siècle.

3. Les pièces de Shakespeare / présenter / théâtre Globe.

4. Les efforts de Nelligan / ridiculiser.

5. Les vers de Paul Claudel / lire / classes de littérature.

6. Le meilleur chanteur / choisir / représenter le pays.

7. La disparition de Solange / expliquer.

8. Beaucoup de trésors artistiques / perdre / guerre.

Tâche finale

Pendant sa courte carrière, Émile avait soif d'acceptation et de reconnaissance de sa poésie. Convaincu que « La Romance du vin » était son chef-d'œuvre, il l'a soumis à une maison d'édition à Montréal dans l'espoir que le directeur le publierait.

Imagine que tu es le directeur de la maison d'édition. Tu dois évaluer son poème et décider s'il a de la valeur littéraire et artistique. Tu dois lui écrire une lettre pour expliquer et justifier ta décision. Donne-lui un minimum de 3 bonnes raisons.

En composant la lettre, essaie d'incorporer les structures grammaticales de cette unité :

- les verbes de perception
- le pronom relatif *lequel*
- le pronom *on* pour éviter la voix passive.

Tu veux de l'aide?

- Regarde la liste que tu as faite pour décrire les attributs d'un chef-d'œuvre. Considère aussi tes réponses à la question « Qu'est-ce que l'art? »
- Utilise le plan dans ton Cahier pour préparer ta lettre.

Vérifie que tu as :

- ton adresse
- la date en bonne et due forme, sans lettres majuscules
- le titre (Monsieur, Madame la directrice, etc.) et l'adresse du destinataire
- pas de cher ou chère dans l'appel s'il s'agit d'une lettre formelle
- la raison pour laquelle tu écris et assure-toi que ton message est clair avec suffisamment de détails
- une salutation appropriée.

Exemple :
Veuillez accepter, monsieur, l'expression de mes salutations distinguées.
Mentionne ton titre (par exemple, président du conseil) si tu représentes un groupe.

RÊVES ET RÉALITÉ

3

Je communique...

➲ *La parure,* conte de Guy de Maupassant

➲ *Les belles-sœurs,* pièce de théâtre de Michel Tremblay (extraits)

➲ *Du rêve à l'action,* article de René Lewandowski

Je partage...

➲ Mes idées sur le bonheur, les rêves et mes aspirations

J'apprends et je comprends...

➲ à utiliser les pronoms possessifs

➲ à utiliser le « faire » causatif

➲ à former et à utiliser l'infinitif passé

➲ le vocabulaire de l'unité

Ma tâche finale...

➲ •Écrire une composition dans laquelle tu compares et contrastes deux personnages tirés des lectures de l'unité.

En route!

- ↪ Comment trouver le bonheur?

- ↪ Qu'est-ce qui rend les gens heureux : l'argent, les amis, le travail, l'amour?

- ↪ Pense à tes rêves et à tes aspirations les plus audacieux et précieux.
  Que faut-il faire pour les réaliser?

- ↪ Est-tu prêt(e) à tout faire afin d'atteindre ce but?
  Si oui, donne un exemple. Si non, explique ce qui t'arrêterait.

Je lis...

La Parure

de Guy de Maupassant

Avant de lire

- Préfères-tu lire des romans, des contes ou des nouvelles? Pourquoi?
- Quels sont les différences entre chaque genre?

Saviez-vous?

Guy de Maupassant

Né en 1850, d'une famille noble, Guy de Maupassant était maître en matière de contes et de nouvelles réalistes. Après avoir fini son éducation, il s'est enrôlé dans l'armée française et a participé à la guerre de 1870 et 1871 entre la France et la Prusse. Après la guerre, il a travaillé comme fonctionnaire. Encouragé par le célèbre auteur Gustave Flaubert, un ami de sa mère, de Maupassant a écrit des histoires, choisissant ses héros et ses héroïnes parmi les paysans normands (sa province natale) et de petits-bourgeois. Chez Flaubert, il a fait la connaissance de plusieurs auteurs bien connus. Étudiant la nature humaine, il contait des aventures amoureuses et étranges. Il a contribué à beaucoup de journaux, tout en écrivant des contes et des romans. Entre 1880 et 1891, de Maupassant a publié des contes et des romans et a connu un grand succès. Sa maison d'édition a dû imprimer son deuxième roman, *Bel-Ami*, trente-sept fois en quatre mois! Malheureusement, de Maupassant a développé une maladie psychiatrique. Il est mort dans un asile d'aliénés, en 1891.

De Maupassant est devenu populaire pour l'originalité de ses intrigues, de ses contes et de ses personnages, calqués sur la vie, et dont il aimait aussi examiner la psychologie. Il est connu pour la richesse de ses descriptions. Il est considéré, de nos jours, comme l'un des pères du conte moderne, et a servi de modèle à plusieurs auteurs anglais et nord-américains.

J'approfondis

Cherche un conte de Guy de Maupassant à la bibliothèque. Lis-le et décris l'intrigue ainsi que les personnages à ton ou ta partenaire. Explique les éléments ou les parties que tu as aimés.

Attention : Ne lis pas *La parure*! Tu vas lire ce conte en classe.

Saviez-vous?

La société française du 19e siècle

Ainsi que Charles Dickens l'a fait en Angleterre, de Maupassant a écrit des critiques vis-à-vis de la société française du dix-neuvième siècle. À cette époque, la société se composait de quatre groupes : les ouvriers, les employés, les hommes d'affaires (la petite bourgeoisie) et les riches (la haute bourgeoisie et les aristocrates.)

Le système d'éducation était également hierarchisé. Il y avait des écoles publiques et privées pour les garçons. Les universités n'étaient accessibles qu'aux garçons, et ce, jusqu'à la fin du siècle. Beaucoup de familles riches employaient des enseignants privés afin d'instruire leurs enfants. Pour les filles riches et pauvres, les écoles se situaient dans les couvents. Élevées par les religieuses, elles apprenaient à lire, à écrire, à dessiner, à broder, à danser et à jouer d'un instrument de musique. Elles étudiaient la géographie, l'histoire et les langues, surtout le latin. Les filles de différentes classes fraternisaient donc, pendant les années scolaires, mais réintégraient leur propre classe d'origine, à la fin de leurs études.

À cette époque, une femme travaillait seulement si c'était nécessaire. Les femmes pauvres faisaient le ménage, lavaient les vêtements ou travaillaient dans les champs. Il y en avait quelques-unes qui choisissaient une vie religieuse. La plupart des filles se mariaient. Il fallait un époux qui venait au moins du même rang social. Les filles dont le père était riche, ou celles qui venaient d'un rang social supérieur, avaient plus de chance de faire un bon mariage. Pour les autres, seules celles qui étaient belles, pouvaient espérer trouver un mari qui leur assurerait une vie aisée.

Je mets en application

En groupes, discutez de la description de la vie des filles au dix-neuvième siècle. Y avait-il des avantages pour les filles que votre génération n'a pas? Justifiez vos opinions.

Je lis...

La parure
de Guy de Maupassant

Première partie

C'était une de ces jolies et charmantes filles, nées, comme par une erreur du destin, dans une famille d'employés. Elle n'avait pas de dot, pas d'espérances, aucun moyen d'être connue, comprise, aimée, épousée par un homme riche et distingué; et elle se laissa marier avec un petit commis du Ministère de l'instruction publique.

Avant de lire

- As-tu déjà été invité(e) à une grande soirée? Comment t'étais-tu habillé(e)?
- As-tu déjà refusé d'aller à une fête ou à une soirée, parce que tu n'avais « rien à porter »? Décris la situation.
- As-tu eu l'occasion d'emprunter quelque chose à un(e) de tes ami(e)s? Si oui, qu'aurais-tu fait s'il était arrivé quelque chose aux vêtements ou aux bijoux que tu avais empruntés?

Elle fut simple, ne pouvant être parée, mais malheureuse comme une déclassée; car les femmes n'ont point de caste ni de race, leur beauté, leur grâce et leur charme leur servant de naissance et de famille. Leur finesse native, leur instinct d'élégance, leur souplesse d'esprit sont leur seule hiérarchie, et font des filles du peuple les égales des plus grandes dames.

Elle souffrait sans cesse, se sentant née pour toutes les délicatesses et tous les luxes. Elle souffrait de la pauvreté de son logement, de la misère des murs, de l'usure des sièges, de la laideur des étoffes. Toutes ces choses, dont une autre femme de sa caste ne se serait même pas aperçue, la torturaient et l'indignaient. La vue de la petite Bretonne qui faisait son humble ménage éveillait en elle des regrets désolés et des rêves éperdus. Elle songeait aux antichambres nettes, capitonnées avec des tentures orientales, éclairées par de hautes torchères de bronze, et aux deux grands valets en culotte courte qui dorment dans les larges fauteuils, assoupis par la chaleur lourde du calorifère. Elle songeait aux grands salons vêtus de soie ancienne, aux meubles fins portant des bibelots inestimables, et aux petits salons coquets parfumés, faits pour la causerie de cinq heures avec les amis les plus intimes, les hommes connus et recherchés dont toutes les femmes envient et désirent l'attention.

Quand elle s'asseyait, pour dîner, devant la table ronde couverte d'une nappe de trois jours, en face de son mari qui découvrait la soupière d'un air enchanté : « Ah! Le bon pot-au-feu! je ne sais rien de meilleur que cela », elle songeait aux dîners fins, aux argenteries reluisantes, aux tapisseries peuplant les murailles de personnages anciens et d'oiseaux étranges au milieu d'une forêt de féerie; elle songeait aux plats exquis servis en des vaisselles merveilleuses, aux galanteries chuchotées et écoutées avec un sourire de sphinx, tout en mangeant la chair rose d'une truite ou des ailes de gélinotte.

Elle n'avait pas de toilettes, pas de bijoux, rien. Et elle n'aimait que cela; elle se sentait faite pour cela. Elle eût tant désiré plaire, être enviée, être séduisante et recherchée.

Or, un soir, son mari entre, l'air glorieux et tenant à la main une large enveloppe.

– Tiens, dit-il, voici quelque chose pour toi.

Elle déchira vivement le papier et en tira une carte qui portait ces mots :

« Le ministre de l'Instruction publique et Mme Georges Ramponneau prient M. et Mme Loisel de leur faire l'honneur de venir passer la soirée à l'hôtel du Ministère, le lundi 18 janvier. »

Au lieu d'être ravie, comme l'espérait son mari, elle jeta avec dépit l'invitation sur la table, murmurant :

– Que veux-tu que je fasse de cela?

– Mais, ma chérie, je pensais que tu serais contente. Tu ne sors jamais, et c'est une occasion, cela, une belle! J'ai eu une peine infinie à l'obtenir. Tout le monde en veut; c'est très recherché et on n'en donne pas beaucoup aux employés. Tu verras là tout le monde officiel.

Elle le regardait d'un œil irrité et elle déclara avec impatience :

– Que veux-tu que je me mette sur le dos pour aller là?

Il n'y avait pas songé; il balbutia :

– Mais la robe avec laquelle tu vas au théâtre. Elle me semble très bien, à moi...

Il se tut, stupéfait, éperdu, en voyant que sa femme pleurait. Deux grosses larmes descendaient lentement des coins des yeux vers les coins de la bouche; il bégaya :

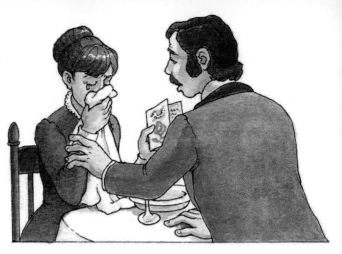

– Qu'as-tu? Qu'as-tu?

Mais, par un effort violent, elle avait dompté sa peine et elle répondit d'une voix calme en essuyant ses joues humides :

– Rien. Seulement que je n'ai pas de toilette et par conséquent, je ne peux aller à cette fête. Donne ta carte à quelque collègue dont la femme sera mieux nippée que moi.

Il était désolé. Il reprit :

– Voyons, Mathilde. Combien cela coûterait-il, une toilette convenable, qui pourrait te servir encore en d'autres occasions, quelque chose de très simple?

Elle réfléchit quelques secondes, établissant ses comptes et songeant aussi à la somme qu'elle pouvait demander sans s'attirer un refus immédiat et une exclamation effarée du commis économe.

Enfin, elle répondit en hésitant.

– Je ne sais pas au juste, mais il me semble qu'avec quatre cents francs je pourrais arriver.

Il avait un peu pâli, car il réservait juste cette somme pour acheter un fusil et s'offrir des parties de chasse, l'été suivant, dans la plaine de Nanterre, avec quelques amis qui allaient tirer des alouettes, par-là, le dimanche.

Il dit cependant :

– Soit. Je te donne quatre cents francs. Mais tâche d'avoir une belle robe.

Le jour de la fête approchait, et Mme Loisel semblait triste, inquiète, anxieuse. Sa toilette était prête cependant. Son mari lui dit un soir :

– Qu'as-tu? Voyons, tu es toute drôle depuis trois jours.

Et elle répondit :

– Cela m'ennuie de n'avoir pas un bijou, pas une pierre, rien à mettre sur moi. J'aurai l'air misère comme tout. J'aimerais presque mieux ne pas aller à cette soirée.

Il reprit :

– Tu mettras des fleurs naturelles, c'est très chic en cette saison-ci. Pour dix francs tu auras deux ou trois roses magnifiques.

Elle n'était point convaincue.

– Non… il n'y a rien de plus humiliant que d'avoir l'air pauvre au milieu de femmes riches.

Mais son mari s'écria :

– Que tu es bête! Va retrouver ton amie Mme Forestier et demande-lui de te prêter des bijoux. Tu es bien assez liée avec elle pour faire cela.

Elle poussa un cri de joie.

– C'est vrai. Je n'y avais point pensé.

Le lendemain, elle se rendit chez son amie et lui confia sa détresse. Mme Forestier alla vers son armoire à glace, prit un large coffret, l'apporta, l'ouvrit, et dit à Mme Loisel :

– Choisis, ma chère.

Elle vit d'abord des bracelets, puis un collier de perles, puis une croix vénitienne, or et pierreries, d'un admirable travail. Elle essayait les parures devant la glace, hésitait, ne pouvait se décider à les quitter, à les rendre. Elle demandait toujours :

– Tu n'as plus rien d'autre?

– Mais si. Cherche. Je ne sais pas ce qui peut te plaire.

Tout à coup elle découvrit, dans une boîte de satin noir, une superbe rivière de diamants et son cœur se mit à battre d'un désir immodéré. Ses mains tremblaient en la prenant. Elle l'attacha autour de sa gorge, sur sa robe montante, et demeura en extase devant elle-même.

Puis, elle demanda, hésitante, pleine d'angoisse :

– Peux-tu me prêter cela, rien que cela?

– Mais oui, certainement.

Elle sauta au cou de son amie, l'embrassa avec emportement, puis s'enfuit avec son trésor.

Je comprends...

Réponds aux questions suivantes.

1. Pourquoi Mathilde ne s'est-elle pas mariée avec un homme plus riche et distingué?

2. Que faisait son mari?

3. Pourquoi Mathilde était-elle tellement malheureuse?

4. Pourquoi désirait-elle des toilettes et des bijoux?

5. Pourquoi ne voulait-elle pas aller tout d'abord à la fête, à l'hôtel du Ministère?

6. Quelle offre lui a faite son mari pour lui plaire?

7. Pourquoi avait-il pâli quand Mathilde lui a demandé quatre cents francs?

8. Pourquoi même avec une nouvelle robe, Mathilde ne voulait-elle pas aller à la soirée?

9. Quelle solution suggéra son mari?

10. Quelle parure voulait-elle emprunter? Pourquoi, d'après toi?

Je mets en application

Considère le personnage de Mathilde. D'où lui viennent ses idées de vie luxueuse? Pourquoi pense-t-elle qu'elle la mérite? Est-ce que ses exigences sont très différentes de celles des femmes modernes? Explique ton point de vue.

J'approfondis

Écris le monologue intérieur de l'un des personnages principaux avant la discussion de l'invitation. Explique ses sentiments vis-à-vis de sa vie et de son mariage. Par exemple, Mathilde est très malheureuse, alors que son mari pense que l'invitation lui fera plaisir.

Avant de lire

- Résume ce qui est arrivé dans la première partie du récit.
- Décris les trois personnages principaux : Mme Loisel, M. Loisel et Mme Forestier

La parure

Deuxième partie

Le jour de la fête arriva. Mme Loisel eut un succès. Elle était plus jolie que toutes, élégante, gracieuse, souriante et folle de joie. Tous les hommes la regardaient, demandaient son nom, cherchaient à être présentés. Tous les attachés du cabinet voulaient valser avec elle. Le Ministre la remarqua.

Elle dansait avec ivresse, avec emportement, grisée par le plaisir, ne pensant plus à rien, dans le triomphe de sa beauté, dans la gloire de son succès, dans une sorte de nuage de bonheur fait de tous ces hommages, de toutes ces admirations, de tous ces désirs éveillés, de cette victoire si complète et si douce au cœur des femmes.

Elle partit vers quatre heures du matin. Son mari, depuis minuit, dormait dans un petit salon désert avec trois autres messieurs dont les femmes s'amusaient beaucoup.

Il lui jeta sur les épaules les vêtements qu'il avait apportés pour la sortie, modestes vêtements de la vie ordinaire, dont la pauvreté jurait avec l'élégance de la toilette de bal. Elle le sentit et voulut s'enfuir, pour ne pas être remarquée par les autres femmes qui s'enveloppaient de riches fourrures.

Loisel la retenait :

– Attends donc. Tu vas attraper froid dehors. Je vais appeler un fiacre.

Mais elle ne l'écoutait point et descendit rapidement l'escalier. Lorsqu'ils furent dans la rue ils ne trouvèrent pas de voiture; et ils se mirent à chercher, criant après les cochers qu'ils voyaient passer de loin.

Ils descendaient vers la Seine, désespérés, grelottant. Enfin, ils trouvèrent sur le quai un de ces vieux coupés noctambules qu'on ne voit dans Paris que la nuit venue, comme s'ils eussent été honteux de leur misère pendant le jour.

Il les ramena jusqu'à leur porte, rue des Martyrs, et ils remontèrent tristement chez eux. C'était fini, pour elle. Et il songeait, lui, qu'il lui faudrait être au Ministère à dix heures.

Elle ôta les vêtements dont elle s'était enveloppée les épaules, devant la glace, afin de se voir encore une fois dans sa gloire. Mais soudain elle poussa un cri. Elle n'avait plus sa rivière autour du cou!

Son mari, à moitié dévêtu déjà, demanda :

– Qu'est-ce que tu as?

Elle se tourna vers lui, affolée :

– J'ai… j'ai… je n'ai plus la rivière de Mme Forestier.

Il se dressa, éperdu :

– Quoi!… Comment!… Ce n'est pas possible!

Et ils cherchèrent dans les plis de la robe, dans les plis du manteau, dans les poches, partout. Ils ne la trouvèrent point.

Il demandait :

– Tu es sûre que tu l'avais encore en quittant le bal?

– Oui, je l'ai touchée dans le vestibule du Ministère.

– Mais si tu l'avais perdue dans la rue, nous l'aurions entendue tomber. Elle doit être dans le fiacre.

– Oui. C'est probable. As-tu pris le numéro?

– Non. Et toi, tu ne l'as pas regardé?

– Non.

Ils se contemplaient atterrés. Enfin Loisel se rhabilla.

– Je vais, dit-il, refaire tout le trajet que nous avons fait à pied, pour voir si je ne la retrouverai pas.

Et il sortit. Elle demeura en toilette de soirée, sans force pour se coucher, abattue sur une chaise, sans feu, sans pensée.

Son mari rentra vers sept heures. Il n'avait rien trouvé.

Il se rendit à la Préfecture de police, aux journaux, pour faire promettre une récompense, aux compagnies de petites voitures, partout enfin où un soupçon d'espoir le poussait.

Elle attendit tout le jour, dans le même état d'effarement devant cet affreux désastre.

Loisel revint le soir, avec la figure creusée, pâlie; il n'avait rien découvert.

– Il faut, dit-il, écrire à ton amie que tu as brisé la fermeture de sa rivière et que tu la fais réparer. Cela nous donnera le temps de nous retourner.

Elle écrivit sous sa dictée.

Au bout d'une semaine, ils avaient perdu toute espérance.

Et Loisel, vieilli de cinq ans, déclara :

– Il faut aviser à remplacer ce bijou.

Ils prirent, le lendemain, la boîte qui l'avait renfermé, et se rendirent chez le joaillier, dont le nom se trouvait dedans. Il consulta ses livres :

– Ce n'est pas moi, madame, qui ai vendu cette rivière; j'ai dû seulement fournir l'écrin.

Alors ils allèrent de bijoutier en bijoutier, cherchant une parure pareille à l'autre, consultant leurs souvenirs, malades tous deux de chagrin et d'angoisse.

Ils trouvèrent, dans une boutique du Palais Royal, un chapelet de diamants qui leur parut entièrement semblable à celui qu'ils cherchaient. Il valait quarante mille francs. On le leur laisserait à trente-six mille.

Ils prièrent donc le joaillier de ne pas le vendre avant trois jours. Et ils firent condition qu'on la reprendrait pour trente-quatre mille francs, si le premier était retrouvé avant la fin de février.

Loisel possédait dix-huit mille francs que lui avait laissés son père. Il emprunterait le reste.

Il emprunta, demandant mille francs à l'un, cinq cents à l'autre, cinq louis par-ci, trois louis par-là. Il fit des billets, prit des engagements ruineux, eut affaire aux usuriers, à toutes les races de prêteurs. Il compromit toute la fin de son existence, risqua sa signature sans savoir même s'il pourrait y faire honneur, et, épouvanté par les angoisses de l'avenir, par la noire misère qui allait s'abattre sur lui, par la perspective de toutes les privations physiques et de toutes les tortures morales, il alla chercher la rivière nouvelle, en déposant sur le comptoir du marchand trente-six mille francs.

Quand Mᵐᵉ Loisel reporta la parure à Mᵐᵉ Forestier, celle-ci lui dit, d'un air froissé :

– Tu aurais dû me la rendre plus tôt, car je pouvais en avoir besoin.

Elle n'ouvrit pas l'écrin, ce que redoutait son amie. Si elle s'était aperçue de la substitution, qu'aurait-elle pensé? Qu'aurait-elle dit? Ne l'aurait-elle pas prise pour une voleuse?

Mme Loisel connut la vie horrible des nécessiteux. Elle prit son parti, d'ailleurs, tout d'un coup, héroïquement. Il fallait payer cette dette effroyable. Elle payerait. On renvoya la bonne; on changea de logement; on loua sous les toits une mansarde.

Elle connut les gros travaux du ménage, les odieuses besognes de la cuisine. Elle lava la vaisselle, usant ses ongles roses sur les poteries grasses et le fond des casseroles. Elle savonna le linge sale, les chemises et les torchons, qu'elle faisait sécher sur une corde; elle descendit à la rue, chaque matin, les ordures, et monta l'eau, s'arrêtant à chaque étage pour souffler. Et, vêtue comme une femme du peuple, elle alla chez le fruitier, chez l'épicier, chez le boucher, le panier au bras, marchandant, injuriée, défendant sou à sou son misérable argent.

Il fallait chaque mois payer des billets, en renouveler d'autres, obtenir du temps.

Le mari travaillait, le soir, à mettre au net les comptes d'un commerçcant, et la nuit, souvent, il faisait de la copie à cinq sous la page.

Et cette vie dura dix ans.

Au bout de dix ans, ils avaient tout restitué, tout, avec le taux de l'usure, et l'accumulation des intérêts superposés.

Mme Loisel semblait vieille, maintenant. Elle était devenue la femme forte, et dure, et rude, des ménages pauvres. Mal peignée, avec les jupes de travers et les mains rouges, elle parlait haut, lavait à grande eau les planchers. Mais parfois, lorsque son mari était au bureau, elle s'asseyait auprès de la fenêtre, et elle songeait à cette soirée d'autrefois, à ce bal où elle avait été si belle et si fêtée.

Que serait-il arrivé si elle n'avait point perdu cette parure? Qui sait? Qui sait? Comme la vie est singulière, changeante! Comme il faut peu de chose pour vous perdre ou vous sauver!

Or, un dimanche, comme elle était allée faire un tour aux Champs-Élysées pour se délasser des besognes de la semaine, elle aperçut tout à coup une femme qui promenait un enfant. C'était Mme Forestier, toujours jeune, toujours belle, toujours séduisante.

Mme Loisel se sentit émue. Allait-elle lui parler? Oui, certes.
Et maintenant qu'elle avait payé, elle lui dirait tout. Pourquoi pas?

Elle s'approcha.

– Bonjour, Jeanne.

L'autre ne la reconnaissait point, s'étonnant d'être appelée ainsi familièrement par cette bourgeoise.

Elle balbutia :

– Mais… madame!… Je ne sais… Vous devez vous tromper.

– Non. Je suis Mathilde Loisel.

Son amie poussa un cri.

– Oh!… ma pauvre Mathilde, comme tu es changée!…

– Oui, j'ai eu des jours bien durs, depuis que je ne t'ai vue; et bien des misères…
et cela à cause de toi!…

– De moi… Comment ça?

– Tu te rappelles bien cette rivière de diamants que tu m'as prêtée pour aller à la fête du Ministère?

– Oui. Eh bien?

– Eh bien, je l'ai perdue.

– Comment! puisque tu me l'as rapportée.

– Je t'en ai rapporté une autre toute pareille. Et voilà dix ans que nous la payons. Tu comprends que ça n'était pas aisé pour nous, qui n'avions rien... Enfin c'est fini et j'en suis rudement contente.

Mme Forestier s'était arrêtée.

– Tu dis que tu as acheté une rivière de diamants pour remplacer la mienne?

– Oui. Tu ne t'en étais pas aperçue, hein! Elles étaient bien pareilles.

Et elle souriait d'une joie orgueilleuse et naïve.

Mme Forestier, fort émue, lui prit les deux mains.

– Oh! ma pauvre Mathilde! Mais la mienne était fausse. Elle valait au plus cinq cents francs!...

Je comprends...

Réponds aux questions suivantes.

1. À quelle heure Loisel et sa femme sont-ils partis?

2. Que faisait le mari pendant que sa femme dansait?

3. Qu'a-t-elle découvert en arrivant à la maison?

4. Quelle excuse a-t-on donné à Mme Forestier?

5. Combien de temps ont-ils pris pour payer les dettes?

6. Pourquoi Mme Forestier a-t-elle pensé que l'autre femme se trompait?

7. Pourquoi la rencontre avec Mme Forestier a-t-elle été si choquante?

8. Qu'a révélé Mme Forestier à Mme Loisel? Qu'en penses-tu et pourquoi?

Je mets en application

A. À deux, créez un dialogue entre M. et Mme Loisel après la rencontre avec Mme Forestier, sur les Champs Elysées, dix ans plus tard. Que pensez-vous qu'elle dirait à son mari? Présentez la scène à la classe.

B. Mme Loisel écrit au Docteur Jamaistort. Elle lui explique la situation. Mme Forestier a offert de vendre le collier et de rembourser les Loisel. Cependant, Mathilde veut que Mme Forestier les compense pour les dix années de labeur qu'ils ont traversées. Mme Forestier rétorque que si Mme Loisel lui avait alors dit la vérité, cette situation ne se serait pas produite. Elle dit qu'elle est prête à leur donner ce qu'ils ont payé pour remplacer le collier mais que ce n'est pas sa responsabilité de les dédommager.

Les deux femmes sont d'accord de participer à une entrevue avec le docteur Jamaistort, qui évaluera la situation et leur donnera son opinion. Présentez cette entrevue en groupes de trois. Les deux femmes présenteront leurs positions. Le docteur Jamaistort doit leur poser des questions et proposer la solution la plus juste, à la fin.

C. Les deux femmes, suivront-elles ses conseils? Justifie ton opinion.

J'approfondis

Mathilde dit à Mme Forestier : « Oui, j'ai eu des jours bien durs, depuis que je ne t'ai vue; et bien des misères… et cela à cause de toi!… »

À deux, discutez de ce commentaire. Pourquoi Mathilde l'a-t-elle dit? Pensez-vous que Mathilde blâme Mme Forestier de sa tragédie? Expliquez.

J'observe!
Les pronoms possessifs

Rappel : Les adjectifs possessifs

Lisez les exemples suivants.

- **Leur** finesse native, **leur** instinct d'élégance, **leur** souplesse d'esprit sont **leur** seule hiérarchie, et font des filles du peuple les égales des plus grandes dames.

- Elle souffrait de la pauvreté de **son** logement, …

- Donne **ta** carte à quelque collègue dont la femme sera mieux nippée que moi.

- Voici **mes** bijoux. Prends quelque chose à **ton** goût.

- Nous ne sortons plus le soir. Nous devons payer **nos** dettes.

- Non, je n'achète pas **vos** légumes. **Vos** prix sont trop élevés!

Réponds aux questions suivantes.

1. Qu'est-ce que ces adjectifs indiquent?

2. Est-ce que les adjectifs possessifs s'accordent en genre et en nombre avec le possesseur ou plutôt la possession?

3. Comment peut-on identifier le possesseur?

POSSESSEUR	POSSESSION			
Sujet	**masc. sing.**	**fem.sing**	**masc. pl.**	**fem. pl.**
je	mon	ma	mes	mes
tu	ton	ta	tes	tes
il/elle	son	sa	ses	ses
nous	notre	notre	nos	nos
vous	votre	votre	vos	vos
ils/elles	leur	leur	leurs	leurs

Je pratique

Choisis l'adjectif approprié pour compléter les phrases.

1. Elle a demandé à son amie : As-tu ▬▬▬ robe et ▬▬▬ bijoux pour le bal?

2. L'amie a répondu : ▬▬▬ mari et moi n'avons pas encore ▬▬▬ invitation.

3. Mme Loisel a pensé à ▬▬▬ conversations avec ▬▬▬ époux au sujet de ▬▬▬ robe.

4. Les Loisel ont quitté ▬▬▬ appartement pour aller au bal. Ils portaient ▬▬▬ meilleurs vêtements.

5. Le chauffeur du fiacre a demandé : Savez-vous l'adresse de ▬▬▬ destination?

Les pronoms possessifs

Lis les phrases suivantes.

- Tu dis que tu as acheté une rivière de diamants pour remplacer **<u>la mienne</u>**? …
  Oh! Ma pauvre Mathilde! Mais **<u>la mienne</u>** était fausse…

- De toutes les robes du bal, **<u>la tienne</u>** est la plus belle.

- Tu parles des dettes? **<u>Les nôtres</u>** sont affreuses!

- Mathilde dansait avec les maris des autres femmes. **<u>Le sien</u>** dormait.
  Il avait regardé toutes les autres. **<u>La sienne</u>** était la plus belle.

- Nous cherchons un fiacre élégant. **<u>Le vôtre</u>** est vieux et sale.

- Les femmes regardaient le manteau pauvre de Mathilde.
  <u>Les leurs</u> étaient luxueux.

➠ Dans la première phrase **la mienne** sert à remplacer **ma** rivière de diamants.

➠ Que remplacent les mots soulignés dans les autres phrases?

➠ Pourquoi utilise-t-on un pronom possessif?

➠ Explique les deux formes du pronom dans la quatrième phrase.

POSSESSEUR/SUJET	GENRE D'OBJET			
je	le mien	la mienne	les miens	les miennes
tu	le tien	la tienne	les tiens	les tiennes
il/elle	le sien	la sienne	les siens	les siennes
nous	le nôtre	la nôtre	les nôtres	les nôtres
vous	le vôtre	la vôtre	les vôtres	les vôtres
ils/elles	le leur	la leur	les leurs	les leurs

Je pratique...

A. Complète les phrases suivantes en utilisant un pronom possessif.

Exemple : La robe du soir de la femme du ministre est très belle. (ma robe...laide)
La robe du soir de la femme du ministre est très belle.
La mienne est laide.

1. La vie de Mme Forestier est formidable. (notre vie... terrible)

2. Le mari de Mme Forestier est riche et distingué. (ton mari... simple et irritant)

3. Les autres femmes portent des manteaux de fourrure. (votre manteau... tout ordinaire)

4. Toutes les autres femmes ont une grande maison. (ma maison... toute petite)

5. Les domestiques des autres servent de façon élégante. (nos domestiques... mal)

6. Tout le monde a des dettes. (vos dettes... énormes)

7. Je déteste voir les vêtements laids de ma bonne. (mes vêtements... presque aussi laids)

8. Les autres couples mènent une vie aisée. (la vie de mon amie... misérable)

B. À Noël tu as reçu des cadeaux semblables à ceux que tes amis ont reçus, mais il te semble que leurs cadeaux soient meilleurs. Compare tes cadeaux avec ceux de tes amis. Présente une de tes réponses à la classe.

Exemple : *J'ai reçu un chandail semblable à celui de mon amie.*
*Mais **le sien** est plus joli.*

Tâche riche I

Écris une page du journal intime de Mathilde Loisel (tout au début de l'histoire) où elle parlerait de ses rêves les plus chers. Elle accuse ceux qu'elle considère responsables de son malheur. Elle décrit une journée parfaite de sa vie rêvée pour terminer.

➡ Utilise au moins quatre pronoms possessifs.

➡ La page 106 de ton Cahier peut être utilisée afin de préparer ton travail.

Saviez-vous?

Michel Tremblay

Né le 25 juin 1942 à Montréal, Michel Tremblay habitait un quartier ouvrier et comme presque tous les hommes étaient à la guerre, il fut principalement élevé par des femmes.

Il était un enfant très intelligent, et il obtint donc une bourse pour aller à une école prestigieuse. Cependant, il la quitta après trois mois car il trouvait les gens trop snobs. Il poursuivit la carrière traditionnelle de sa famille : la linotype.

Il découvrit sa passion pour l'écriture quand il était très jeune. En 1964 il remporta son premier prix pour sa pièce *Le train*. On appelle Tremblay *l'enfant terrible du théâtre canadien* à cause de sa vision honnête mais aussi brutale de la classe ouvrière de Montréal.

En 1968, sa pièce *Les belles–sœurs* obtint beaucoup de succès. Le public adorait les personnages qui parlaient *joual**. Cependant, ce n'est pas tout le monde qui apprécia la pièce. Le Ministère des affaires culturelles du Québec refusa de donner une subvention de 20 000 $ pour monter le spectacle à Paris. On pensait alors que le Ministère était embarrassé par le fait que la pièce décrivait la basse-classe de la société québécoise. Tremblay défendit constamment sa pièce et son usage du *joual* parce qu'il le considère comme étant la langue populaire du Québec. Deux ans plus tard, on monta enfin la pièce à Paris où on la déclara comme étant le meilleur spectacle étranger de l'année.

Michel Tremblay a écrit 25 pièces, six romans, 17 collections de récits, de contes et d'autobiographie et le livret de l'opéra *Nelligan*. On continue aujourd'hui à monter *Les belles-sœurs*. La pièce a été traduite en plusieurs langues et montée dans beaucoup de pays.

* *Le joual : langue populaire quotidienne du Québec. Le nom « joual » trouve ses origines dans la prononciation locale du mot « cheval. »*

Je lis

Les belles-sœurs

par Michel Tremblay (extraits)

Pendant les années soixante, beaucoup de magasins offraient des timbres-primes aux clients chaque fois que ceux-ci achetaient quelque chose. On collait ces timbres dans de petits livrets et par la suite, on les échangeait contre des cadeaux.

Michel Tremblay a créé, dans Les belles-sœurs, *l'histoire de Germaine Lauzon, une femme de la classe ouvrière de Montréal, qui venait de gagner un million de timbres.*

Avant de lire

- Est-ce que tes parents accumulent des points quand ils prennent l'avion? Certains magasins offrent aussi des points à leur clients.
- Que ferais-tu avec un million de points? Voyagerais-tu? Achèterais-tu quelque chose de spécial? Les partagerais-tu avec des gens moins fortunés?
- Choisis un ou une partenaire et comparez vos réponses. Ensuite, dites à la classe ce que vous feriez.

Bien entendu, Germaine ne pouvait pas coller un million de timbres dans les livrets par elle-même, et elle invita donc ses sœurs, sa belle-sœur et des voisines à passer la soirée chez elle pour « un party de collage de timbres. »

Dans le premier extrait, Germaine parle au téléphone avec sa sœur Rose, et lui explique de quelle manière les timbres changeront sa vie ordinaire.

GERMAINE LAUZON – Allô! Ah! c'est toé, Rose… Ben oui, sont arrivés… C'est ben pour dire, hein? Un million! Sont devant moé, là, pis j'le crois pas encore! Un million! J'sais pas au juste combien ça fait, mais quand on dit un million, on rit pus! Oui, y m'ont donné un cataloye, avec. J'en avais déjà un, mais celui-là, c'est celui de c't'année, ça fait que c'est ben mieux… L'autre était tout magané… Oui, y'a assez des belles affaires, tu devrais voir ça! C'est pas creyable! J'pense que j'vas pouvoir toute

prendre c'qu'y'a d'dans! J'vas toute meubler ma maison en neuf! J'vas avoir un poêle, un frigidaire, un set de cuisine… J'pense que j'vas prendre le rouge avec des étoiles dorées. J'sais pas si tu l'as déjà vu… Y'est assez beau, aie!

J'vas avoir des chaudrons, une coutellerie, un set de vaisselle, des salières, des poivrières, des verres en verre taillé avec le motif « Caprice » là, t'sais si y sont beaux... Madame de Courval en a eu l'année passée. A disait qu'a l'avait payé ça cher sans bon sens... Moé, j'vas toute les avoir pour rien! A va être en beau verrat! Hein? Oui, a vient, à soir! J'ai vu des pots en fer chromé pour mettre le sel, le poivre, le thé, le café, le sucre, pis toute la patente, là. Oui, j'vas toute prendre ça... J'vas avoir un set de chambre style colonial au grand complet avec accessoires. Des rideaux, des dessus de bureau, une affaire pour mettre à terre à côté du litte, d'la tapisserie neuve... Non, pas fleurie, ça donne mal à tête à Henri quand y dort... Ah! j'te dis, j'vas avoir une vraie belle chambre! Pour le salon, j'ai un set complet avec le stirio, la tv, le tapis de nylon synthétique, les cadres... Ah! Les vrais beaux cadres! T'sais là, les cadres chinois avec du velours... C'tu assez beau, hein? Depuis le temps que j'en veux! Pis tiens-toé ben ma p'tite fille, j'vas avoir des plats en verre soufflé! Ben oui, pareil comme ceux de ta belle-sœur Aline! Pis même, j'pense qu'y sont encore plus beaux! J't'assez contente, aie! Y'a des cendriers, des lampes... j'pense que c'est pas mal toute pour le salon... Y'a un rasoir électrique pour Henri pour se raser, des rideaux de douche... Quoi? Ben, on va en faire poser une, y'en donnent avec des timbres! Un bain tombeau, un lavier neuf, chacun un costume de bain neuf... Non, non, non, chus pas trop grosse, commence pas avec ça! Pis j'vas toute meubler la chambre du p'tit. Tu devrais voir c'qu'y ont pour les chambres d'enfants, c'est de toute beauté de voir ça! Avec des Mickey Mouse partout! Pour la chambre de Linda... O.K. c'est ça, tu r'garderas le cataloye, plutôt. Viens-t-en tu-suite, par exemple, les autres vont arriver! J'leur s'ai dit d'arriver de bonne heure! Tu comprends, ça va ben prendre pas mal de temps pour coller ça! Bon ben, j'vas te laisser, là, madame Brouillette vient d'arriver. C'est ça, oui... oui... bye!

Je comprends...

Réponds aux questions suivantes

1. Qu'est-ce que Germaine va faire de ses timbres?
   À ton avis, pourquoi ces choses représentent-elles le bonheur pour Germaine?

2. Nomme cinq choses qu'elle aimerait pour sa cuisine.

3. Que veut-elle pour sa chambre?

4. Pourquoi ne peut-elle pas avoir de tapisserie fleurie?

5. Que va-t-elle commander pour les autres membres de sa famille?

6. Crois-tu que Germaine puisse avoir tout ce qu'elle veut?
   Pourquoi ou pourquoi pas?

7. D'où lui viennent ses idées pour meubler sa maison?

8. En examinant ses choix, qu'apprenons-nous de la personnalité et des ambitions de Germaine?

J'approfondis

Ce monologue révèle le personnage de Germaine.

- Pourquoi Michel Tremblay a-t-il écrit le monologue de cette façon?
- Que veut-il dire aux spectateurs à propos de Germaine?
- Comment les spectateurs réagiront-ils au personnage de Germaine?
- Comment perçois-tu Germaine et ses projets en lisant ce monologue?

Je mets en application

A. On entend seulement une partie de la conversation entre Germaine et sa sœur.

➭ Imagine maintenant que tu es Rose, et que tu dois raconter les détails de cette conversation à une amie.

➭ N'oublie pas que Rose est peut-être jalouse de la bonne fortune de sa sœur.

➭ Écris à ton tour un monologue dans lequel tu révèles les sentiments de Rose vis-à-vis de Germaine et de ses projets. N'essaie pas d'utiliser le *joual*.

➭ Présente ton monologue à la classe.

B. Compare les ambitions de Germaine à celles de Mathilde au début de *La Parure*. Toutes les deux veulent posséder des choses, mais pour quelles raisons?

➭ Dans ton analyse, mets l'accent sur ce qui les incite à acquérir ces biens matériels.

➭ Partage tes idées avec un ou une partenaire.

C. Prédis la fin de cette pièce.

Les belles-sœurs
Deuxième extrait

Les femmes qui sont venues chez Germaine, mènent des vies très ennuyeuses. Dans cet extrait, elles décrivent une semaine typique.

(Gabrielle Jodoin, Rose Ouimet, Yvette Longpré et Lisette de Courval ont fait leur entrée. Elles se sont installées dans la cuisine sans s'occuper de Marie-Ange Brouillette. Les cinq femmes se lèvent et se tournent vers le public. L'éclairage change.)

Avant de lire

- As-tu des routines, c'est-à-dire, des choses que tu fais tous les jours ou que tu fais le même jour de chaque semaine? Donne des exemples.

- Préfères-tu la routine ou aimes-tu plutôt que chaque jour soit différent?

Note : Gabrielle et Rose sont deux sœurs de Germaine. Les autres sont des voisines. Lisette de Courval a plus d'argent que les autres, s'habille mieux, essaie de ne pas utiliser le joual quand elle parle et se considère mieux que les autres.

Les cinq femmes, ensemble : Quintette : Une maudite vie plate! Lundi!

Lisette de Courval : Dès que le soleil a commencé à caresser de ses rayons les petites fleurs dans les champs et que les petits oiseaux ont ouvert leurs petits becs pour lancer vers le ciel leurs petits cris…

Les quatre autres : J'me lève, pis j'prépare le déjeuner! Des toasts, du café, du bacon, des œufs. J'ai d'la misère que l'yable à réveiller mon monde. Les enfants partent pour l'école, mon mari s'en va travailler.

Marie-Ange Brouillette : Pas le mien, y'est chômeur. Y reste couché.

Les cinq femmes : Là, là, j'travaille comme une enragée, jusqu'à midi. J'lave. Les robes, les jupes, les bas, les chandails, les pantalons, les canneçons, les brassières, tout y passe! Pis frotte, pis tord, pis refrotte, pis rince… C't'écœurant , j'ai les mains rouges, j'écœurée. J'sacre. À midi, les enfants reviennent. Ça mange comme des cochons, ça revire la maison à l'envers, pis ça repart! L'après-midi, j'étends. Ça, c'est mortel! J'hais ça comme une bonne! Après, je prépare le souper. Le monde reviennent, y'ont l'air bête, on se chicane! Pis le soir, on regarde la télévision! Mardi!

Lisette de Courval : Dès que le soleil…

Les quatre autres femmes : J'mc lève, pis j'prépare le déjeuner. Toujours la même maudite affaire! Des toasts, du café, des œufs, du bacon… J'réveille le monde, j'les mets dehors. Là, c'est le repassage. J'travaille, j'travaille, j'travaille. Midi arrive sans que je le voye venir pis les enfants sont en maudit parce que j'ai rien préparé pour le dîner. J'leu' fais des sandwichs au béloné. J'travaille toute l'après-midi, le souper arrive, on se chicane. Pis le soir, on regarde la télévision! Mercredi! C'est le jour du mégasinage! J'marche toute la journée, j'me donne un tour de rein à porter des paquets gros comme ça, j'reviens à la maison crevée! Y faut quand même que je fasse à manger. Quand le monde arrive, j'ai l'air bête! Mon mari sacre, les enfants braillent… Pis le soir, on regarde la télévision! Le jeudi pis le vendredi, c'est la même chose! J'm'esquinte, j'me désâme, j'me tue pour ma gang de nonos! Le samedi, j'ai les enfants dans les jambes par-dessus le marché! Pis le soir, on regarde la télévision! Le dimanche, on sort en famille : on va souper chez la belle-mère en autobus. Y faut guetter les enfants toute la journée, endurer les farces plates du beau-père, pis manger la nourriture de la belle-mère qui est donc meilleure que la mienne au dire de tout le monde! Pis le soir, on regarde la télévision! Chus tannée de mener une maudite vie plate! Une maudite vie plate! Une maudite vie plate! Une maud…
(L'éclairage redevient normal. Elles se rassoient brusquement.)

Je comprends…

1. Quelle attitude ces femmes ont-elles envers leur vie et leurs familles? Pourquoi se sentent-elles ainsi?

2. Lisette de Courval est très différente des autres. À ton avis, pourquoi l'auteur a-t-il mis cette femme dans la pièce?

3. Regarde la description d'un lundi typique. Comment ces femmes lavent-elles les vêtements?

4. Pourquoi n'aiment-elles pas le dimanche?

5. Comment se termine chaque journée pour elles?

Je mets en application

En groupes, présentez une scène comme celle que vous venez de lire, intitulée *La maudite vie plate d'un(e) élève.*

Attention! N'essayez pas d'utiliser le joual, mais écrivez plutôt en français standard! Faites quelques parties en chœur et d'autres individuellement. N'oubliez pas de mettre beaucoup d'expression et d'émotion dans vos scènes.

J'approfondis

A. Que pourraient faire ces femmes pour que leurs vies soient moins plates?

B. Compare le travail ménager de Mme Loisel et celui de ces femmes. Quelles similarités et quelles différences remarques-tu?

Les belles-sœurs
Troisième extrait

Les femmes continuent à coller les timbres dans les livrets, en continuant à se parler et à révéler la triste vérité de leur vie. Tout le monde est bouleversé par l'arrivée de Pierrette, la sœur cadette de Germaine, Gabrielle et Rose. Ses sœurs l'avaient rejetée, il y a longtemps, à cause de la vie qu'elle menait, comme hôtesse dans un club de mauvaise réputation. Sans que Germaine ne les voie, les autres lui volent des livrets de timbres, de temps à autre.

Avant de lire

- Tu vas lire maintenant la dernière scène de la pièce. À ton avis, comment la pièce va-t-elle se terminer pour Germaine?

Germaine Lauzon : Où sont mes timbres?

Rose Ouimet : Ben, voyons, Germaine, cherche un peu!

Germaine Lauzon : Y sont pas dans la caisse, pis y sont pas sur la table! J'veux savoir où sont mes timbres!

Olivine Dubuc (*sortant des timbres cachés dans ses vêtements*) : Timbres? Timbres… timbres… (*Elle rit. Note : Olivine Dubuc est extrêmement vieille. C'est sa belle-fille Thérèse qui a caché les timbres dans ses vêtements.*)

Thérèse Dubuc : Madame Dubuc, cachez ça… Maudit, madame Dubuc!

Marie-Ange Brouillette : Bonne Sainte-Anne!

Des-Neiges Verrette : Priez pour nous!

Germaine Lauzon : Mais a n'a plein son linge! Mais que c'est ça, a n'a partout! Tiens, pis tiens… Thérèse… c'est pas vous, toujours.

Thérèse Dubuc : Ben non, voyons, j'vous jure que j'savais pas!

Germaine Lauzon : Montrez-moé vot'sacoche!

Thérèse Dubuc : Voyons donc, Germaine, si vous avez plus confiance en moé que ça.

Rose Ouimet : Germaine, t'exagères!

Germaine Lauzon : Toé aussi, Rose, j'veux voir ta sacoche! J'veux toute voir vos sacoches! Toute la gang!

Des-Neiges Verrette : J'refuse! C'est la première fois qu'on me manque de respect de même!

Yvette Longpré : Oui, certain!

Lisette de Courval : Je ne remettrai plus jamais les pieds ici!

(*Germaine Lauzon s'empare du sac de Thérèse et l'ouvre. Elle en sort plusieurs livrets.*)

122

Germaine Lauzon : Hein? Hein? J'savais ben! J'suppose que c'est pareil dans les autres sacoches! Mes maudites vaches, par exemple! Vous sortirez pas d'icitte vivantes! M'as toutes vous assommer!

Pierrette Guérin : M'as t'aider, Germaine! Toute une gang de maudites voleuses! Pis ça vient lever le nez sur moé!

Germaine Lauzon : Montrez-moé toutes vos sacoches. (*Elle arrache le sac à Rose.*) Tiens… pis tiens! (*Elle prend un autre sac.*) Encore icitte. Pis tiens, encore!! Vous aussi, mademoiselle Bibeau? Y'en a rien que trois, mais y'en a pareil!

Angeline Sauvé : Hon! Rhéauna! Toé aussi!

Germaine Lauzon : Toute! Toute la gang! Vous êtes toutes des écœurantes de voleuses!

Marie-Ange Brouillette : Vous les méritez pas, ces timbres-là!

Des-Neiges Verrette : Pourquoi vous plus qu'une autre, hein?

Rose Ouimet : Tu nous as fait assez baver avec ton million de timbres!

Germaine Lauzon : Mais, c'est à moé ces timbres-là!

Lisette de Courval : Ils devraient être à tout le monde!

Les autres : Oui, à tout le monde!

Germaine Lauzon : Mais sont à moé! Donnez-moé-les!

Les autres : Jamais!

Marie-Ange Brouillette : Y'en reste encore ben dans les caisses, servons-nous!

Des-Neiges Verrette : Oui, certain!

Yvette Longpré : J'vas remplir ma sacoche.

Germaine Lauzon : Arrêtez! Touchez-y pas!

Thérèse Dubuc : T'nez, madame Dubuc, en v'là. T'nez, encore.

Marie-Ange Brouillette : V'nez, mademoiselle Verrette, y'en a en masse, icitte. Aidez-moé.

Pierrette Guérin : Lâchez ça tu-suite!

Germaine Lauzon : Mes timbres! Mes timbres!

Rose Ouimet : Viens m'aider, Gaby, j'en ai trop pris!

Germaine Lauzon : Mes timbres! Mes timbres!

(*Une grande bataille s'ensuit. Les femmes volent le plus de timbres qu'elles peuvent. Pierrette et Germaine essaient de les arrêter. Linda, la fille de Germaine, et sa copine Lise restent assises dans un coin et regardent le spectacle sans bouger. On entend des cris, quelques femmes se mettent à se battre.*)

Marie-Ange Brouillette : C'est à moé, ceux-là!

Rose Ouimet : Vous avez ben menti, sont à moé!

Lisette de Courval, *à Gabrielle :* Voulez-vous ben m'lâcher! Voulez-vous ben m'lâcher!

(*On commence à se lancer des livrets de timbres par la tête. Tout le monde pige à qui mieux mieux dans les caisses, on lance des timbres un peu partout, par la porte, par la fenêtre. Olivine Dubuc essaie de se promener avec sa chaise roulante et hurle le « O Canada ». Quelques femmes sortent avec leur bagage de timbres. Rose et Gabrielle restent un peu plus longtemps que les autres.*)

Germaine Lauzon : Mes sœurs! Mes propres sœurs! (*Gabrielle et Rose sortent. Il ne reste plus dans la cuisine que Germaine, Linda et Pierrette. Germaine s'écroule sur une chaise.*) Mes timbres! Mes timbres!

(*Pierrette passe ses bras autour des épaules de Germaine.*)

Pierrette Guérin : Pleure pas, Germaine!

Germaine Lauzon : Parle-moé pas! Va-t'en! T'es pas mieux que les autres!

Pierrette Guérin : Mais...

Germaine Lauzon : Va-t'en, j'veux pus te voir!

Pierrette Guérin : Mais, j't'ai défendue! Chus t'avec toé, Germaine!

Germaine Lauzon : Va-t'en, laisse-moé tranquille! Parle-moé pus! J'veux voir parsonne!

(Pierrette sort lentement. Linda se dirige elle aussi vers la porte.)

Linda Lauzon : Ça va être une vraie job, toute nettoyer ça!

Germaine Lauzon : Mon dieu! Mon dieu! Mes timbres! Y me reste pus rien! Rien! Rien! Ma belle maison neuve! Mes beaux meubles! Rien! Mes timbres! Mes timbres!

(Elle s'écroule devant une chaise et commence à ramasser les timbres qui traînent. Elle pleure à chaudes larmes. On entend toutes les autres à l'éxtérieur qui chantent le « O Canada ». À mesure que l'hymne avance, Germaine retrouve son « courage » et elle finit le « O Canada » avec les autres, debout à l'attention, les larmes aux yeux. Une pluie de timbres tombe lentement du plafond...) RIDEAU

Je comprends...

1. Pourquoi les femmes commencent-elles à s'inquiéter?

2. Comment Germaine découvre-t-elle les vols?

3. Comment Thérèse Dubuc essaie-t-elle d'expliquer la présence des timbres dans les vêtements de sa belle-mère?

4. Comment Lisette de Courval, Des-Neiges Verrette et Yvette Longpré essaient-elles de se défendre contre les accusations de Germaine?

5. Rhéauna Bibeau, une vieille dame religieuse, n'a volé que trois livrets. Suggère pourquoi elle en aurait volé trois.

6. Qu'est-ce que l'exclamation d'Angeline Sauvé nous apprend?

7. Comment les femmes défendent-elles leurs actions?

8. Comment savons-nous que les rapports entre Linda Lauzon et sa mère ne sont pas très bons?

J'approfondis

1. Germaine a rejeté avec les autres sa sœur Pierrette, qui avait essayé de l'aider.

➠ Comment cette action pourrait-elle changer l'attitude du spectateur ou du lecteur envers Germaine?

➠ Devrait-on prendre pitié de Germaine? Justifie ta réponse.

2. En groupes, discutez du rôle de la jalousie dans cette pièce de théâtre.

➠ Définissez la jalousie.

➠ Quelles sont les conséquences?

J'observe!

Le *faire* causatif

Lis les phrases suivantes.

- Mme Loisel **a fait faire** une robe du soir à une couturière.
- Il faut écrire à ton amie que tu as brisé la fermeture de sa rivière et que tu la **fais réparer**.
- Avant le désastre, Mme Loisel **faisait faire** le ménage à sa bonne.
- Germaine **fait voir** le catalogue à ses amies.
- Germaine **a fait coller** les timbres dans les livrets par ses amies.

➡ Dans chaque phrase, identifie la personne qui fait l'action.

➡ Quel est le rôle du sujet dans ces phrases?

➡ Quel verbe utilise-t-on pour indiquer que ce n'est pas le sujet qui fait l'action?

➡ Quelles prépositions utilise-t-on pour présenter la personne qui fait l'action?

➡ Quelle est la forme du deuxième verbe?

➡ Devant quel verbe met-on les pronoms objets?

Je pratique...

A. Mme Forestier ne fait pas les choses citées ci-dessous.

➡ Utilise le *faire causatif* pour dire ce qu'elle fait faire et identifie l'agent qui fait les choses.

➡ Utilise les pronoms comme dans le modèle.

Exemple : Mme Forestier ne fait pas de ménage. (sa bonne)

Elle <u>le</u> **fait faire à sa bonne.**

1. Mme Forestier ne fait pas de cuisine. (son chef de cuisine)
2. Elle ne désherbe pas le jardin. (son jardinier)
3. Elle ne lave pas les vêtements. (sa bonne)
4. Elle ne surveille pas ses enfants. (sa nurse)
5. Elle ne s'occupe pas des comptes. (son comptable)

➡ Maintenant, répète les phrases avec le sujet *nous*.

Complète les phrases suivantes en utilisant le *faire causatif* et ton imagination.

1. Quand je serai riche ▬▬▬▬▬▬▬
2. Quand je serai vieux (vieille) ▬▬▬▬▬▬▬
3. Quand je serai enseignant(e) ▬▬▬▬▬▬
4. Quand je serai le premier ministre du Canada ▬▬▬▬▬
5. Quand j'aurai des enfants ▬▬▬▬▬

J'observe!
suite

Lis les phrases suivantes.

- Mme Loisel **s'est fait faire** une robe du soir.
- M. Loisel **s'est fait inviter** au bal.
- Les Loisel **se sont fait conduire** chez eux dans un fiacre.
- Germaine **s'est fait envoyer** les timbres chez elle.

➡ De quel genre de verbes s'agit-il dans ces phrases?

➡ Quel mot indique le genre de verbe?

➡ Est-ce que le participe passé s'accorde avec son sujet?

Je pratique...

Les gens riches ne font pas les choses eux-mêmes. Utilise la construction *se faire* au passé + l'infinitif pour décrire les activités qu'ils auraient faites la semaine dernière.

Exemple : Nous... conduire au bureau
              Nous nous **sommes fait** conduire au bureau.

1. Mme Leriche... couper les ongles
2. M. Lacombe et son fils... couper les cheveux
3. Moi... maquiller le visage
4. M. Laroche... raser
5. Les frères Larose... faire des complets
6. Mme Forestier et sa mère... coiffer
7. Ces deux dames... lire leur avenir dans les cartes

Tâche riche 2

À deux, jouez les rôles d'un ou d'une journaliste qui travaille pour un tabloïde et d'une des « belles-sœurs ». Ce ou cette journaliste a entendu parler de ce qui est arrivé chez Germaine et cherche une bonne histoire pour son journal. Présentez votre entrevue à la classe.

Vous voulez de l'aide?

N'oubliez pas d'inclure dans l'entrevue.

- des questions auxquelles la personne pourra répondre sans s'accuser de vol.
- les opinions de la personne sur les concours où on peut gagner des prix comme les timbres de Germaine.
- la version des événements selon la personne.
- ses rapports maintenant avec Germaine et les autres.
- ce qu'elle a fait des timbres qui ont été trouvés dans son sac à main.
- Utilisez le *faire causatif* au moins trois fois.

Je lis...

Du rêve à l'action

par René Lewandowski

Avant de lire

En groupes, discutez des questions suivantes.

- Dans quelle mesure nos actions sont-elles influencées par les opinions des autres?
- Nos amis devraient-ils encourager nos ambitions, même si elles semblent déraisonnables?

Faire le tour du monde, c'était le rêve de Martin Parent et Lynda Paquette, un couple de géologues de Québec. Et ils ont décidé de le réaliser, même si, à première vue, ils n'en avaient pas les moyens. Ainsi, pendant cinq ans, ils ont méthodiquement mis de l'argent de côté. « On ne voulait pas attendre d'être trop vieux pour profiter de la vie », raconte Martin Parent, grand gaillard de 36 ans, aux yeux bleus.

En mai 2003, sa conjointe et lui abandonnent maison, auto et carrières florissantes pour un périple de deux ans qui les mènera des pays scandinaves au lac Baïkan, en Sibérie, en passant par le désert de Gobi et celui du Sinaï. « Quand on veut vivre ses rêves, il faut prendre des risques », dit Lynda Paquette, qui a 36 ans, elle aussi.

Se lancer en affaires, faire le tour du monde en voilier, changer de carrière, retourner aux études... Des rêves, on en a tous. Mais pour beaucoup de gens, il est plus facile de rêver sa vie que de vivre ses rêves. « La plupart des gens veulent tout, tout de suite, et ne sont pas prêts à faire des sacrifices », dit le psychologue Marc Vachon, spécialiste en gestion du changement et cofondateur du site « oserchanger.com. »

Martin Parent et Lynda Paquette, eux, ont établi, en 1998, un plan d'action de cinq ans qu'ils ont suivi à la lettre. Ils ont cotisé au maximum, à un fonds de retraite privé. Ils ont sabré les dépenses superflues : câble, cellulaire, restos, etc. Ils ont acheté un condo dans le Vieux Québec, avec l'intention de le vendre, avec profit, juste avant leur départ. Parce que leurs lieux de travail étaient assez éloignés l'un de l'autre, ils auraient trouvé bien commode d'avoir deux autos; ils ont plutôt opté pour le covoiturage et se sont contentés d'une seule voiture – une Honda Civic, bien connue pour sa valeur de revente.

Le jour du grand départ, ils avaient remboursé toutes leurs dettes d'études et ont amassé assez d'argent pour partir pendant deux ans, au lieu d'un, comme ils l'avaient prévu initialement. « Quand on prend les moyens, on peut aller au bout de ses rêves », dit Lynda Paquette.

Depuis leur retour, en juin dernier, ils ont entamé le deuxième volet de leur belle aventure. Ils ont créé *Un grand virage*, petite entreprise qui offre des conférences sur les voyages, des ateliers et des services de consultation. « On veut aider les gens à réaliser leur rêve », dit la jeune femme.

Une des premières étapes pour concrétiser ses projets est la planification financière. Le manque d'argent est souvent la principale raison invoquée par ceux qui ne passent pas à l'action. Une raison qui en cache une autre, selon Marc Vachon : « Ce qui freine véritablement les gens, c'est la peur. » La peur de l'échec, de l'inconnu, de contrarier son entourage.

Selon les individus, le rêve produit deux effets contraires. Pour certains, il nourrit l'ambition; il est un terrain propice à la création et le moteur de l'action. Pour d'autres, il est plutôt un frein. Ces derniers se complaisent à rester dans l'imaginaire. Ils ont tendance à se détourner de la vie active. Ils font des projets, mais n'en réalisent que rarement.

« C'est une question de croyances, dit Marc Vachon. Religieuses ou autres. Ceux qui passent à l'action, estime le psychologue, sont convaincus d'être maîtres de leur destin. Les autres trichent un peu avec la vie, préférant remettre leur destinée dans les mains de Dieu ou d'une autre force. Ils achètent des billets de loto, en espérant qu'un jour la chance leur sourira et qu'ils auront alors l'argent pour réaliser leur rêve. »

Mais entre le rêve et la réalité, il y a parfois un monde. Surtout lorsque l'objectif est ambitieux et qu'il demande de longues années d'efforts. Comme participer aux Jeux olympiques de Pékin, en 2008 ou de Londres, en 2012. « C'est dur, mais je vais tout faire pour y arriver », assure Jean Lelion, 24 ans, escrimeur d'élite de Montréal.

Classé sixième au Canada, Jean Lelion n'a pas droit à l'aide financière du gouvernement fédéral (réservée aux trois premiers de la dite-discipline dans le pays). Il doit payer ses voyages – environ 20 000 dollars par an. Il est également obligé de se rendre à l'étranger, afin de répondre aux critères de la Fédération canadienne, qui lui impose de participer à au moins 6 des 14 épreuves de Coupe du monde.

Depuis 2003, son horaire est infernal. En plus de s'entraîner entre 35 à 40 heures par semaine, il cumule trois emplois : surveillant au collège Brébeuf, à Montréal, entraîneur adjoint dans un club d'escrime, réserviste dans les Forces armées. Ah, oui! Il fait aussi des études universitaires : il prépare une maîtrise en criminologie à l'Université de Montréal.

Et les dettes s'accumulent. Depuis un an, il a emprunté 4 000 dollars à la banque, 1 500 dollars à ses parents et a utilisé sa carte de crédit au maximum. Il a aussi rédigé un mini-plan d'affaires dans l'espoir de recueillir des commandites auprès des parents des jeunes qu'il entraîne. Mais un seul père a répondu jusqu'ici, en acceptant de lui transférer des points d'un programme de fidélité pour obtenir un billet d'avion gratuit. Début février, à quelques jours du Grand Prix de Qatar, l'escrimeur a réussi, *in extremis*, à trouver un commanditaire privé pour financer le vol aller-retour, d'un coût de 1 700 dollars. Mais il a dû emprunter de nouveau pour payer l'hébergement, la nourriture et les déplacements en ville. « Je n'ai pas le choix. »

Il est pourtant possible de réaliser ses rêves, même lorsqu'on semble ne pas avoir les moyens pour parfaire à ses ambitions. Avec de la volonté, de la persévérance et beaucoup de patience, on peut accomplir bien des choses, soutient Marc Vachon.

Je comprends...

1. Quel était le rêve de Martin et Lynda?

2. Où sont-ils allés?

3. Quelles stratégies ont-ils employées pour faire des économies?

4. Qu'ont-ils fait après leur retour?

5. Dans quel domaine Jean Lelion veut-il réussir?

6. Pourquoi Jean Lelion n'a-t-il pas droit à l'aide financière du gouvernement fédéral?

7. Quels sont ses trois emplois?

8. Comment trouve-t-il l'argent pour continuer?

Je mets en application

A. Ton ami(e) vient te voir parce qu'il ou elle veut ton opinion sur son choix de carrière. Tu trouves son choix farfelu mais tu ne peux pas le lui dire.

- Que lui diras-tu donc?
- Pose-lui des questions pour l'aider à voir que son jugement est erroné.
- Présentez votre conversation à la classe ou à un autre groupe.

Exemple :
- J'ai choisi une carrière! Je veux être dompteur de lions dans un cirque!
- Mais... la plupart des cirques de nos jours n'ont plus d'animaux, n'est-ce pas?

B. À deux, jouez les rôles de Jean Lelion et d'un conseiller ou d'une conseillère qu'il aurait consulté(e).

➡ D'abord, faites une liste de tous les obstacles que Jean pourrait rencontrer, puis faites des suggestions pour surmonter ces obstacles.

➡ Présentez votre conversation à la classe ou à un autre groupe.

Saviez-vous?

Le secret est dans la sauce
Six conseils pour un projet gagnant, selon le psychologue Marc Vachon.

1. Planifiez
Fixez-vous des objectifs intermédiaires. Que voulez-vous avoir accompli dans six mois, un an, deux ans? Établissez un plan d'action. Sans objectif, toute votre énergie sera happée par les demandes des autres ou dissipée dans la satisfaction des besoins du moment.

2. Passez à l'action
Ceux qui réalisent leurs rêves font ce qui doit être fait, même si ce n'est pas toujours intéressant. Quelles mesures concrètes devez-vous prendre pour avancer vers votre objectif? Ne laissez pas passer une seule journée sans accomplir un geste, si minime soit-il (un appel, une lecture, un cours) pour atteindre votre but.

3. Prenez la responsabilité de ce qui vous arrive
Cessez de chercher des raisons expliquant pourquoi vous ne bougez pas. Si vous n'obtenez pas les résultats espérés, au lieu d'en accuser les autres, le monde entier ou vous-même, essayez autre chose, modifiez votre approche et mettez-vous à la recherche de nouveaux moyens. Cessez de refaire les mêmes gestes, encore et encore, en vous attendant à des résultats différents.

4. Apprenez à utiliser vos émotions
Ceux qui réalisent leurs rêves cultivent les émotions positives et savent comment casser leur dépendance vis-à-vis des émotions paralysantes (peur, angoisse, découragement, impuissance, accablement, culpabilité). La réalisation d'un rêve, c'est 80% de maîtrise de soi et de psychologie.

5. Sachez vous entourer
Vos choix ont toujours un effet sur les gens qui vous entourent. Assurez-vous que ceux-ci les comprennent et vous appuient. Créez-vous aussi un environnement stimulant et encourageant en choisissant bien vos amis, vos lectures, les émissions que vous regardez. Protégez-vous des gens et des conversations qui vous donnent le sentiment de valoir moins que ce que vous ne valez.

6. Soyez patient
Nous vivons à l'ère de l'instantané, du presse-bouton, de la vitesse et de la satisfaction immédiate des désirs. Les grands rêves demandent du temps. Mais leur réalisation apporte de grandes satisfactions, de la joie et de l'épanouissement. Alors, maintenez le cap!

J'observe!
L'infinitif passé

Lis les phrases suivantes.

- Après **avoir établi** un plan d'action de cinq ans, Lynda et Martin l'ont suivi au pied de la lettre.

- Après **être partis** du Québec, ils sont allés en Scandinavie.

- Après **avoir visité** les pays scandinaves, ils sont partis pour la Sibérie.

- Après **s'être installés** dans un petit hôtel, ils ont visité la campagne.

- Après **être retournés** à Montréal, ils ont créé une entreprise qui offre des conférences sur les voyages.

- Je suis allé à un atelier présenté par Lynda et Martin. Après **les avoir écoutés**, j'ai décidé de réaliser mon rêve, moi aussi.

- J'étais content de **ne pas avoir manqué** cet atelier.

➠ Combien d'actions y a-t-il dans chaque phrase?

➠ Combien de sujets différents y a-t-il dans chaque phrase?

➠ Quelle action est la première à être achevée?

➠ Comment forme-t-on l'infinitif passé?

➠ Avec quoi est-ce que le participe passé s'accorde dans le deuxième et le cinquième exemple? Dans le quatrième et le sixième exemple?

➠ Comment change-t-on l'infinitif passé à la forme négative?

Je pratique...

A. Refais les phrases suivantes en utilisant l'infinitif passé. Utilise l'exemple pour t'aider.

Exemple :

> J'ai gagné de l'argent puis j'ai voyagé en Europe.
> Après **avoir gagné** de l'argent j'ai voyagé en Europe.

1. Il a obtenu son diplôme puis il a trouvé un emploi.

2. Elle a quitté son poste et puis elle n'avait plus d'argent.

3. Nous sommes allés au Québec puis aux Maritimes.

4. Ils ont fini leur travail écrit puis ils ont préparé la présentation orale.

5. Je suis monté au sommet de la Tour Eiffel puis j'ai pris des photos spectaculaires.

B. Remplace les mots soulignés en employant des pronoms.

Exemple :

Après avoir acheté **<u>les disques</u>**, elle est rentrée à la maison pour les écouter.

Après **<u>les</u>** avoir achetés, elle est rentrée à la maison pour les écouter.

1. Après avoir vu **<u>le film</u>**, je ne pouvais plus dormir.

2. Après avoir mangé beaucoup **<u>de pizza</u>**, il avait mal au ventre.

3. Après être arrivée tard **<u>en classe</u>**, elle a oublié de donner le message au prof.

4. Après avoir parlé **<u>au directeur</u>** il était plus content.

5. Après avoir laissé **<u>ses livres</u> <u>sur le bureau</u>** elle devait retourner les chercher.

C. Que feras-tu cette fin de semaine?
   Complète les phrases suivantes.

Exemple : Après **avoir** bien **dormi**, je me réveillerai.

1. Après m'être réveillé(e) samedi matin, je…

2. Après m'être levé(e), je …

3. Après avoir pris une douche, je…

4. Après avoir mangé, je…

5. Après …

6. Après …

7. Après …

8. Après …

9. Après …

10. Après …

Tâche riche 3

Choisis un personnage historique francophone qui a réalisé son rêve. Prépare un court exposé oral (250 à 300 mots) et explique son rêve et comment il ou elle l'a réalisé.

Exemples : Édith Piaf, Sir Wilfrid Laurier, George Sand, Georges Bizet, Voltaire, Denys Arcand, Louis Renault, Coco Chanel, Champlain, Napoléon, Gabrielle Roy, Alexandre Dumas, Charlemagne, etc.

Guy de Maupassant

Depuis sa jeunesse, le rêve de Guy de Maupassant était de devenir écrivain. Enfant, il a rencontré Flaubert, l'auteur célèbre, qui l'a encouragé à réaliser ses rêves. À l'âge de 20 ans, il est allé à l'armée et a participé à la guerre contre la Prusse.

Après la guerre, il a trouvé un travail qui lui a permis de vivre et de réaliser ses rêves. Il écrivait des contes et travaillait pour des magazines et des journaux populaires. Flaubert l'a invité chez lui où il a eu l'occasion de parler à des auteurs connus et bénéficier de leurs suggestions et de leurs encouragements. De Maupassant s'est aussi intéressé à la nouvelle science de la psychologie et a assisté à plusieurs ateliers sur ce sujet.

En tant qu'écrivain, il prêtait attention à ce que le public voulait lire : des drames psychologiques de la vie quotidienne et parfois des histoires à suspense et à terreur. Ses personnages étaient souvent des gens qu'il avait connus dans sa province natale, la Normandie, et le public l'a aidé à réaliser ses rêves, en achetant ses livres.

Tâche Finale

Compare et contraste les rêves et la recherche du bonheur de Mathilde Loisel et de Germaine Lauzon. En considérant leurs rêves, il faut aussi penser à la réalité de leurs vies.

Incorpore les éléments suivants dans ta rédaction :

- les rangs sociaux de ces deux femmes (famille riche ou pauvre)
- leur mariage
- leur logement
- leurs rêves

Utilise les questions suivantes pour t'aider.

⟹ Que désirent-elles avoir?

⟹ La réalisation de ces rêves est-elle possible?

⟹ Quel était le grand moment de bonheur pour chacune d'elles?

⟹ Comment s'est terminé ce bonheur?

⟹ Germaine et Mathilde ont-elles partagé la responsabilité d'avoir perdu leur bonheur?

- À la fin de *La parure*, Mathilde est fière de ce qu'elle a accompli. À la fin des *Belles-sœurs*, Germaine se lève, sourit courageusement et chante.

⟹ Pourquoi les auteurs ont-ils choisi de terminer leurs œuvres de cette façon?

⟹ Donne ton opinion.

Utilise l'organigramme dans ton Cahier pour organiser ton travail.

LA FORCE DE L'ESPRIT

4

Je communique...

Je partage...

J'apprends et je comprends...

Ma tâche finale...

En route!

⊃ Comment l'histoire est-elle incorporée dans la littérature moderne,
dans les films et dans les émissions télévisées?

⊃ Nomme des exemples « historiques » qui se trouvent dans ta communauté.

⊃ Pourquoi faut-il que nous reconnaissions et que nous n'oubliions pas
les erreurs du passé?

L'Oracle de Delphes bouleverse le royaume!

Selon les derniers rapports, le nouveau-né du couple royal, Laïos et Jocaste, doit être exterminé. L'Oracle de Delphes a prédit que cet enfant tuera son père et épousera sa mère! Pour éviter cette éventualité le roi Laïos a chargé son serviteur le plus dévoué d'emmener le bébé dans la forêt et de le tuer.

Avis de décès

Laïos, roi de Thèbes, âgé de 60 ans

À Thèbes, en Grèce, sur une route hors de la ville, le roi a trouvé la mort. Il laisse, dans le deuil, sa femme Jocaste. Tout le royaume est invité à venir payer ses hommages au roi, dans le Temple de Delphes, au palais royal, où le feu roi sera exposé pendant toute la semaine prochaine. Les gardes du roi cherchent le coupable de son meurtre dans tout le royaume. L'énigme de la mort du roi a jeté le trouble dans toute la population de Thèbes.

es plus connus
celui d'Œdipe, roi de Thèbes.

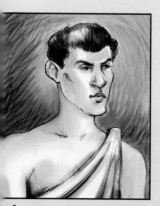

Énigme du Sphinx finalement résolue!

Les citoyens de Thèbes se réjouissent! Après avoir été terrorisés par le Sphinx, un grand monstre à tête de femme, depuis des années, un jeune homme, nommé Œdipe, a réussi à résoudre l'énigme du Sphinx : « Quel est l'animal qui le matin marche sur quatre pieds, à midi sur deux, et le soir sur trois? »

Sans hésiter, Œdipe a répondu que c'était l'homme, lequel, au matin de sa vie marche à quatre pattes, se dresse sur ses deux jambes à l'âge adulte et s'aide d'une canne pour se soutenir au temps de sa vieillesse.

« Quand il a résolu l'énigme » a dit un témoin, « le Sphinx s'est tué de rage et Œdipe est devenu le héros de Thèbes. Quelle joie! Nous avons retrouvé la paix dans le pays. »

Les Thébains ont nommé Œdipe roi, en geste de reconnaissance.

La reine Jocaste et le roi Œdipe ont le plaisir d'annoncer à tout le royaume qu'ils ont prononcé leurs vœux d'amour éternel, samedi dernier, au cours d'une petite cérémonie privée, dans le Temple de Delphes

En l'honneur de leur mariage le vin coulera à flots dans le royaume et les festivités continueront pendant sept jours

CRIME D'ŒDIPE DÉVOILÉ!

Après avoir tué son père, le feu roi Laïos, le roi Œdipe a épousé sa mère, la reine Jocaste!

TOUT!

Nourrice royale s'évanouit après avoir parlé à TOUT!

« Je n'avais aucune idée que les quatre enfants dont je m'occupais pendant toutes ces années, étaient nés d'un mariage incestueux, » a avoué la nourrice d'Étéocle, Polynice, Antigone et Ismène, enfants d'Œdipe et de Jocaste.

« Œdipe ne savait pas que Jocaste était sa mère, et elle, ne savait pas non plus, qu'il était l'enfant qui devait être tué » a déclaré un témoin du palais royal.

Choc des Thébains!

« Je n'en revenais pas. Et pourtant, je pensais que c'était le couple idéal » a déclaré un citoyen de Thèbes…

SUICIDE DE LA REINE

La reine Jocaste s'est suicidée en prenant connaissance des nouvelles choquantes concernant la véritable identité de son époux, Œdipe.

Œdipe se crève les yeux en découvrant sa véritable identité : Fils, mari et parricide à la fois!

Samedi dernier, Œdipe, roi de Thèbes, après avoir appris la vérité, se crève les yeux et renonce au trône. Rempli de remords, selon des témoins, il aurait quitté le royaume accompagné de sa fille Antigone.

Le roi s'aveugle avec les broches de sa femme!

En voyant sa femme morte, en l'occurrence, sa mère, à côté du trône, Œdipe a pris la décision de se crever les yeux. Œdipe s'est servi des broches de sa femme Jocaste, afin de s'aveugler pour ne plus « voir » son « crime. »

Je comprends...

Relis les manchettes des pages 138 à 140, et mets toutes les informations en ordre chronologique. Imagine que tu es le reporter officiel du palais royal de Thèbes, et que tu partages les dernières nouvelles avec les gens qui se sont rassemblés devant le palais.

Présente tes informations oralement.

Je mets en application

Choisis un mythe grec ou romain de la liste ci-dessous (ou un autre mythe de ton choix.) Fais des recherches sur le mythe que tu as choisi et écris un résumé dans le style journalistique.

Déméter et Perséphone

Prométhée

Dédale et Icare

Orphée et Eurydice

Thésée et Ariane

Remus et Romulus

Achille

Narcisse

Électre

- Quelle est ta manchette d'article de journal?
  Essaie d'attirer l'attention du lecteur.
- Réponds aux cinq questions habituelles, dans un style journalistique :
  qui, quoi, où, quand, pourquoi
- Les détails les plus importants se trouvent-ils dans le premier paragraphe?
- Ajoute des citations. Tu peux inventer des citations de témoins.
- Si tu veux, utilise le passé simple au lieu du passé composé.

Saviez-vous?

Jean Anouilh (1910-1987), un des grands écrivains et dramaturges du 20e siècle.

Anouilh commença des études à la Faculté de Droit, mais après un an et demi, il les abandonna pour poursuivre un emploi dans le domaine de la publicité. Celui-ci ne lui plut pas, non plus, et c'est ainsi qu'il découvrit sa vraie vocation : le théâtre.

L'influence de Jean Giraudoux, un grand dramaturge moderne, lui révéla qu'il était possible de créer un langage poétique et artificiel qui sonnait plus vrai que la conversation de tous les jours. C'est aussi Giraudoux qui lui montra la valeur des mythes grecs et romains. Dans *La guerre de Troie n'aura pas lieu*, Giraudoux utilisa un vieux mythe pour discuter du présent. Il pose la grande question : cette guerre, celle de Troie, pouvait-elle être évitée? Et si elle était inévitable, qu'on ne se batte pas pour des raisons absurdes. C'est un écho de la grande question de la Deuxième Guerre mondiale.

Pourquoi certains auteurs modernes se servent-ils de mythes et de vieilles légendes pour produire leurs œuvres artistiques? Il semble que ces vieilles histoires donnent un moyen à ces auteurs modernes de mettre en scène la condition humaine et les grands problèmes universels, tels que la guerre, la souffrance, la mort, etc... et de les critiquer dans un cadre moderne, utilisant un nouveau langage et de nouveaux attirails.

Ces auteurs dramatiques renouvelèrent le mythe. Ils maintiennent l'intrigue centrale tout en réussissant à faire leurs propres « créations », à dire des choses qui sont à la fois « en caractère » mais qui ont aussi une interprétation contractuelle. C'est la raison d'être *d'Antigone*, écrite en 1942. Après la Première Guerre mondiale, qui devait être « la guerre pour finir toutes les guerres », il y avait un certain optimisme qui régnait en Europe mais qui commença à disparaître après 1933, à l'arrivée d'Hitler sur la scène mondiale. La Deuxième Guerre mondiale débuta en 1939 quand Hitler entama sa conquête de l'Europe. L'année suivante, il envahit, soudain, la France. Après huit mois de combats, la France fut vaincue et divisée en deux zones : la zone libre et la zone occupée.

Certains Français attendaient simplement l'arrivée des Alliés. D'autres refusaient d'attendre et voulaient participer à la libération de la France, même s'ils devaient payer de leur vie, et rejoignirent la « résistance. » D'autres collaborèrent avec l'ennemi, pensant sauver leurs propres peaux. C'est dans cette atmosphère qu'Anouilh a créé son *Antigone*.

Antigone,
pièce de théâtre de Jean Anouilh (extraits)

Première partie

Ce qui s'est passé auparavant dans la pièce.

Avant de lire

- Quand te disputes-tu avec un membre de ta famille?
- Quelle sorte de relations as-tu avec ton frère ou ta sœur?
- Sur quels sujets t'obstines-tu?
- Te laisses-tu convaincre du contraire parfois, après avoir pris une décision importante?
- Quelles stratégies emploies-tu pour convaincre les autres de ton opinion?
- Comment trouves-tu les moyens d'être le seul/la seule à penser ou à faire quelque chose lorsque tu penses que tu as raison?
- Pourquoi es-tu individualiste ou pourquoi est-ce important pour toi de faire partie du groupe?

*Pour bien comprendre l'extrait de la pièce
Antigone qui suit, voici un résumé de l'action*
qui s'est déroulée jusqu'à ce point :

Le roi Œdipe est mort! Ses deux fils, Etéocle et Polynice, qui devaient régner sur Thèbes pendant un an chacun, à tour de rôle, se sont tués, car ni l'un ni l'autre ne voulait céder le trône.

Créon, l'oncle des deux frères, est devenu roi de Thèbes. Il a ordonné que d'imposantes funérailles soient faites à Etéocle . Il le considérait comme étant « le bon frère ». Polynice, par contre, serait laissé « sans pleurs et sans sépulture, la proie des corbeaux et des chacals ». Aussi, a-t-il ordonné à tous les Thébains de ne pas faire de funérailles pour Polynice « le vaurien, le révolté, le voyou » et si on osait quand même en faire, on serait impitoyablement puni de mort.

Créon apprend que quelqu'un a recouvert le corps de Polynice d'un peu de terre. Furieux, il ordonne que les gardes ne révèlent rien à personne, à ce sujet.

Antigone, la fille d'Œdipe, sœur des deux frères, arrive sur scène, les mains dans des menottes. Les gardes l'ont arrêtée près du cadavre de Polynice. Elle était en train de le recouvrir, en grattant la terre de ses mains.

Arbres généalogiques

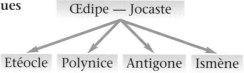

Œdipe — Jocaste → Etéocle, Polynice, Antigone, Ismène

Créon — Eurydice → Hémon (fiancé d'Antigone)

Antigone, première partie

CRÉON Antigone! C'est par cette porte qu'on regagne ta chambre. Où t'en vas-tu par-là?

ANTIGONE *(s'est arrêtée, elle lui répond doucement, sans forfanterie)*
Vous le savez bien...
(Un silence. Ils se regardent encore debout l'un en face de l'autre.)

CRÉON *(murmure, comme pour lui)*
Quel jeu joues-tu?

ANTIGONE Je ne joue pas.

CRÉON Tu ne comprends donc pas que si quelqu'un d'autre que ces trois brutes sait tout à l'heure ce que tu as tenté de faire, je serai obligé de te faire mourir?
Si tu te tais maintenant, si tu renonces à cette folie, j'ai une chance de te sauver, mais je ne l'aurai plus dans cinq minutes. Le comprends-tu?

ANTIGONE Il faut que j'aille enterrer mon frère que ces hommes ont découvert.

CRÉON Tu irais refaire ce geste absurde? Il y a une autre garde autour du corps de Polynice et, même si tu parviens à le recouvrir encore, on dégagera son cadavre, tu le sais bien. Que peux-tu donc, sinon t'ensanglanter encore les ongles et te faire prendre?

ANTIGONE Rien d'autre que cela, je le sais. Mais cela, du moins, je le peux. Et il faut faire ce que l'on peut.

CRÉON Tu y crois donc vraiment, toi, à cet enterrement dans les règles? À cette ombre de ton frère condamnée à errer toujours si on ne jette pas sur le cadavre un peu de terre avec la formule du prêtre? Tu la leur as déjà entendu réciter, aux prêtres de Thèbes, la formule? Tu as vu ces pauvres têtes d'employés fatigués, écourtant les gestes, avalant les mots, bâclant ce mort pour en prendre un autre avant le repas de midi?

ANTIGONE Oui, je les ai vus.

CRÉON Est-ce que tu n'as jamais pensé alors que si c'était un être que tu aimais vraiment, qui était là, couché dans cette boîte, tu te mettrais à hurler tout d'un coup? À leur crier de se taire, de s'en aller?

ANTIGONE Si, je l'ai pensé.

CRÉON	Et tu risques la mort maintenant parce que j'ai refusé à ton frère ce passeport dérisoire, ce bredouillage en série sur sa dépouille, cette pantomime dont tu aurais été la première à avoir honte et mal si on l'avait jouée. C'est absurde!
ANTIGONE	Oui, c'est absurde.
CRÉON	Pourquoi fais-tu ce geste, alors? Pour les autres, pour ceux qui y croient? Pour les dresser contre moi?
ANTIGONE	Non.
CRÉON	Ni pour les autres, si pour ton frère? Pour qui alors?
ANTIGONE	Pour personne. Pour moi
CRÉON	*(la regarde en silence)* Tu as donc bien envie de mourir? Tu as déjà l'air d'un petit gibier pris.
ANTIGONE	Ne vous attendrissez pas sur moi. Faites comme moi. Faites ce que vous avez à faire. Mais si vous êtes un être humain, faites-le vite. Voilà tout ce que je vous demande. Je n'aurai pas du courage éternellement, c'est vrai.
CRÉON	*(se rapproche)* Je veux te sauver, Antigone.
ANTIGONE	Vous êtes le roi, vous pouvez tout, mais cela, vous ne le pouvez pas.
CRÉON	Tu crois?
ANTIGONE	Ni me sauver, ni me contraindre.
CRÉON	Orgueilleuse! Petite Œdipe!
ANTIGONE	Vous pouvez seulement me faire mourir.
CRÉON	Et si je te fais torturer?
ANTIGONE	Pourquoi? Pour que je pleure, que je demande grâce, pour que je jure tout ce qu'on voudra, et que je recommence après, quand je n'aurai plus mal?
CRÉON	*(lui serre le bras)* Écoute-moi bien. J'ai le mauvais rôle, c'est entendu, et tu as le bon. Et tu le sens. Mais n'en profite tout de même pas trop, petite peste… Si j'étais une bonne brute ordinaire de tyran, il y aurait déjà longtemps qu'on t'aurait arraché la langue, tiré les membres aux tenailles, ou jetée dans un trou. Mais tu vois dans mes yeux quelque chose qui hésite, tu vois que je te laisse parler au lieu d'appeler mes soldats; alors, tu nargues, tu attaques tant que tu peux. Où veux-tu en venir, petite furie?

ANTIGONE Lâchez-moi.
Vous me faites mal au bras
avec votre main.

CRÉON *(qui serre plus fort)*
Non. Moi, je suis le plus fort
comme cela, j'en profite
aussi.

ANTIGONE *(pousse un petit cri)*
Aie!

CRÉON *(dont les yeux rient)*
C'est peut-être ce que je
devrais faire après tout, tout
simplement, te tordre le poignet, te tirer les cheveux comme on fait
aux filles dans les jeux. *(Il la regarde encore. Il redevient grave. Il lui dit
tout près)* Je suis ton oncle, c'est entendu, mais nous ne sommes pas
tendres les uns pour les autres, dans la famille. Cela ne te semble pas
drôle, tout de même, ce roi bafoué qui t'écoute, ce vieil homme qui
peut tout et qui en a vu tuer d'autres, je t'assure, et d'aussi attendris-
sants que toi, et qui est là, à se donner toute cette peine pour essayer
de t'empêcher de mourir?

ANTIGONE *(après un temps)*
Vous serrez trop, maintenant. Cela ne me fait même plus mal.
Je n'ai plus de bras.

CRÉON *(la regarde et la lâche avec un petit sourire. Il murmure.)*
Dieu sait pourtant si j'ai autre chose à faire aujourd'hui, mais je vais
tout de même perdre le temps qu'il faudra et te sauver, petite peste.
*(Il la fait asseoir sur une chaise au milieu de la pièce. Il enlève sa veste, il
s'avance vers elle, lourd, puissant, en bras de chemise.)* Au lendemain
d'une révolution ratée, il y a du pain sur la planche, je te l'assure.
Mais les affaires urgentes attendront. Je ne veux pas te laisser mourir
dans une histoire de politique. Tu vaux mieux que cela. Parce que ton
Polynice, cette ombre éplorée et ce corps qui se décompose entre ses
gardes et tout ce pathétique qui t'enflamme, ce n'est qu'une histoire
de politique. D'abord, je ne suis pas tendre, mais je suis délicat;
j'aime ce qui est propre, net, bien lavé. Tu crois que cela ne me
dégoûte pas autant que toi, cette viande qui pourrit au soleil? Le soir,
quand le vent vient de la mer, on la sent déjà au palais. Cela me
soulève le cœur. Pourtant, je ne vais même pas fermer ma fenêtre.
C'est ignoble, et je peux te dire à toi, c'est bête, monstrueusement
bête, mais il faut que tout Thèbes sente cela pendant quelque temps.
Tu penses bien que je l'aurais fait enterrer, ton frère, ne fût-ce que
pour l'hygiène! Mais pour que les brutes que je gouverne comprennent, il faut que cela pue le cadavre de Polynice dans toute la ville,
pendant un mois.

ANTIGONE	Vous êtes odieux!
CRÉON	Oui, mon petit. C'est le métier qui le veut. Ce qu'on peut discuter, c'est s'il faut le faire ou ne pas le faire. Mais si on le fait, il faut le faire comme cela.
ANTIGONE	Pourquoi le faites-vous?
CRÉON	Un matin, je me suis réveillé roi de Thèbes. Et Dieu sait si j'aimais autre chose dans la vie que d'être puissant…
ANTIGONE	Il fallait dire non, alors!
CRÉON	Je le pouvais. Seulement, je me suis senti tout d'un coup comme un ouvrier qui refusait un ouvrage. Cela ne m'a pas paru honnête. J'ai dit oui.
ANTIGONE	Eh bien, tant pis pour vous. Moi, je n'ai pas dit « oui »! Qu'est-ce que vous voulez que cela me fasse, à moi, votre politique, votre nécessité, vos pauvres histoires? Moi, je peux dire « non » encore à tout ce que je n'aime pas et je suis seul juge. Et vous, avec votre couronne, avec vos gardes, avec votre attirail, vous pouvez seulement me faire mourir parce que vous avez dit « oui ».
CRÉON	Écoute-moi.
ANTIGONE	Si je veux, moi, je peux ne pas vous écouter. Vous avez dit « oui ». Je n'ai plus rien à apprendre de vous. Pas vous. Vous êtes là à boire mes paroles. Et si vous n'appelez pas vos gardes, c'est pour m'écouter jusqu'au bout.
CRÉON	Tu m'amuses!
ANTIGONE	Non. Je vous fais peur. C'est pour cela que vous essayez de me sauver. Ce serait tout de même plus commode de garder une petite Antigone vivante et muette dans ce palais. Vous êtes trop sensible pour faire un bon tyran, voilà tout. Mais vous allez tout de même me faire mourir tout à l'heure, vous le savez, et c'est pour cela que vous avez peur. C'est laid un homme qui a peur.
CRÉON	*(sourdement)* Eh bien, oui, j'ai peur d'être obligé de te faire tuer si tu t'obstines. Et je ne le voudrais pas.
ANTIGONE	Moi, je ne suis pas obligée de faire ce que je ne voudrais pas! Vous n'auriez pas voulu non plus peut-être, refuser une tombe à mon frère? Dites-le donc, que vous ne l'auriez pas voulu?
CRÉON	Je te l'ai dit.
ANTIGONE	Et vous l'avez fait tout de même. Et maintenant, vous allez me faire tuer sans le vouloir. Et c'est cela, être roi!
CRÉON	Oui, c'est cela!

ANTIGONE   Pauvre Créon! Avec mes ongles cassés et pleins de terre et les bleus
             que tes gardes m'ont faits aux bras, avec ma peur qui me tord
             le ventre, moi je suis reine.

CRÉON   Alors, aie pitié de moi, vis. Le cadavre de ton frère qui pourrit sous
             mes fenêtres, c'est assez payé pour que l'ordre règne dans Thèbes.
             Ne m'oblige pas à payer avec toi encore. J'ai assez payé.

ANTIGONE   Non. Vous avez dit « oui ». Vous ne vous arrêterez jamais de payer
             maintenant.

Je comprends...

1. Pourquoi le temps qui passe est-il si important selon Créon?

2. Pourquoi est-il si important qu'Antigone enterre son frère?
   Créon est-il du même avis? Pourquoi?

3. Quel aspect du caractère d'Antigone est illustré quand elle dit
   « ...et il faut faire ce que l'on peut »?

4. Selon Créon, pourquoi Antigone insiste-t-elle à poursuivre avec
   son intention d'enterrer son frère?

5. Si Antigone accepte le fait que son geste est absurde,
   pourquoi est-elle prête à mourir pour cela?

6. À quoi Antigone ressemble-t-elle, à ce moment, selon Créon?
   Est-ce que cette expression est bien choisie selon toi? Pourquoi?

7. Quelle est l'unique demande d'Antigone?
   Qu'est-ce que cela révèle du caractère d'Antigone?
   Quelle est la réaction du lecteur à propos de sa demande?

8. Comment Créon essaie-t-il de convaincre Antigone de changer?

9. Qui, selon toi, a le bon ou le mauvais rôle dans cet extrait? Pourquoi?

10. Pourquoi Créon dit-il qu'il faut que tout Thèbes sente cela pendant
    quelque temps...? Qu'est-ce que cela dévoile de sa personnalité?
    Que penses-tu de son style en tant que chef?

J'approfondis...

A. Explique avec tes propres mots

- Ce que veut Antigone
- Ce que veut Créon
- Pourquoi la situation est absurde
- Pourquoi Créon ne peut pas permettre à Antigone de faire ce qu'elle veut.
- Ce que l'un ou l'autre, doit faire pour que la situation se résolve de façon heureuse.

B. Il y a un match entre Créon et Antigone.
À deux, dressez une liste des points que chacun utilise contre son adversaire.

➠ Comparez votre liste avec celle d'un autre groupe.

➠ À votre avis, qui a gagné le match? Pourquoi?

Exemples :

ANTIGONE   Elle a dit « non » à l'autorité, par conséquent, elle est libre de faire ce qu'elle veut.

CRÉON   Il a dit « oui » au pouvoir, il est donc obligé de soutenir les lois, même quand il les trouve absurdes.

C. Quelle est la différence de base entre la philosophie de Créon et celle d'Antigone? Choisis des extraits du texte pour justifier ta réponse.

J'observe!

Les expressions négatives...

Pour t'aider à bien apprendre les expressions négatives, elles sont présentées en deux groupes.

Groupe 1

Observe les phrases suivantes.

- Antigone écoute-t-elle son oncle? Non, Antigone **ne** l'écoute **pas**.
- Veut-elle lui parler **encore**? Non, elle **ne** veut **plus** lui parler.
- A-t-elle **toujours** respecté Créon? Non, elle **ne** l'a **jamais** respecté.
- **Que** demande-t-elle à Créon? Elle **ne** lui demande **rien**.

➡ Quelle est la position des expressions négatives ci-dessus quand il s'agit d'un **temps** simple? D'un **temps composé**? D'un **verbe suivi d'un infinitif**?

➡ Où vont les pronoms objets dans une phrase négative?

- Antigone reverra-t-elle ses frères? Non, elle **ne** les reverra **plus jamais**.
- Qu'a-t-elle demandé à Créon? Elle **ne** lui a **jamais rien** demandé,
- Qu'acceptera-t-elle de Créon maintenant? Elle **n'**acceptera **plus rien** de lui.

➡ Quand il y a deux expressions négatives, quel est leur ordre?

- **Tout** a de l'importance pour Créon. **Rien n'a d'**importance pour Antigone.

➡ Quand une expression négative se trouve au début d'une phrase, quel est l'ordre des mots?

➡ Pourquoi a-t-on changé « **de l'**importance » à « **d'**importance » dans la deuxième phrase?

Groupe 1	
+	**—**
	ne...pas
encore	ne...plus
aujourd'hui	
maintenant	
déjà	ne...pas encore
toujours	ne...jamais
quelquefois	
parfois	
de temps en temps	
tout le temps	
souvent	
sans cesse	
quelque chose	
tout	ne...rien
qu'est-ce que/que?	

Je pratique...

À deux, répondez oralement aux questions suivantes en vous servant de l'expression négative appropriée selon le cas.

1. Qu'est-ce qu'Antigone aime chez son oncle?

2. As-tu déjà lu cette pièce de théâtre?

3. Aimes-tu toujours suivre les ordres qu'on te donne?

4. Antigone, est-elle très bouleversée ce matin?

5. As-tu essayé de tout faire ce soir?

6. Qu'est-ce qui est important pour Antigone?

7. Veux-tu encore tout lire?

8. Est-ce qu'elle a respecté la déclaration de son oncle?

9. Antigone a-t-elle encore une chance?

10. Créon, est-il aussi autoritaire qu'Œdipe?

J'observe!
Les expressions négatives, suite

Groupe 2

Observe les phrases suivantes.

- Antigone a-t-elle demandé de l'aide à **quelqu'un**?
  Non, elle **n'**a demandé d'aide à **personne**.

- A-t-elle vu **des soldats** près du cadavre? Non, elle **n'**y a vu **aucun** soldat.

- A-t-on cherché Antigone **dans le palais**? Non, on **ne** l'a cherchée **nulle part**.

➡ Quelle est la position des expressions négatives de ce groupe quand il s'agit d'un **temps composé**?

- A-t-elle vu **des gardes dans la rue**? Non, elle **n'**a vu **personne nulle part**.

- A-t-elle vu **un garde**? Non, elle **n'**a vu **aucun** garde **nulle part**.

➡ Quelle est la position des expressions négatives de ce groupe quand il s'agit d'un **verbe suivi d'un infinitif**?

- Antigone va-t-elle demander de l'aide à **quelqu'un**? Non, elle **ne** va demander d'aide à **personne**.

- Va-t-elle voir **des gardes**? Non, elle **ne** va voir **aucun** garde.

- **Où** va-t-elle aller après avoir couvert le cadavre? Elle **ne** va aller **nulle part**.

Les expressions négatives, suite

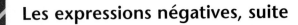

➡ Quel est l'ordre de deux expressions négatives de ce groupe?

- **Qui** a aidé Antigone?
  Personne ne l'a aidée.
- **Quel** garde lui a parlé?
  Aucun garde **ne** lui a parlé.

➡ Quand l'expression négative se trouve au début de la phrase, quel est l'ordre des mots?

Groupe 2	
+	**—**
tout le monde	ne...personne
tout	
quelqu'un	
qui	
quelque(s) plusieurs	ne...aucun(e)
partout quelque part	ne...nulle part

Je pratique...

A. Réponds aux questions suivantes en te servant de l'expression négative appropriée selon le cas.

1. As-tu vu quelqu'un près du tombeau?
2. Allez-vous voyager quelque part?
3. Plusieurs citoyens, ont-ils visité le palais?
4. Avez-vous décidé d'inviter tout le monde aux funérailles?
5. As-tu cherché tout le monde partout?
6. Quelqu'un est venu chercher Antigone?
7. Antigone, a-t-elle obéi à quelques ordres?
8. Quel serviteur est venu quand Créon a appelé?

B. Change les phrases suivantes au passé composé.

1. Je n'y achète rien.
2. Je ne peux trouver mon stylo nulle part.
3. Elle n'a aucune idée.
4. Ils ne voient plus cette femme.
5. Vous ne lui dites jamais rien.
6. Personne ne veut y aller.
7. Rien ne fait rire Antigone.
8. Je ne vois personne dans cette salle.

Attention !

L'expression négative **_aucun_** s'accorde comme un adjectif.

Antigone
Deuxième partie

Avant de lire

À deux, choisissez de jouer ou le rôle de Créon ou celui d'Antigone. Indépendamment, chacun(e) écrira le résumé de ce qui a été dit entre eux du point de vue du personnage qu'on a joué. Présentez ensuite vos résumés à la classe.

CRÉON   Tu me méprises, n'est-ce pas? *(Elle ne répond pas, il continue comme pour lui.)* C'est drôle. Je l'ai souvent imaginé, ce dialogue avec un petit jeune homme pâle qui aurait essayé de me tuer et dont je ne pourrais rien tirer après que du mépris. Mais je ne pensais pas que ce serait avec toi et pour quelque chose d'aussi bête... *(Il a pris sa tête dans ses mains. On sent qu'il est à bout de forces.)* Écoute-moi tout de même pour la dernière fois. Mon rôle n'est pas bon, mais c'est mon rôle et je vais te faire tuer. Seulement, avant, je veux que toi aussi tu sois bien sûre du tien. Tu sais pourquoi tu vas mourir, Antigone? Tu sais au bas de quelle histoire sordide tu vas signer pour toujours ton petit nom sanglant?

ANTIGONE   Quelle histoire?

CRÉON   Celle d'Étéocle et de Polynice, celle de tes frères. Non, tu crois la savoir, tu ne la sais pas. Personne ne la sait dans Thèbes, que moi. Mais il me semble que toi, ce matin, tu as aussi le droit de l'apprendre. *(Il rêve un temps, la tête dans les mains, accoudé sur ses genoux. On l'entend murmurer.)* Ce n'est pas bien beau, tu vas voir. *(Et il commence sourdement sans regarder Antigone.)* Que te rappelles-tu de tes frères, d'abord? Deux compagnons de jeux qui te méprisaient sans doute, qui te cassaient tes poupées, se chuchotant éternellement des mystères à l'oreille l'un de l'autre pour te faire enrager?

ANTIGONE   C'étaient des grands...

CRÉON   Après, tu as dû les admirer avec leurs premières cigarettes, leurs premiers pantalons longs; et puis ils ont commencé à sortir le soir, à sentir l'homme, et ils ne t'ont plus regardée du tout.

ANTIGONE   J'étais une fille...

CRÉON Tu voyais bien ta mère pleurer, ton père se mettre en colère, tu entendais claquer les portes à leur retour et leurs ricanements dans les couloirs. Et ils passaient devant toi, goguenards et veules, sentant le vin.

ANTIGONE Une fois, je m'étais cachée derrière une porte, c'était le matin, nous venions de nous lever, et eux, ils rentraient. Polynice m'a vu, il était tout pâle, les yeux brillants et si beau dans son vêtement du soir! Il m'a dit : « Tiens, tu es là, toi? » Et il m'a donné une grande fleur de papier qu'il avait rapportée de sa nuit.

CRÉON Et tu l'as conservée, n'est-ce pas, cette fleur? Et hier, avant de t'en aller, tu as ouvert ton tiroir et tu l'as regardée, longtemps, pour te donner du courage?

ANTIGONE *(tressaille)*
Qui vous a dit cela?

CRÉON Pauvre Antigone, avec ta fleur de cotillon! Sais-tu qui était ton frère?

ANTIGONE Je savais que vous me diriez du mal de lui en tout cas!

CRÉON Un petit fêtard imbécile, un petit carnassier dur et sans âme, une petite brute tout juste bonne à aller plus vite que les autres avec ses voitures, à dépenser plus d'argent dans les bars. Une fois, j'étais là, ton père venait de lui refuser une grosse somme qu'il avait perdue au jeu; il est devenu tout pâle et il a levé le poing en criant un mot ignoble!

ANTIGONE Ce n'est pas vrai!

CRÉON Son poing de brute à toute volée dans le visage de ton père! C'était pitoyable. Ton père était assis à sa table, la tête dans les mains. Il saignait du nez. Il pleurait. Et, dans un coin du bureau, Polynice, ricanant, qui allumait une cigarette.

ANTIGONE *(supplie presque maintenant)*
Ce n'est pas vrai!

CRÉON Rappelle-toi, tu avais douze ans. Vous ne l'avez pas revu pendant longtemps. C'est vrai, cela?

ANTIGONE *(sourdement)*
Oui, c'est vrai.

Maintenant, écoute la réponse de Créon et complète l'activité de compréhension dans ton Cahier.

Je comprends...

Réponds aux questions suivantes.

1. Créon dit à Antigone : « Écoute-moi... pour la dernière fois. » La dernière fois avant quoi?

2. Qu'est-ce que Créon veut qu'Antigone comprenne avant de mourir?

3. Comment Antigone excuse-t-elle le comportement de ses frères envers elle?

4. Compare la description de Créon : la mère qui pleurait, le père en colère, les portes qui claquaient et le souvenir d'Antigone. Pourquoi a-t-elle supprimé, selon toi, les souvenirs de ce qu'elle avait vu et entendu?

5. Dans la description des deux frères d'Antigone, Étéocle et Polynice, l'auteur se sert de détails contemporains. Lesquels? Dans quel but? Que penses-tu de son stratagème?

6. Qu'est-il arrivé qui ait obligé les frères à quitter Thèbes?

7. Les deux frères, selon Créon, sont aussi mauvais l'un que l'autre. Pourquoi a-t-il dit cela?

8. Qui avait tué les deux frères?

Je discute...

L'auteur a indiqué qu'il veut qu'on présente Antigone en costumes modernes. En groupes, suggérez le décor et les costumes pour une nouvelle représentation de la pièce.

Justifiez vos choix.

Exemple :
Je voudrais voir la pièce à l'époque des Aztèques au Mexique. Leur vie était difficile et les conséquences à ne pas obéir aux règles et aux ordres étaient sévères. D'ailleurs, c'était une civilisation qui aimait les couleurs vives. Il serait intéressant de regarder toutes ces couleurs dans une histoire qui ne finit pas d'une manière très gaie.

J'approfondis

Créon dit à Antigone qu'il a fallu qu'il choisisse un des frères comme héros et qu'il lui fasse les honneurs.

• Pourquoi cet acte est-il absurde?

• Pourquoi, à ton avis, Créon a-t-il choisi d'honorer l'un des frères?

J'observe!
Les infinitifs négatifs

- J'ai décidé de **ne pas** revenir parce que je n'aurai pas eu le temps.
- Créon a ordonné de **n'**enterrer **personne**.
- Antigone a accepté de **ne rien** faire et de **n'**aller **nulle part**.

➡ Quand on a des infinitifs après une préposition, où met-on les négatifs du groupe 1 et ceux du groupe 2?

Je pratique...

Ajoute les mots entre parenthèses à la phrase et fais les changements nécessaires.

Exemple : Il ne fait rien. (Je lui dis…)
   Je lui dis de ne rien faire.

1. Elles ne vont nulle part. (Je leur dis…)

2. Vous ne parlez à personne. (Je vous dis…)

3. Je ne reste plus ici. (Il me dit…)

4. Tu ne mens jamais. (Nous te disons…)

5. Ils ne changent aucune réponse. (Vous leur dites…)

Tâche riche I

Tu vas participer à une émission de télévision très renommée dans laquelle tu joues le rôle de l'animateur, d'Antigone ou de Créon. C'est à toi de choisir le genre de ton émission de télévision. Tu vas interviewer Antigone et Créon dans ton émission.

➡ En groupe de trois, décidez le rôle que vous allez jouer : animateur/animatrice, Créon, Antigone. Amusez-vous bien et soyez créatifs!

➡ Pour vous aider, servez-vous du vocabulaire de l'extrait.

➡ Dans l'entrevue, il faut utiliser au moins deux expressions négatives de chaque groupe (Groupe 1 et 2).

➡ Les spectateurs ont entendu parler des deux invités, mais ils ne les connaissent pas à fond. Il faut donc les présenter aux spectateurs en leur posant une variété de petites questions au début.

➡ Ensuite, tu leur poseras des questions plus difficiles afin que les spectateurs apprennent à mieux connaître leur point de vue respectif sur les questions principales qui les préoccupent.

- Antigone et Créon se parleront-ils pendant ton émission?
- Changeront-ils d'avis, à la fin de l'émission?
- Comment s'entendront-ils devant le public?
- Comment s'en tireront-ils?
- Est-ce que les spectateurs auront le droit de poser des questions directement aux invités?

Je lis

Au revoir, les enfants, scénario cinématographique de Louis Malle (extraits)

- Comment juges-tu les autres? Est-ce d'après la première impression ou est-ce à première vue?

- Comment les autres te perçoivent-ils à première vue, selon toi?

- Comment te sentirais-tu au début de l'année scolaire, si tu n'étais pas avec des camarades que tu connaissais?

- As-tu été victime d'intolérance? Veux-tu partager cet incident avec un copain ou avec la classe?

- Veux-tu partager un incident ou une situation où ton manque de réflexion a eu un résultat négatif ou inattendu?

- Comment tes opinions sur la politique, le gouvernement, l'éducation, les lois, les loisirs, etc. se distinguent-elles de celles de tes parents? En quoi sont-elles similaires?

Saviez-vous?

Louis Malle

Louis Malle (1932-1985) fut le réalisateur de 27 films pour le grand écran et de plusieurs autres pour la télévision. Il commença à tourner ses propres films après avoir travaillé comme caméraman pour Jacques Cousteau, qui le décrivit comme étant le meilleur caméraman sous-marin qu'il ait jamais rencontré. Louis Malle tourna des films en France ainsi qu'aux États-Unis. Il n'aimait pas se répéter : ses films comprennent des comédies, des drames romantiques, de l'autobiographie, des histoires de guerre, des documentaires et même un western. Il est considéré comme étant l'un des meilleurs réalisateurs du 20e siècle.

Voici ses propres commentaires sur son film *Au revoir, les enfants* (1987) :

« *Au revoir, les enfants* s'inspire du souvenir le plus dramatique de mon enfance. En 1944, j'avais onze ans et j'étais pensionnaire dans un collège catholique, près de Fontainebleau. L'un de mes camarades, arrivé au début de l'année, m'intriguait beaucoup. Il était différent, secret. J'ai commencé à le connaître, à l'aimer, quand, un matin, notre petit monde s'est écroulé.

Ce matin de 1944 a peut-être décidé de ma vocation de cinéaste. J'aurais dû en faire le sujet de mon premier film, mais j'attendais. Le temps a passé, le souvenir est devenu plus aigu, plus présent. Après dix ans aux États-Unis, j'ai senti que le moment était venu et j'ai écrit le scénario d'*Au revoir, les enfants*. L'imagination s'est servie de la mémoire comme d'un tremplin, j'ai réinventé le passé, au-delà de la reconstitution historique, à la poursuite d'une vérité à la fois lancinante et intemporelle. »

Je lis…

« Au revoir, les enfants » est l'histoire de deux garçons, au Collège Saint-Jean-de-la-Croix, en France, pendant l'hiver de 1944.

Le Père Jean, directeur du collège, a caché des garçons juifs parmi une trentaine d'élèves catholiques pour les sauver de la persécution par les nazis.

Un de ces garçons juifs s'appelait Jean Bonnet. Une amitié se développa très lentement, entre lui et un garçon catholique, Julien Quentin.

Scène 1 : Dans le bureau du Père Jean

Le Père Jean : Vous vous entendez bien avec notre nouveau camarade?

Julien : Bonnet?

Le Père Jean : Soyez très gentil avec lui. Vous avez de l'influence sur les autres. Je compte sur vous.

Julien : Pourquoi? Il est malade?

Le Père Jean : Mais pas du tout! Allez, sauvez-vous…

Julien quitte la pièce. Le prêtre le regarde avec un léger sourire.

Scène 2 : Une conversation pendant une promenade dans la petite ville

Une place de la petite ville. Menés par le Père Michel, les quatrièmes et troisièmes avancent dans un brouillard épais, en rangs par deux, serviettes de toilette sous le bras. Julien lit **Les Trois Mousquetaires** *en marchant. Derrière lui, Babinot, Sagard et Boulanger discutent politique.*

Babinot : Si on n'avait pas Pétain, on serait dans la merde.

Boulanger : Qu'est-ce qui dit ça?

Babinot : Mon père.

Boulanger : Moi, mon père dit que Laval est vendu aux Allemands.

Sagard :
(sentencieux) Les juifs et les communistes sont plus dangereux que les Allemands.

Ciron :
(se retournant) C'est ton père qui dit ça?

Sagard : Non, c'est moi.

Ils tournent dans une petite rue et rentrent dans un établissement de bains-douches, d'aspect vieillot. Un policier français se tient devant la porte, sur laquelle on peut lire une pancarte : « Cet établissement est interdit aux Juifs. »

Scène 3 : Aux bains-douches

Il y a du monde dans les vestiaires des bains-douches. Quelques soldats allemands sont en train de s'habiller en chahutant et en parlant fort. Les élèves restent debout, intimidés, mais Bonnet s'assied entre deux Allemands et délace ses bottines. Un soldat lui caresse la joue et dit à ses compagnons, en allemand : « C'est frais, c'est doux. » Gros rires.

Les Allemands s'en vont. Les élèves se déshabillent. Babinot ramasse sous le banc une revue avec des photos de femmes déshabillées. Il la cache sous ses vêtements. Le petit Du Vallier s'assied à côté du Bonnet.

Du Vallier :   C'est vrai, Bonnet, que tu fais pas ta communion solennelle? Pourquoi?

Bonnet :   Je suis protestant.

Boulanger recule en se bouchant le nez.

Julien délace ses chaussures à côté de Bonnet.

Julien :   C'est pas un nom protestant, Bonnet.

Bonnet :   Il faut croire que si.

Le Père Michel, en pantalon et torse nu, répartit les élèves entre les différentes douches de la salle commune. Il y a aussi quelques cabines avec des baignoires.

Le Père Michel : Ciron, ici…Babinot, qu'est-ce que vous faites?
                …Bonnet, prenez cette baignoire.

Scène 4 : Le dortoir la nuit

Julien dort. Un son léger, persistant, lui fait ouvrir les yeux.

Bonnet a disposé deux bougies sur sa table de nuit. Debout, au pied de son lit, son béret sur la tête, il murmure.

Julien, les yeux écarquillés, regarde cette silhouette qui tremble dans la lumière des bougies, écoute cette litanie qui ne lui rappelle rien.

Il se redresse un peu, fait craquer son lit. Bonnet s'interrompt.

Julien ferme les yeux. Bonnet reprend.

Scène 5 : Première menace

Moreau : Flexion, un, deux...
Les bras en arrière...

Moreau dirige le dérouillage matinal des petites classes, quand un groupe de miliciens en uniforme – vestes bleues, baudriers, bérets – pénètre dans la cour.

La file des élèves passe devant eux, au pas de course. Moreau prend la tête et entraîne les élèves vers l'autre extrémité de la cour. Il leur fait faire des flexions, son regard fixé sur les miliciens qui parlent maintenant au Père Jean, devant la cuisine. On entend des éclats de voix.

Le Père Jean : Vous n'avez pas le droit d'entrer ici.

Le milicien : Nous avons des ordres.

Le Père Jean : Des ordres de qui?

Le milicien : De nos chefs.

Le Père Jean : Vous êtes ici dans une institution privée où il n'y a que des enfants et des religieux. Je me plaindrai.

Le milicien : À qui?

Les élèves commentent en faisant leurs mouvements.

Babinot : On dirait des chasseurs alpins.

Ciron : Mais non, c'est la milice.

Boulanger : Qu'est-ce qu'ils veulent, les collabos?

Bonnet, arrêté, regarde les miliciens. Ceux-ci rentrent dans le bâtiment malgré les protestations du Père Jean. Moreau aussitôt interrompt le dérouillage.

Moreau : Nous avons terminé. Vous pouvez rentrer.

Les élèves, surpris, rompent les rangs. Moreau en profite pour se glisser dans la petite cour des W.C.

Le Père Michel remonte rapidement la file des élèves. Il prend Bonnet par le bras et l'entraîne avec lui. Ils rejoignent Moreau.

Julien rebrousse chemin et les voit tous trois disparaître par une petite porte. Il revient vers le bâtiment. Les autres élèves sont déjà rentrés.

Scène 6 : Le danger est passé?

En classe, M. Tinchaut donne les résultats de la composition française.

Le Père Michel rentre avec Bonnet et l'envoie s'asseoir à sa place, à côté du petit Navarre.

Navarre :   Où t'étais?

Le Père Michel chuchote quelque chose à l'oreille de Tinchaut, puis s'en va.

Julien ne quitte pas Bonnet des yeux. Celui-ci soutient son regard.

Scène 7 : Julien joue au détective

Julien entre dans le dortoir désert.

Il regarde autour de lui, soulève l'oreiller de Bonnet, trouve deux bougies qu'il fait tourner dans ses doigts.

Il va ouvrir un placard un peu plus loin, fouille dans les vêtements, sort une pile de livres. Dans l'un d'entre eux il découvre une photo de Bonnet plus jeune assis entre un homme et une femme. Tous trois sourient et se tiennent par le bras devant des fortifications – le château d'If.

Il ouvre un livre, une édition illustrée de L'homme à l'oreille cassée, d'Edmond About. Sur la page de garde, un papier est collé. Il lit : « Lycée Jules Ferry. Année scolaire 1941-1942. Premier prix de calcul. Jean... » Le nom de famille a été raturé. Mais, sur la page opposée, l'encre de l'inscription est reproduite à l'envers.

Il approche le livre d'une glace murale et lit : « Jean Kippelstein. » Il répète à mi-voix : « Kippelstein, Kippelstein » avec différentes prononciations.

Une cloche sonne. Il entend des pas et replace vivement le livre.

Scène 8 : L'interrogatoire

M. Florent, le professeur de grec, marche à petits pas dans la classe, cassé en deux, se frottant les mains constamment pour se réchauffer. Il dicte lentement un passage de la Guerre du Péloponnèse, où Thucydide raconte la mutilation des Hermès à Athènes.

Julien écrit sous la dictée, très vite. Après chaque phrase, il a un moment pour sortir Les Trois Mousquetaires de sous son cahier et lire avidement quelques lignes. Il en est aux dernières pages.

Bonnet ne fait pas de grec. Il dessine un avion de chasse aux cocardes tricolores, très minutieusement.

La cloche sonne. Les élèves se ruent vers la porte. Bonnet continue son dessin.

M. Florent :   Le grec est très utile, vous savez.
(à Bonnet)   Tous les mots scientifiques ont une racine grecque.

Il s'en va.

Bonnet lève la tête et voit Julien, accroupi près du poêle. Ils sont seuls.

*Julien termine **Les Trois Mousquetaires**, soupire, referme le livre.*

Julien :   Qui tu préfères, Athos ou d'Artagnan?

Bonnet :   Aramis.
(sans lever la tête)

Julien :   Aramis! C'est un faux-cul.

Bonnet :   Oui, mais c'est le plus intelligent.

Julien s'avance vers Bonnet et regarde son dessin.

Julien :   Pourquoi tu fais pas de grec?

Bonnet :   Je faisais latin-moderne.

Julien :   Où ça?

Bonnet :   Au lycée. À Marseille.

Julien :   T'es marseillais? T'as pas l'accent.

Bonnet :   Je ne suis pas né à Marseille.

Julien :   Où t'es né?

Bonnet :   Si je te disais, tu saurais pas où c'est. C'est dur, le grec?

Julien :   Pas tellement, une fois que t'as pigé l'alphabet.
Tes parents sont à Marseille?

Bonnet se lève, range son dessin.

Bonnet :   Mon père est prisonnier.

Julien :   Il s'est pas évadé?

Bonnet met sa cape et va sortir. Julien l'attrape par l'épaule.

Julien :   Et ta mère? Elle est où, ta mère?

Bonnet essaie de se dégager, mais Julien le coince contre un pupitre.

Julien :   Tu veux pas me dire où est ta mère?

Bonnet :   Elle est en zone libre.

Julien :   Y a plus de zone libre.

Bonnet :   Je sais. Fous-moi la paix! Je te demande rien, moi... Je sais pas où elle est. Elle m'a pas écrit depuis trois mois. Là, t'es content?

Le Père Hippolyte est entré dans la pièce, silencieusement.

**Le Père
Hippolyte :** Qu'est-ce que vous faites là tous les deux?

Julien : Je suis enrhumé. Je tousse. *(Il tousse.)*

**Le Père
Hippolyte :** Allez, pas d'histoires. Allez en récréation.

Il sort.

Les deux garçons se regardent, aussi gênés l'un que l'autre.

Scène 9 : Le serment du Père Jean

Les travées de la chapelle sont pleines. Tous les professeurs sont là et beaucoup de parents, aux côtés de leur progéniture. Mme Quentin est avec François et Julien.

Bonnet, Négus et Dupré sont seuls, derrière, un peu comme des parias.

Claquement de mains. Tout le monde s'assied. Le Père Jean, qui officie, s'avance vers l'assemblée.

Le Père Jean : Aujourd'hui, je m'adresserai particulièrement aux plus jeunes d'entre vous, qui vont faire leur communion solennelle dans quelques semaines.Mes enfants, nous vivons des temps de discorde et de haine. Le mensonge est tout-puissant, les Chrétiens s'entre-tuent, ceux qui devraient nous guider nous trahissent. Plus que jamais, nous devons nous garder de l'égoïsme et de l'indifférence.

Vous venez tous de familles aisées, parfois très aisées. Parce qu'on vous a donné beaucoup, il vous sera beaucoup demandé. Rappelez-vous la sévère parole de l'Évangile

« Il est plus facile à un chameau de passer par le chas d'une aiguille qu'à un riche d'entrer dans le Royaume du Seigneur. » Et saint Jacques : « Eh bien maintenant, les riches! Pleurez, hurlez sur les malheurs qui vont vous arriver. Votre richesse est pourrie, vos vêtements sont rongés par les vers… »

Les richesses matérielles corrompent les âmes et dessèchent leurs cœurs. Elles rendent les hommes méprisants, injustes, impitoyables dans leur égoïsme. Comme je comprends la colère de ceux qui n'ont rien, quand les riches banquettent avec arrogance.

Le Père Jean : Je n'ai pas voulu vous choquer, mais seulement vous rappeler que le premier devoir d'un chrétien est la charité. Saint Paul nous dit dans l'Épître d'aujourd'hui : « Frères, ne vous prenez pas pour des sages. Ne rendez à personne le mal pour le mal. Si ton ennemi a faim, donne-lui à manger. S'il a soif, donne-lui à boire. »
Nous allons prier pour ceux qui souffrent, ceux qui ont faim, ceux que l'on persécute. Nous allons prier pour les victimes, et aussi pour les bourreaux.

Plus tard.

Communion :   *Élèves et parents vont recevoir la Sainte Hostie. Julien s'avance, mains jointes, yeux baissés. Bonnet sort de son banc et vient se placer dans la file, malgré Négus qui tente de le retenir.*

                    Il s'agenouille à côté de Julien. Le Père Jean s'avance vers eux, ciboire à la main. Il approche l'hostie de la bouche de Bonnet. Quand il le reconnaît, sa main se fige.

                    Rapide échange de regards entre Bonnet, Julien et le Père Jean.

                    Celui-ci dépose l'hostie sur la langue de Julien et continue.

Scène 10: La catastrophe

Dans la salle de classe, M. Guibourg donne des nouvelles de la guerre, une règle pointée vers la carte d'Europe, sur laquelle des petits drapeaux marquent les positions respectives des armées.

M. Guibourg : Les Russes ont lancé une grande offensive en Ukraine. D'après la radio de Londres, l'armée rouge a crevé le front allemand sur 100 kilomètres à l'ouest de Kiev. D'après Radio-Paris, cette offensive a été repoussée avec de lourdes pertes. La vérité est probablement entre les deux.

Bonnet lève la tête. Par la fenêtre, il voit Moreau courir et rentrer dans le bâtiment d'en face.

Julien et Boulanger : *(à mi-voix)* Radio-Paris ment, Radio-Paris ment, Radio-Paris est allemand.

M. Guibourg : En Italie, par contre, les Américains et les Anglais continuent de ne pas avancer d'un pouce devant le mont Cassin. Prenez vos cahiers. Nous allons faire un exercice d'algèbre.

Il écrit une formule au tableau noir.

Sagard : Je peux sortir, m'sieur? C'est la soupe du collège.

M. Guibourg : Il faut toujours que ce soit vous, Sagard. Allez.

Sagard sort. On entend une voix allemande : « Halt! »

Sagard rentre dans la classe à reculons, poussé par un grand Feldgendarme casqué. Il porte un imperméable vert olive, une plaque de métal lui barre la poitrine, et il a une mitraillette en bandoulière. Il renvoie Sagard à sa place.

Julien et tous les autres ont les yeux fixés sur le soldat. Celui-ci s'efface pour laisser entrer un homme petit, vêtu d'un manteau marron.

L'homme remonte les pupitres, s'arrête devant le professeur, qu'il salue sèchement.

L'homme :   Doktor Muller, Gestapo de Melun.

Il se tourne vers les élèves.

Muller :   Lequel d'entre vous s'appelle Jean Kippelstein?

Il parle bien français, avec un fort accent.

Les élèves se regardent entre eux. Julien baisse les yeux, figé.

Muller :   Répondez!

M. Guibourg : Il n'y a personne de ce nom dans la classe.

Muller se met à marcher le long des pupitres, scrutant les visages des enfants.

Il se retourne, aperçoit la carte d'Europe avec ses petits drapeaux. Il va arracher les drapeaux russes et américains. Il tourne le dos à Julien, qui ne peut s'empêcher de regarder vers Bonnet, une fraction de seconde. Muller se retourne, intercepte le regard. Il traverse la classe, lentement, et vient se planter devant Bonnet.

Celui-ci le regarde, un long moment. Puis il se lève, sans un mot. Il est blanc, mais très calme.

Il range ses livres et ses cahiers en une pile bien nette sur son pupitre, va prendre son manteau et son béret accrochés au mur. Il serre la main des élèves près de lui, toujours sans un mot.

Muller crie un ordre en allemand. Le Feldgendarme vient tirer Bonnet par le bras, l'empêchant de serrer la main de Julien, et le pousse brutalement devant lui. Ils quittent la pièce.

Le silence est rompu après quelques secondes par Muller.

Muller :   Ce garçon n'est pas un Français. Ce garçon est un Juif. En le cachant parmi vous, vos maîtres ont commis une faute très grave vis-à-vis des autorités d'occupation. Le collège est fermé. Vous avez deux heures pour faire vos bagages et vous mettre en rang dans la cour.

Il s'en va rapidement. La classe reste figée un moment.

Le Père Michel entre, parle à voix basse à M. Guibourg. Les questions fusent. Tout le monde se lève, sauf Julien qui reste à sa place, le regard droit devant lui.

Les élèves :   Qu'est-ce qui se passe? Où est-ce qu'ils emmènent Bonnet?

Le Père Michel : Calmez-vous. Écoutez-moi. Ils ont arrêté le Père Jean. Il semble que nous ayons été dénoncés.

Un grand murmure des enfants répond à cette nouvelle.

Julien :   Et Bonnet?

Le Père Michel : Bonnet, Dupré et Lafarge sont israélites, Le Père Jean les avait recueillis au collège parce que leur vie était en danger. Vous allez monter au dortoir et faire vos valises, rapidement et dans le calme. Je compte sur vous. Auparavant nous allons dire une prière pour le Père Jean et vos camarades.

Il leur fait réciter le Notre Père.

Je comprends...

Complète les phrases ci-dessous.

1. Le Père Jean demande à Julien s'il s'entend bien avec Bonnet parce que...

2. Un exemple d'attitude négative envers les Juifs, est...

3. Un autre exemple d'attitude négative envers eux est...

4. Le Père Michel offre à Bonnet de se laver dans une baignoire à part, parce que...

5. Au milieu de la nuit, Julien découvre...

6. La sécurité de Bonnet est menacée quand...

7. D'après moi, le Père Michel prend Bonnet par le bras afin de...

8. Julien découvre la véritable identité de Bonnet, un soir, en...

9. Julien soupçonne que la véritable identité de Bonnet est différente de celle qu'il prétend être. Julien continue à lui poser des questions parce que...

10. Le message principal du sermon du Père Jean, est...

11. Pendant la communion, l'échange rapide de regards entre Bonnet, Julien et le Père Jean, survient parce que...

12. Quand j'ai lu la dernière scène, j'étais surpris parce que... (2 détails)

13. Après le départ de Bonnet, Julien ne se lève pas de sa place parce que...

14. Le personnage qui m'a le plus touché, est celui de... parce que...

Je mets en application...

**Dans ce scénario, nous pouvons retrouver plusieurs thèmes importants.
À deux, pour chaque thème ci-dessous, trouvez quelques citations du scénario qui illustrent ces thèmes. Partagez vos idées avec un autre groupe.**

- L'amitié
- L'innocence
- La perte
- Le regret
- La violence
- La terreur ou la peur
- Le mal
- Les secrets
- La guerre

Je mets en application…

Quand Bonnet arrive au Petit Collège Saint-Jean-de-la-Croix, Julien a eu une certaine impression de lui, et s'était fait une idée préconçue de Bonnet. Cette impression et cette idée se sont transformées tout au long du scénario. Comment?

À deux, discutez des questions suivantes:

- la première impression que Julien a de Bonnet
- la première impression que Bonnet a de Julien
- l'impression que Julien a de Bonnet vers la fin du passage
- l'impression que Bonnet a de Julien vers la fin
- qu'est-ce qui a forgé l'amitié entre les deux garçons?
- que pensez-vous de ces changements?
- une chose pareille vous est-elle aussi arrivée? Expliquez.

Je discute…

Lis les sujets suivants. Fais un remue-méninges, par toi-même, où tu réfléchis à ces sujets, en mettant par écrit tes réflexions. Ensuite, avec un ou une partenaire, partage ce que tu as écrit. Ensemble, formulez une position ou une réponse à l'un de ces sujets. Vous partagerez ce dont vous avez discuté avec la classe ou un autre groupe.

- Les arts et la culture doivent avoir une conscience sociale.
- La tragédie qui a eu lieu au Petit Collège Saint-Jean-de-la-Croix aurait pu être évitée/n'aurait pas pu être évitée.
- Les tragédies contemporaines qui nous entourent nous apprennent que l'histoire se répète.

Je mets en application….

Écris une lettre au Ministre de la Culture en lui demandant de créer une cérémonie annuelle ou d'ériger un monument pour commémorer l'héroïsme de personnes telles que le Père Jean, qui ont risqué leur vie et celles des autres pour aider les personnes persécutées.

Tu veux de l'aide?

Utilise l'organigramme dans ton Cahier pour planifier ta lettre.

J'observe!
Peut-être ou *Peut-être que...*

Observe les phrases suivantes.

- Peut-être qu'ils deviendront amis.
- Ils deviendront peut-être amis.
- Deviendront-ils amis? Peut-être.
- Peut-être que la Gestapo arrêtera le Père Jean.
- La Gestapo arrêtera peut-être le Père Jean.
- La Gestapo arrêtera-t-elle le Père Jean? Peut-être.

Réponds aux questions suivantes.

1. Quand *peut-être* est au début d'une phrase, quel mot doit-on ajouter?

2. Où place-t-on *peut-être* sans ajouter ce mot?

Je pratique...

A. Transforme les phrases suivantes selon le modèle.

Exemple : Bonnet sera peut-être sauvé.
　　　　　　Peut-être que Bonnet sera sauvé.

1. Le Père Jean donnera peut-être un long serment.

2. Julien découvrira peut-être la véritable identité de Bonnet.

3. Louis Malle réalisera peut-être ce scénario.

4. Les enfants iront peut-être aux bains-douches.

5. Julien prêtera peut-être *Les Trois Mousquetaires* à Bonnet.

B. Transforme les phrases suivantes selon le modèle.

Exemple : Bonnet sera-t-il sauvé? Peut-être.
　　　　　　Peut-être que Bonnet sera sauvé.

1. Le Père Michel emmènera-t-il les garçons aux bains publics? Peut-être.

2. Moreau dirigera-t-il la leçon de gymnastique? Peut-être.

3. Julien et Bonnet discuteront-ils de leur passé? Peut-être.

4. Les parents écouteront-ils le serment? Peut-être.

5. Muller trouvera-t-il ce qu'il cherche? Peut-être.

Tâche riche 2

Beaucoup de gens tiennent un journal intime. Ils y écrivent leurs émotions et leurs réactions aux différentes situations qui surviennent au cours de leur vie. Cela leur permet de réfléchir aux événements qu'ils ont vécus et de mieux les cerner. Ce genre d'écriture leur permet aussi d'exprimer leurs pensées les plus intimes sans peur d'être jugé ou de subir des répercussions.

❖ **Tu choisiras Julien, Bonnet ou le Père Jean, et tu écriras trois entrées de journal intime, du point de vue de ce personnage, chacune basée sur une scène différente du scénario lu plus haut.**

❖ **Dans tes entrées, sers-toi d'au moins quatre expressions négatives.**

Relis les scènes que tu as choisies encore une fois.

Ensuite, imagine que tu es ce personnage.

• Comment le personnage réagirait-il suite aux événements de ces scènes?

• Quelles sont ses émotions?

• Quelles questions se poserait-il?

Modèle

Du point de vue du Père Michel, un des personnages du scénario, basé sur la scène 3.

Ce matin, j'ai amené les enfants aux bains-douches. Il faisait très froid et les enfants **n'**arrêtaient **pas** de se plaindre. Moi aussi, j'avais froid, mais il fallait que je leur donne l'exemple, alors je **n'**ai **rien** dit à **personne**. Quand j'ai vu le policier à la porte, mon cœur a battu plus rapidement. Et la pancarte « Cet établissement est interdit aux Juifs » m'a dégoûté. J'espérais qu'**aucun** des garçons ne se moquerait des Juifs devant Bonnet.

Une fois à l'intérieur, je savais que je devais écarter Bonnet des autres. J'ai vu quelques soldats allemands en train de s'habiller et j'ai eu peur! Dieu merci, ils étaient pressés et il **n'**y a eu **aucun** incident avec Bonnet. Comme mon cœur battait…J'ai réussi à trouver une baignoire libre pour Bonnet, ce qui m'a permis de le protéger des autres.

Est-ce que le bon Dieu continuera à m'aider à protéger ce petit innocent? Je doublerai mes prières ce soir. Que Dieu le garde et que cette guerre finisse vite!

Pourquoi sommes-nous si moutons?
par Michel Arseneault

Comment expliquer que certains courbent l'échine et d'autres pas? De quelle façon devient-on altruiste? Des questions fascinantes auxquelles tente de répondre le philosophe français Michel Terestchenko.

Pourquoi certaines personnes sont-elles incapables de prendre le téléphone pour appeler la police quand une jeune femme se fait attaquer sous leur fenêtre?

- Évidemment, on peut s'étonner de leur passivité. Lorsque Kitty Genovese a été agressée et poignardée, à New York, en 1964, 38 voisins l'ont entendue crier. Un seul d'entre eux est intervenu pour prévenir la police – non sans avoir d'abord téléphoné à un ami pour lui demander conseil. Contrairement à l'idée qu'on se fait, plus il y a des témoins, moins il y a de chances que l'un d'eux intervienne. Chacun pense que c'est à l'autre d'intervenir. Quand une seule personne est témoin d'une agression, elle ne peut pas se défausser sur une autre.

Fait-on le mal par indifférence ou par faiblesse?

- Plutôt par faiblesse. En 1961, à l'université Yale, le psychologue Stanley Milgram a demandé à des étudiants d'administrer des décharges électriques à des jeunes gens, dans le cadre d'une expérience qui devait, prétendument, évaluer la résistance de ces derniers à la douleur. En réalité, les cobayes « maltraités » étaient des acteurs, qui ne ressentaient rien du tout, car le véritable objectif de Milgram était de voir jusqu'où les étudiants obéiraient aux directives qui leur étaient données. L'expérience a clairement montré que lorsque les gens éprouvent un conflit entre leur conscience et le respect de l'autorité, ils penchent en faveur de l'autorité. Ils sont conscients du mal qu'ils commettent, mais ils en font porter la responsabilité au donneur d'ordres.

Pourquoi sommes-nous si moutons?

- Parce que nous sommes, en fait, inconsistants et assez fragiles. Dans certaines circonstances, nous nous écroulons psychologiquement, moralement, incapables d'assumer notre individualité. La haute idée que nous nous faisons des conduites que nous aurions dans telle ou telle situation ne correspond pas toujours à la réalité. Il est facile de revêtir l'armure du chevalier lorsqu'elle ne coûte que le prix du rêve. Nous avons du mal à envisager notre propre lâcheté.

Certaines personnes, pourtant, viennent facilement à l'aide d'autrui. Qu'est-ce qui les distingue des autres?

- Cela tient à ce que j'appelle la « présence à soi », l'acceptation de soi, le fait d'être soi-même et non pas ce que les autres attendent ou exigent de vous. Ces gens-là ont souvent une attitude plus confiante, plus libre, plus ouverte. Cela leur permet de voir la détresse d'autrui et d'agir en conséquence sans être détruits par elle, sans s'effondrer eux-mêmes.

La gravité des circonstances peut-elle pousser certains à dire non à l'autorité, à se rebeller?

- Les analyses et enquêtes sur les motivations des justes, ces sauveurs des Juifs pendant la Deuxième Guerre mondiale, montrent qu'ils n'ont pas agi, au fond, tellement différemment dans ces circonstances-là qu'ils n'agissaient précédemment. On a plutôt le sentiment que les comportements d'aide étaient déjà ancrés dans leur éducation, leur personnalité, que ces valeurs altruistes étaient inscrites jusque dans leur identité. Elles n'ont pas été créées par des circonstances exceptionnelles.

On peut donc apprendre à dire non?

- Une éducation qui met l'accent sur l'autonomie de la personnalité permet de créer des individus capables de dire non. L'éducation en général – et l'école en particulier – joue un rôle fondamental : il faut donner aux enfants le sens de leur valeur en tant qu'individus, favoriser leur épanouissement et leur confiance en eux, pour les amener à comprendre que leur voix, leurs gestes comptent. Il faut quand même avoir une personnalité suffisamment bien constituée pour ne pas se soumettre à l'autorité.

Je comprends...

1. Que veut dire le mot « altruiste »? Utilise-le dans une phrase.

2. Résume le cas de Kitty Genovese. Pourquoi ce cas est-il devenu si important dans la psychologie sociale?

3. Si tu avais été témoin de ce crime, qu'aurais-tu fait? Comment aurais-tu réagi?

4. Comment cela aurait été différent, selon les chercheurs, si tu avais été le seul témoin du crime?

5. Résume l'expérience de Stanley Milgram. Qu'a-t-on appris de cette expérience? Que penses-tu de ces conclusions?

6. Que veut dire le mot « mouton » dans cet article? Qu'en penses-tu? Quelles sortes de personnes ne sont pas « moutons »?

7. L'altruisme est-il inné ou acquis, selon l'article? Explique.

8. Que peut donner l'éducation, selon l'article?

Je mets en application

Quels liens trouves-tu entre cet article et les textes précédents que tu viens de lire *(Antigone et Au revoir, les enfants)*?

Exemple : Dans les deux cas, il y a un conflit.

Tâche riche 3

En groupes de quatre, préparez et présentez un débat sur le thème suivant.

Le Père Jean avait tort de mettre en grave danger la vie de ses élèves ainsi que celle des autres prêtres et enseignants, en offrant la protection aux garçons juifs.

Utilisez les structures suivantes :

- *Peut-être que* ou *peut-être...*
  (au moins 3 fois)
- Les expressions négatives
  (au moins 3 fois)
- Les infinitifs négatifs
  (au moins 2 fois)

Servez-vous des lectures de cette unité.

➡ Pour vous préparer, dressez une liste des arguments pour et contre.

➡ Choisissez le côté que vous voulez soutenir.

➡ N'oubliez pas qu'il faut savoir répondre aux arguments donnés par l'autre côté... Soyez prêts.

Voici le format à suivre.

Par équipes de deux, décidez :

➡ Qui fera le discours d'ouverture (Introduction)?

➡ Ce discours résume la position de l'équipe sans préciser les arguments.

➡ Qui présentera les différents arguments?

➡ Qui fera le discours final?

➡ Chaque membre de l'équipe sera responsable de répondre aux arguments de l'équipe adverse. Normalement, il y a au moins trois arguments pour chaque côté (pour/contre).

Règles d'un débat.

Il y a deux équipes opposées : Pour / Contre

Chaque équipe défend son opinion avec des exemples et des arguments solides.

Chaque équipe a le même nombre de minutes pour défendre son point de vue.

Chaque équipe discute, en privé, afin de répondre aux arguments de l'équipe opposée.

Chaque équipe a le même nombre de minutes pour répondre aux arguments de l'équipe opposée.

On attaque les points faibles mais on n'insulte personne et on respecte chacun.

Tâche finale

Écris une dissertation sur un des sujets ci-dessous :

- Le danger du silence et le refus de se compromettre
- La force de l'esprit humain
- Une comparaison d'un personnage d'*Antigone* et d'un personnage d'*Au revoir, les enfants*
- Les leçons à tirer des lectures de l'unité

Suis les étapes suivantes.

1. Choisis un sujet.

2. Quelle est la thèse ou l'argument principal que tu vas développer?

3. Utilise ton cahier à la page 160 pour créer un schéma de plan et organiser tes idées et ton raisonnement.

4. Sers-toi de plusieurs citations et d'exemples tirés des lectures de l'unité.

5. Écris un brouillon.

6. Avec un copain, vérifie le langage et la langue.

7. Écris enfin ta version finale.

Détails importants :

Longueur : 1000 mots (environ 4 pages à doubles interlignes)
Ta dissertation doit être **tapée**.

À inclure : Une page titre et une bibliographie
Pour **les citations**, il faut donner tes références.

Exemple d'une page titre.

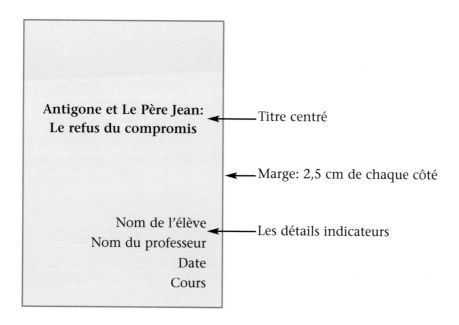

Antigone et Le Père Jean:
Le refus du compromis ← Titre centré

← Marge: 2,5 cm de chaque côté

Nom de l'élève ← Les détails indicateurs
Nom du professeur
Date
Cours

Je t'aime, je ne t'aime plus!

5

Je communique...

- *Rupture,* nouvelle par Claire Martin
- *Cyrano de Bergerac,* pièce de théâtre par Edmond Rostand (extraits)
- *Le goût des rondelles d'oignons,* article écrit par Anne Marie Lecomte
- Deux poèmes de Pierre Ronsard
- *Quand les roses,* paroles de la chanson de Salvatore Adamo

Je partage...

Mes idées sur l'amour et l'amitié
Cyrano de Bergerac, l'homme, l'écrivain, l'homme de guerre.

Mes connaissances :

- *Lequel* : pronom interrogatif
- Les conjonctions suivies du subjonctif
- Les expressions de temps : *voilà, depuis, il y a, ça fait*

J'apprends et je comprends...

- À utiliser les conjonctions suivies du subjonctif.
- À utiliser le pronom interrogatif *lequel.*
- À utiliser les expressions de temps *voilà, depuis, il y a* et *ça fait.*
- À utiliser le nouveau vocabulaire de l'unité.
- À faire des comparaisons et des distinctions entre les différentes sortes d'amour.

Ma tâche finale...

- Participer à une table ronde en jouant le rôle d'un(e) auteur(e)

En route!

○ L'amour est toujours un thème très populaire dans l'Art. Quelle est ton œuvre d'art préférée qui a trait à l'amour? Considère les genres suivants : roman, film, poème, chanson, peinture ou sculpture. À deux, comparez vos choix.

○ À ton avis, laquelle est plus intéressante : une histoire d'amour qui finit bien ou qui finit mal? Explique ton choix.

○ À deux, choisissez un couple d'amoureux célèbres, par exemple, Roméo et Juliette. Racontez leur histoire. Pourquoi se souvient-on encore d'eux de nos jours?

Je lis

Rupture
par Claire Martin

Tout à coup elle se mit à l'ennuyer copieusement. C'était toujours comme ça que ça se passait.

L'amour le laissait, subitement. Il pensa «comme un vêtement qui tombe », sourit à l'usé de l'image, et reçut en réponse un sourire suppliant. Aussitôt ses sourcils se renouèrent. Le visage d'en face s'assombrit – «Elle a fini de caméléoniser, non?»

Comment allait-il s'en défaire de celle-là? C'est toujours la même chose : on tombe amoureux, on bouleverse sa vie, puis, un soir, on l'aperçoit à ses côtés et on se dit : «Qu'est-ce que c'est que cette femelle?» Comment allait-il s'en défaire de celle-là?

Comme c'est difficile de quitter une femme! Ça crie, ça pleure, ça menace. Ça veut vous tuer, ça veut se tuer. Puis ça essaie du chantage; elle connaît soit une grosse huile qui peut vous faire perdre votre situation, soit la petite amie de votre propriétaire et vous voilà sur le pavé. Sitôt l'affaire classée, on recommence ailleurs. Si les hommes étaient logiques, on refuserait du monde à la Trappe.

Il ouvrit la bouche pour lui dire que tout était fini et ne parla que d'un petit mal à la tête qui l'obligerait à se coucher tôt. Et ça vous enlève tout courage par-dessus le marché. Il ferait ça par lettre, comme tout le monde, intrépidement.

Il y passa presque la nuit. Il ne voulait pas faire trop mal, mais il ne pouvait complètement résister au besoin d'aérer son exaspération. Souvent il dépassait la mesure. Il lui fallait raturer, revenir sur ses pas, mais en ayant soin de ne pas laisser, derrière lui, de portes ouvertes par où elle pourrait rappliquer. Puis il mit son brouillon au propre. Un brouillon, voyez-vous ça! Lui qui n'en faisait jamais pour ses articles. Quelle emmerdeuse! Harassé, il s'obligea quand même à aller déposer sa lettre, car il craignait la pitié du matin.

Il ne voulait plus voir cette femme. Il savait bien que tout n'irait pas tout seul. Il y aurait des jours, peut-être même des semaines, de récriminations, de larmes versées dans le cornet du téléphone. Il connaissait ça. Il s'agissait de ne pas se laisser avoir. Rien de plus stimulant que de constater qu'on a les nerfs assez solides pour écouter calmement, répondre gentiment et rester sur ses positions. Il s'en tirerait, cette fois-ci encore, tout à fait de la façon qu'il avait décidée. Enfin il se coucha claqué mais satisfait, le dos résolument tourné au passé.

Il dormit tard le lendemain et ce fut la sonnette du téléphone qui l'éveilla. Onze heures? Le premier courrier était distribué. Ça commençait. Il eut envie de ne pas décrocher puis il se dit qu'il fallait à tout prix en finir, choisit mentalement sa voix la plus rogue et répondit. C'était sa mère! Il lui fallut s'excuser méticuleusement, prétexter encore une fois la migraine. Puis il s'habilla, très vite, craignant et espérant la prochaine sonnerie, les nerfs un peu dansants. Rien. Soulagé il partit pour le journal en sifflotant.

L'après-midi fut gai. Il était en verve et son article venait bien. Chaque fois que son téléphone sonnait il faisait répondre Jean, le copain d'à côté, «Si c'est une femme, je n'y suis pas.» Pas de ça devant les amis, tout de même. C'était le patron, ou son agent d'assurances, ou le bureau du dentiste.

Ce ne fut que vers six heures que Jean répondit : « Il n'est pas ici, madame. » L'appareil raccroché, il expliqua : « C'est une étrangère avec un accent du tonnerre de Dieu. » Ah! Et bien! ça! Habituellement elles se jettent sur le téléphone, mais, celle-ci aura préféré pondre une belle longue lettre émouvante qu'on va asperger délicatement sous le robinet avant de la cacheter. Il y en a une de temps en temps, comme ça, qui fignole.

En sortant du journal, Jean lui dit : « Tu viens dîner tout de suite? » Il balança. Et puis non. Il passerait d'abord chez lui. Cela l'ennuyait, à la fin, ces interminables dîners tête à tête avec Jean. Il prendrait son bain et irait ensuite dîner tranquillement dans un bon petit restaurant. Tout seul. Il grimpa son escalier d'un pas vif. Mais sous la porte, il n'y avait pas de lettre. Ah!

Il prit son bain, n'eut pas envie de se rhabiller, se fit du café et grignota deux biscottes et un bout de fromage. Il s'installa sur la chaise longue, avec un livre formidable qu'il avait commencé hier, ses cigarettes et un whisky sur la petite table, et se mit à lire. Bon Dieu! Ce qu'on est bien tout seul!

Dès neuf heures, il referma le livre. Tous les mêmes ces auteurs actuels. Pas fichus de retenir votre attention après les dix premières pages. Lui qui, toute la soirée d'hier, l'avait couvé d'un œil concupiscent, ce livre. Il le lança à l'autre bout de la pièce et vida son verre.

Qu'est-ce que c'est que ce grignotement sur le palier? Il se leva silencieusement, ouvrit la porte d'un coup. Il n'y avait rien. Au même moment le téléphone sonna et il bondit. Enfin! ça n'était pas trop tôt. Surtout ne pas se laisser attendrir. « Ma petite, ma décision est inéluctable. » Cette fois-ci c'était sa sœur. Mais qu'est-ce qu'ils avaient dans la famille à le poursuivre comme ça?

Ah! la la! Quelle journée! Autant se coucher et dormir. Il s'étendit, ferma les yeux. De quelle façon répondra-t-elle? La colère ou les larmes? Le courrier du soir, c'était vraiment un peu tôt. Demain matin, sûrement. Sûrement... Car enfin, il voudrait bien être certain qu'elle l'ait reçue, sa lettre. Jusqu'à maintenant, comment savoir? Elle a dû en écrire des pages et des pages en reprenant toute l'histoire depuis le début. Toutes pareilles? Ça n'est peut-être pas encore terminé à l'heure qu'il est.

À l'heure qu'il est? Minuit presque et rien de lui n'est encore promis au sommeil. De la petite armoire à médicaments, il retira le flacon marqué «Phénobarbital 3 grains» en prit un et se recoucha.

Ce fut le bruit du papier glissé sous la porte qui le jeta hors du lit le lendemain matin. Une facture, une invitation. Les yeux baissés, il regardait ce maigre butin. Comme on a tort de prendre des comprimés pour dormir. Ça n'allait pas. Ça n'allait pas du tout. Il ne s'était jamais senti aussi déprimé. Ce n'est qu'après s'être aperçu plusieurs fois dans les glaces qu'il se décida à se raser et à s'habiller.

Il téléphona au journal, dit qu'il écrivait son article chez lui et demanda qu'on donne son numéro s'il recevait des appels. Café, fromage, biscottes. Ah! ça n'allait pas bien fort. L'après-midi se traîna, vrillé de temps en temps par la sonnerie. Mais rien de ce qu'il attendait. Vers quatre heures, il n'en pouvait plus. Il raturait presque tout ce qu'il écrivait. Il se leva, fit réchauffer le reste du café et s'en vint le boire à la fenêtre. Juste à temps pour voir le facteur qui sortait de la maison, Ça alors! Il n'y avait encore rien pour lui? Mais enfin, qu'est-ce qui se passait?

Son article terminé, il demanda qu'on l'envoie prendre, mais les messagers n'étaient plus là. Il faudrait donc qu'il y aille. Il hésita longuement à partir, la main sur le téléphone, comme pour en susciter une sonnerie. Allons! Ça lui ferait les pieds à cette petite qu'il ne soit pas là pour répondre. Jean l'attendait au journal et il se laissa emmener au restaurant et au cinéma. Puis il rentra se coucher. Phénobarbital, 3 grains.

Ni le lendemain, ni le surlendemain n'apportèrent de courrier. Ni d'appels téléphoniques. Nourri la moitié du temps de café et de biscottes, il avait maigri. Les barbituriques lui avaient cerné les yeux et engourdi le cerveau. Cet après-midi, un copain lui avait dit, l'air de ne pas y toucher : « Quand je suis raplapla, j'aime mieux rabibocher un vieil article que d'écrire des conneries. »

Quel jour était-ce donc, aujourd'hui? Vendredi. C'était dimanche soir qu'il lui avait écrit. Et si elle n'avait pas reçu sa lettre? Si elle s'était absentée? Tout le monde, un jour ou l'autre est obligé de partir à l'improviste. Il marmotta : « Elle va en faire une tête quand elle trouvera ma lettre, en rentrant. » Enfantement, il s'agrippa à cette idée, trouvant dix explications à ce voyage impossible. Mais comment savoir?

À huit heures il téléphona en déguisant sa voix. Elle venait justement de sortir. Pour toute la soirée, oui. Il demanda stupidement : « Avec qui? » rougit violemment et raccrocha. Sortie? Qu'est-ce que ça voulait dire? Voilà une femme qui venait ici tous les soirs, depuis des mois, et qui brusquement… Tous les soirs? Enfin, presque tous les soirs. Mais les autres?

Il endossa son veston et descendit l'escalier en courant. Arrivé sur le trottoir, il ne sut plus où aller. Cette femme, il ne connaissait presque rien d'elle à part les heures qu'elle venait passer avec lui. Qui voyait-elle? Où allait-elle? Pendant des mois, il en avait fait son auditrice docile. Il ne s'était jamais demandé si elle avait quelque chose à dire. Il ne s'était que regardé en elle.

Il se fit conduire au centre de la ville, entra dans des restaurants, des bars. Puis il reprit un taxi et donna l'adresse de la grosse maison de rapport où elle habitait, faisant ralentir à chaque entrée de cinéma. Il se mit à faire les cents pas. Puis il se souvint qu'il y avait une porte sur chaque façade. Il essaya d'en commander deux en se tenant au coin de la rue. Puis il courut, de l'une à l'autre, à chaque claquement de portière.

À deux heures, il retourna chez lui, exténué, et se jeta sur son lit. Il avait quelque chose de noué, là, derrière la gorge, quelque chose qui lui faisait horriblement mal et qui était, mon Dieu, oui, comme des sanglots longtemps retenus.

Toute la journée du lendemain, il téléphona, téléphona sans plus songer à déguiser sa voix. Sortie, toujours sortie.

Alors il s'est assis à cette même table où il avait peiné sur sa lettre de rupture et, tout d'une haleine, sans une rature, il lui a demandé pardon en six pages qu'il a fait porter sans attendre. Soulagé, heureux, il est allé manger et boire comme il n'avait mangé ni bu depuis six jours.

Il n'était pas assez sot pour croire qu'elle allait répondre tout de suite. Elle le laisserait mariner un peu. Et il n'allait pas lui en vouloir pour ça. Il aurait une réponse dans deux ou trois jours, pas avant. Il chantonna tout le reste du jour, fit des projets pour la prochaine fin de la semaine et, le soir venu, il se coucha, léger, détendu, et dormit profondément, sans comprimés. La réponse lui vint dès le lendemain. Trois petits mots au milieu du papier : « Non, trop tard. »

Pendant des mois il a écrit, écrit. Il a offert son cœur, sa vie, son nom. Il a rôdé des nuits entières autour de sa maison pour n'obtenir quelquefois qu'un visage détourné. Et puis il s'est assagi, bien sûr. Mais il est toujours seul, maintenant. Il est devenu misogyne. Et quand on lui demande pourquoi, il fait volontiers une petite sortie contre les femmes dont la perfidie est insondable et qui vous laissent salement tomber pour un oui ou pour un non.

Je comprends...

Réponds aux questions suivantes.

1. Qui est l'homme?
   Donne tous les renseignements que tu trouves dans la nouvelle.

2. Pourquoi a-t-il décidé de laisser tomber la femme?
   Comment savons-nous que ce n'est pas la première fois qu'il a agi ainsi?

3. Comment a-t-il décidé de rompre avec la femme?
   Pourquoi a-t-il choisi cette façon de le faire?

4. Comment a-t-il passé le premier jour après avoir mis sa lettre à la poste?

5. Quand a-t-il commencé à s'inquiéter?
   Comment a-t-il montré son inquiétude?

6. Qu'est-ce qui indique que l'absence d'une réponse le dérange intensément?

7. Comment avait-il traité la femme quand ils étaient ensemble?

8. Qu'a-t-il écrit dans sa deuxième lettre? Avec quel résultat?

J'analyse

1. Comment l'auteure captive-t-elle ses lecteurs dès le début de la nouvelle?

2. De quel point de vue voyons-nous ce qui se passe?
   Comment l'absence de l'autre point de vue crée-t-elle du suspense?

3. Que penses-tu de la conclusion de l'histoire?
   Quel(s) trait(s) de caractère du jeune homme dévoile-t-on ici?

Je mets en application

Quand le jeune homme écrit sa deuxième lettre, est-il possible qu'il ait découvert qu'il aime vraiment la femme et qu'il ne peut pas vivre sans elle?

➠ À deux, évaluez le pour et le contre de cette question et faites une liste de points pertinents.

➠ Comparez votre liste à celle d'un autre groupe.

J'observe!

Le pronom interrogatif lequel

Regarde les phrases suivantes.

- Voici deux restaurants. Dans *lequel* est-elle entrée?
- Une femme est venue te parler. *Laquelle*?
- Il y a plusieurs journaux. *Lesquels* penses-tu acheter?
- Il ne savait plus *lesquelles* de toutes ces femmes méritaient son attention.
- Il a écrit deux lettres à la femme. À *laquelle* a-t-elle répondu?
- Il a acheté plusieurs romans. *Auxquels* s'intéresse-t-il?
- Il a plusieurs médicaments. *Desquels* a-t-il besoin?

Dans la première phrase, *dans lequel* représente *dans quel restaurant*.

➡ Que représentent les mots en italiques dans les autres phrases?

➡ Que peut-on faire avec les pronoms comme *lequel*?

➡ Que doit-on faire quand on trouve les prépositions <u>*à*</u> et <u>*de*</u> devant *lequel*, *lesquels* ou *lesquelles*?

Je pratique...

A. Remplace les mots en caractères gras par la bonne forme du pronom *lequel*.

Exemple : **Quel écrivain** préfères-tu?
<u>***Lequel***</u> préfères-tu?

1. **Quel appartement** achète-t-elle?

2. **Quelles lettres** n'a-t-il pas mises à la poste?

3. **Quelle femme** a-t-il mentionnée?

4. **Quelles chansons** sont les plus jolies?

5. **Quels conseils** lui avez-vous donnés?

B. Remplace les mots en caractères gras par la bonne forme du pronom *lequel*. Fais attention à la préposition!

Exemple : **À quel restaurant** allez-vous?
<u>***Auquel***</u> allez-vous?

1. **De quels dictionnaires** avez-vous besoin?

2. **À quel cinéma** vas-tu ce soir?

3. **De quelle voiture** as-tu envie?

4. **À quelle femme** a-t-il écrit?

5. **De quelles lettres** parlons-nous?

Tâche riche I

Rupture de Claire Martin nous invite à prendre position au sujet du choix que fait le héros ou l'héroïne à un moment crucial de l'histoire.

➡ Explique le choix d'un des personnages principaux.

➡ Décide s'il était bon ou mauvais et pourquoi.

➡ Écris un paragraphe de 200 mots environ pour chacun des personnages.

➡ Utilise le pronom interrogatif *lequel* dans tes paragraphes.

Sers-toi de la page 170 dans ton Cahier pour prendre des notes.

Saviez-vous?

Cyrano de Bergerac, l'homme, l'écrivain, l'homme de guerre.

Cyrano Savinien de Bergerac est né le 6 mars 1619.
À l'âge de 20 ans il est devenu soldat. Sa carrière
de soldat n'était pas une expérience heureuse :
il ne pouvait pas accepter la discipline de l'armée.
D'ailleurs, il était contre la guerre et la peine capitale.
Il a été gravement blessé pendant une bataille et
a dû quitter l'armée en 1641.

Après avoir quitté l'armée, Cyrano a étudié la
philosophie et a commencé à écrire. Il a écrit des
traités, des poèmes et des pièces de théâtre. Parmi ses œuvres les plus connues
étaient des descriptions de voyages fantastiques vers la lune et le soleil, à travers
lesquelles il a composé des satires de la vie de son époque et des philosophies alors
en vigueur. Ce n'est plus exactement de la science-fiction, mais Cyrano a conçu
l'emploi d'une fusée pour propulser un vaisseau dans l'espace.

Il était vraiment surdoué, habile de l'épée et également de sa plume. C'était un
homme moderne et visionnaire. Il a dit « un honnête homme n'est ni français,
ni allemand, ni espagnol. Il est Citoyen du monde, et sa patrie est partout. »

Il aimait la liberté. Il était considéré comme arrogant par ses ennemis et très loyal
par ses amis. L'argent n'était pas important; il le donnait facilement. Il est mort le
28 juillet 1655, blessé mortellement par une planche qui lui est tombée sur la tête.
Il avait 36 ans.

Edmond Rostand a découvert Cyrano de Bergerac en faisant ses études au collège.
Dans sa pièce, dont tu vas lire des extraits, Rostand a pris beaucoup de libertés.
Par exemple, le Cyrano de Rostand est assassiné par ses ennemis. Il n'était
probablement pas amoureux de sa cousine Roxane, mais parfois, le théâtre
est bien plus imaginatif que la vie! Une chose que Rostand n'a pas inventée,
c'est le grand nez de Cyrano.

Je lis
Cyrano de Bergerac
d'Edmond Rostand, extraits

Avant de lire

- En groupes, faites une liste des qualités que vous considérez importantes dans la personne que vous aimez ou que vous voudriez aimer. Ensuite, arrangez ces qualités par ordre d'importance. Ajoutez à votre liste des éléments qui, à votre avis, ne sont pas importants. Comparez votre liste à celle d'un autre groupe.

Cyrano de Bergerac est un homme brillant mais il a un complexe d'infériorité causé par la taille de son nez. Il est amoureux de sa cousine Magdeleine Robin connue sous le nom de Roxane, mais à cause de son apparence physique, il est trop timide pour lui déclarer son amour.

Roxane est amoureuse du beau Christian de Neuvillette, un mousquetaire de la garde de Cyrano. Christian est beau, il « n'est pas bête », mais il ne sait pas parler aux femmes. Roxane fréquente les salons littéraires où la plus importante qualité c'est de bien parler. Le manque d'éloquence de Christian la déçoit.

Cyrano est prêt à aider Christian à cause de l'amour qu'il porte envers Roxane; il écrit donc de très belles lettres au nom de Christian. Dans les scènes 7 à 10 du troisième acte, Christian appelle Roxane pour qu'elle accepte de lui parler. Cyrano prend la parole pour la première fois, dans le noir.

Acte III, Scène VII.

Roxane, Christian, Cyrano, d'abord caché sous le balcon.

ROXANE : *(entr'ouvrant sa fenêtre)*
Qui donc m'appelle?

CHRISTIAN : Moi.

ROXANE : Qui, moi?

CHRISTIAN : Christian.

ROXANE : *(avec dédain)*
C'est vous?

CHRISTIAN : Je voudrais vous parler.

CYRANO : *(sous le balcon, à Christian)*
Bien. Bien. Presque à voix basse.

ROXANE : Non! Vous parlez trop mal.
Allez-vous-en!

CHRISTIAN : De grâce!...

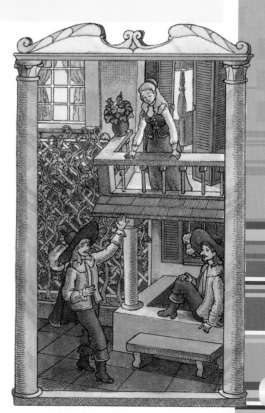

ROXANE : Non! Vous ne m'aimez plus!

CHRISTIAN : *(à qui Cyrano souffle ses mots)*
M'accuser, – justes dieux! – De n'aimer plus... quand... j'aime plus!

ROXANE : *(qui allait refermer sa fenêtre, s'arrêtant)*
Tiens! mais c'est mieux!

CHRISTIAN : *(même jeu)*
L'amour grandit bercé dans mon âme inquiète...
Que ce... cruel marmot prit pour... barcelonnette!

ROXANE : *(s'avançant sur le balcon)*
C'est mieux! – Mais, puisqu'il est cruel, vous fûtes sot
De ne pas, cet amour, l'étouffer au berceau!

CHRISTIAN : *(même jeu)*
Aussi l'ai-je tenté, mais... tentative nulle :
Ce... nouveau-né, Madame, est un petit... Hercule.

ROXANE : C'est mieux!

CHRISTIAN : *(même jeu)*
De sorte qu'il... strangula comme rien...
Les deux serpents... Orgueil et... Doute.

ROXANE : *(s'accoudant au balcon)*
Ah! c'est très bien.
– Mais pourquoi parlez-vous de façon peu hâtive?
Auriez-vous donc la goutte à l'imaginative?

CYRANO : *(tirant Christian sous le balcon et se glissant à sa place)*
Chut! Cela devient trop difficile!...

ROXANE : Aujourd'hui... Vos mots sont hésitants. Pourquoi?

CYRANO : *(parlant à mi-voix, comme Christian)*
C'est qu'il fait nuit,
Dans cette ombre, à tâtons, ils cherchent votre oreille.

ROXANE : Les miens n'éprouvent pas difficulté pareille.

CYRANO : Ils trouvent tout de suite? Oh! cela va de soi,
Puisque c'est dans mon cœur, eux, que je les reçois;
Or, moi, j'ai le cœur grand, vous, l'oreille petite.
D'ailleurs vos mots à vous, descendent: ils vont vite.
Les miens montent, Madame : il leur faut plus de temps!

ROXANE : Mais ils montent bien mieux depuis quelques instants.

CYRANO : De cette gymnastique, ils ont pris l'habitude!

ROXANE : Je vous parle, en effet, d'une vraie altitude!

CYRANO : Certes, et vous me tueriez si de cette hauteur
Vous me laissiez tomber un mot dur sur le cœur!

ROXANE : *(avec un mouvement)*
Je descends.

CYRANO : *(vivement)*
Non!

ROXANE : *(lui montrant le banc qui est sous le balcon)*
Grimpez sur le banc, alors, vite!

CYRANO : *(reculant avec effroi dans la nuit)*
Non!

ROXANE : Comment... non?

CYRANO : *(que l'émotion gagne de plus en plus)*
Laissez un peu que l'on profite...
De cette occasion qui s'offre... de pouvoir
Se parler doucement, sans se voir.

ROXANE : Sans se voir?

CYRANO : Mais oui, c'est adorable. On se devine à peine.
Vous voyez la noirceur d'un long manteau qui traîne,
J'aperçois la blancheur d'une robe d'été :
Moi je ne suis qu'une ombre, et vous qu'une clarté!
Vous ignorez pour moi ce que sont ces minutes!
Si quelquefois je fus éloquent...

ROXANE : Vous le fûtes!

CYRANO : Mon langage jamais jusqu'ici n'est sorti
De mon vrai cœur...

ROXANE : Pourquoi?

CYRANO : Parce que... jusqu'ici
Je parlais à travers...

ROXANE : Quoi?

CYRANO : ... le vertige où tremble
Quiconque est sous vos yeux!... Mais, ce soir, il me semble...
Que je vais vous parler pour la première fois!

ROXANE : C'est vrai que vous avez une tout autre voix.

CYRANO : *(se rapprochant avec fièvre)*
Oui, tout autre, car dans la nuit qui me protège
J'ose être enfin moi-même, et j'ose...
(Il s'arrête et avec égarement) :
Où en étais-je?
Je ne sais... tout ceci, – pardonnez mon émoi,
– C'est si délicieux,... c'est si nouveau pour moi!

ROXANE : Si nouveau?

CYRANO : *(bouleversé, et essayant toujours de*
rattraper ses mots)
Si nouveau... mais oui... d'être sincère :
La peur d'être raillé, toujours au cœur me serre...

ROXANE : Raillé de quoi?

CYRANO : Mais de... d'un élan!... Oui, mon cœur
Toujours, de mon esprit s'habille, par pudeur :
Je pars pour décrocher l'étoile, et je m'arrête
Par peur du ridicule, à cueillir la fleurette!

ROXANE : La fleurette a du bon.

CYRANO : Ce soir, dédaignons-la!

ROXANE : Vous ne m'aviez jamais parlé comme cela!

CYRANO : Ah! si loin des carquois, des torches et des flèches,
On se sauvait un peu vers des choses... plus fraîches!
Au lieu de boire goutte à goutte, en un mignon
Dé à coudre d'or fin, l'eau fade du Lignon,
Si l'on tentait de voir comment l'âme s'abreuve
En buvant largement à même le grand fleuve!

ROXANE : Mais l'esprit?...

CYRANO : J'en ai fait pour vous faire rester
D'abord, mais maintenant ce serait insulter
Cette nuit, ces parfums, cette heure, la Nature,
Que de parler comme un billet doux de Voiture!
- Laissons, d'un seul regard de ses astres, le ciel
Nous désarmer de tout notre artificiel :
Je crains tant que parmi notre alchimie exquise
Le vrai du sentiment ne se volatilise,
Que l'âme ne se vide à ces passe-temps vains,
Et que le fin du fin ne soit la fin des fins!

ROXANE : Mais l'esprit?...

CYRANO : Je le hais dans l'amour! C'est un crime
Lorsqu'on aime de trop prolonger cette escrime!
Le moment vient d'ailleurs inévitablement,
Et je plains ceux pour qui ne vient pas ce moment!
– Où nous sentons qu'en nous un amour noble existe
Que chaque joli mot que nous disons rend triste!

ROXANE : Eh bien! si ce moment est venu pour nous deux,
Quels mots me direz-vous?

CYRANO : Tous ceux, tous ceux, tous ceux
Qui me viendront, je vais vous les jeter, en touffe,
Sans les mettre en bouquet : je vous aime, j'étouffe,
Je t'aime, je suis fou, je n'en peux plus, c'est trop;
Ton nom est dans mon cœur comme dans un grelot,
Et comme tout le temps, Roxane, je frissonne,
Tout le temps, le grelot s'agite, et le nom sonne!
De toi, je me souviens de tout, j'ai tout aimé :
Je sais que l'an dernier, un jour, le douze mai,
Pour sortir le matin tu changeas de coiffure!
J'ai tellement pris pour clarté ta chevelure
Que, comme lorsqu'on a trop fixé le soleil,
On voit sur toute chose ensuite un rond vermeil,
Sur tout, quand j'ai quitté les feux dont tu m'inondes,
Mon regard ébloui pose des taches blondes!

ROXANE : *(d'une voix troublée)*
Oui, c'est bien de l'amour...

CYRANO : Certes, ce sentiment
Qui m'envahit, terrible et jaloux, c'est vraiment
De l'amour, il en a toute la fureur triste!
De l'amour, – et pourtant il n'est pas égoïste!
Ah! que pour ton bonheur je donnerais le mien,
Quand même tu devrais n'en savoir jamais rien,
S'il se pouvait, parfois, que de loin, j'entendisse
Rire un peu le bonheur né de mon sacrifice!
– Chaque regard de toi suscite une vertu
Nouvelle, une vaillance en moi! Commences-tu
À comprendre, à présent? voyons, te rends-tu compte?
Sens-tu mon âme, un peu, dans cette ombre, qui monte?...
Oh! mais vraiment, ce soir, c'est trop beau, c'est trop doux!
Je vous dis tout cela, vous m'écoutez, moi, vous!
C'est trop! Dans mon espoir même le moins modeste,
Je n'ai jamais espéré tant! Il ne me reste
Qu'à mourir maintenant! C'est à cause des mots
Que je dis qu'elle tremble entre les bleus rameaux!
Car vous tremblez, comme une feuille entre les feuilles!
Car tu trembles! car j'ai senti, que tu le veuilles
Ou non, le tremblement adoré de ta main
Descendre tout le long des branches du jasmin!
(Il embrasse éperdument l'extrémité d'une branche pendante.)

ROXANE : Oui, je tremble, et je pleure, et je t'aime, et suis tienne!
Et tu m'as enivrée!

CYRANO : Alors, que la mort vienne!
Cette ivresse, c'est moi, moi, qui l'ai su causer!
Je ne demande plus qu'une chose...

CHRISTIAN : *(sous le balcon)*
Un baiser!

ROXANE : *(se rejetant en arrière)*
Hein?

CYRANO : Oh!

ROXANE : Vous demandez?

CYRANO : Oui... je...
(A Christian bas) :
Tu vas trop vite.

CHRISTIAN : Puisqu'elle est si troublée, il faut que j'en profite!

CYRANO : *(à Roxane)*
Oui, je... j'ai demandé, c'est vrai... mais justes cieux!
Je comprends que je fus bien trop audacieux.

ROXANE : *(un peu déçue)*
Vous n'insistez pas plus que cela?

CYRANO : Si! j'insiste...
Sans insister!... Oui, oui! votre pudeur s'attriste!
Eh bien! mais, ce baiser... ne me l'accordez pas!

CHRISTIAN : *(à Cyrano, le tirant par son manteau)*
Pourquoi?

CYRANO : Tais-toi, Christian!

ROXANE : *(se penchant)*
Que dites-vous tout bas?

CYRANO : Mais d'être allé trop loin, moi-même je me gronde;
Je me disais : tais toi, Christian!...
(Les théorbes se mettent à jouer.)
Une seconde!...
On vient!
(Roxane referme la fenêtre. Cyrano écoute les théorbes, dont l'un joue un air folâtre et l'autre un air lugubre)
Air triste? Air gai?... Quel est donc leur dessein?
Est-ce un homme? Une femme? – Ah! c'est un capucin!
(Entre un capucin qui va de maison en maison, une lanterne à la main, regardant les portes.)

Je comprends...

Réponds aux questions suivantes.

1. Pourquoi Roxane parle-t-elle à Christian avec dédain?

2. Que Christian veut-il dire à Roxane?

3. Pourquoi Roxane ne rentre-t-elle pas dans la maison?

4. Pourquoi Cyrano prend-il la place de Christian?
   Pourquoi n'a-t-il pas peur que Roxane découvre la vérité?

5. Pourquoi Cyrano dit-il à Roxane de ne pas descendre?
   Comment le justifie-t-il?

6. Explique ce que Cyrano veut dire en disant « Mon langage jusqu'ici
   n'est sorti de mon vrai cœur ».

7. Quand Cyrano parle de la peur d'être raillé parle-t-il pour Christian,
   pour lui-même ou pour les deux? Justifie ta réponse.

8. Comment Cyrano montre-t-il à Roxane qu'elle a tort d'insister sur le beau langage?

9. Quel est l'effet sur Roxane de la déclaration passionnée de Cyrano (« Sens-tu
   mon âme, un peu, dans cette ombre... ») Comment le lui montre-t-elle?

10. Comment Christian brise-t-il l'enchantement du moment?

J'approfondis

1. *« Mais, ce soir, il me semble...*
   Que je vais vous parler pour la première fois! »

Explique ce que Cyrano veut dire par cette déclaration.
Ensuite, explique ce que Roxane a pensé comprendre.

2. À ton avis, Roxane a-t-elle tort de demander que Christian utilise le beau langage
   (même un langage artificiel) pour déclarer son amour? Justifie ta réponse.

3. À la fin de la scène il y a une interruption quand le capucin entre. Quelles
   raisons Rostand aurait-il pu avoir pour créer cette interruption dans cette scène?

Je lis
Cyrano de Bergerac... suite

Scène VIII

Cyrano, Christian, un capucin.

CYRANO :   *(au capucin)*
               Quel est ce jeu renouvelé
               de Diogène?

LE CAPUCIN :   Je cherche la maison
               de madame...

CHRISTIAN :   Il nous gêne!

LE CAPUCIN :   Magdeleine Robin...

CHRISTIAN :   Que veut-il?...

CYRANO :   *(lui montrant une rue montante)*
               Par ici!
               Tout droit, – toujours tout droit...

LE CAPUCIN :   Je vais pour vous! – Merci
               – Dire mon chapelet jusqu'au grain majuscule.
               (Il sort.)

CYRANO :   Bonne chance! Mes vœux suivent votre cuculle!
               (Il redescend vers Christian.)

Avant de lire

- Résume ce qui est arrivé dans la scène précédente.
- Décris en détail les trois personnages, leurs actions et leurs pensées. Donne ton opinion de chacun.

Scène IX

Cyrano, Christian.

CHRISTIAN : Obtiens-moi ce baiser!...

CYRANO : Non!

CHRISTIAN : Tôt ou tard!...

CYRANO : C'est vrai!
Il viendra, ce moment de vertige enivré
Où vos bouches iront l'une vers l'autre, à cause
De ta moustache blonde et de sa lèvre rose!
(À lui-même) :
J'aime mieux que ce soit à cause de...
(Bruit des volets qui se rouvrent, Christian se cache sous le balcon.)

Scène X

Cyrano, Christian, Roxane.

ROXANE : *(s'avançant sur le balcon)*
C'est vous?
Nous parlions de... de... d'un...

CYRANO : Baiser! Le mot est doux.
Je ne vois pas pourquoi votre lèvre ne l'ose;
S'il la brûle déjà, que sera-ce la chose?
Ne vous en faites pas un épouvantement :
N'avez-vous pas tantôt, presque insensiblement,
Quitté le badinage et glissé sans alarmes
Du sourire au soupir, et du soupir aux larmes!
Glissez encore un peu d'insensible façon :
Des larmes au baiser il n'y a qu'un frisson!

ROXANE : Taisez-vous!

CYRANO : Un baiser, mais à tout prendre, qu'est-ce?
Un serment fait d'un peu plus près, une promesse
Plus précise, un aveu qui veut se confirmer,
Un point rose qu'on met sur l'i du verbe aimer;
C'est un secret qui prend la bouche pour oreille,
Un instant d'infini qui fait un bruit d'abeille,
Une communion ayant un goût de fleur,
Une façon d'un peu se respirer le cœur,
Et d'un peu se goûter, au bord des lèvres, l'âme!

ROXANE :   Taisez-vous!

CYRANO :   Un baiser, c'est si noble, Madame,
            Que la reine de France, au plus heureux des lords,
            En a laissé prendre un, la reine même!

ROXANE :   Alors!

CYRANO :   *(s'exaltant)*
            J'eus comme Buckingham des souffrances muettes,
            J'adore comme lui la reine que vous êtes,
            Comme lui je suis triste et fidèle...

ROXANE :   Et tu es
            Beau comme lui!

CYRANO :   *(à part, dégrisé)*
            C'est vrai, je suis beau, j'oubliais!

ROXANE :   Eh bien! montez cueillir cette fleur sans pareille...

CYRANO :   *(poussant Christian vers le balcon)* :
            Monte!

ROXANE :   Ce goût de cœur...

CYRANO :   Monte!

ROXANE :   Ce bruit d'abeille...

CYRANO :   Monte!

CHRISTIAN : *(hésitant)*
            Mais il me semble, à présent,
            que c'est mal!

ROXANE :   Cet instant d'infini!...

CYRANO :   *(le poussant)*
            Monte donc, animal!
            *(Christian s'élance, et par le banc,
            le feuillage, les piliers, atteint les
            balustres qu'il enjambe.)*

CHRISTIAN : Ah, Roxane!
            *(Il l'enlace et se penche sur
            ses lèvres.)*

CYRANO :	Aïe! au cœur, quel pincement bizarre!
	– Baiser, festin d'amour dont je suis le Lazare!
	Il me vient dans cette ombre une miette de toi,
	– Mais oui, je sens un peu mon cœur qui te reçoit,
	Puisque sur cette lèvre où Roxane se leurre
	Elle baise les mots que j'ai dits tout à l'heure!
	(On entend les théorbes) :
	Un air triste, un air gai: le capucin!
	(Il feint de courir comme s'il arrivait de loin, et d'une voix claire) :
	Holà!
ROXANE :	Qu'est ce?
CYRANO :	Moi. Je passais...
	Christian est encor là?
CHRISTIAN :	*(très étonné)*
	Tiens, Cyrano!
ROXANE :	Bonjour, cousin!
CYRANO :	Bonjour, cousine!
ROXANE :	Je descends!
	(Elle disparaît dans la maison.
	Au fond rentre le capucin.)
CHRISTIAN :	*(l'apercevant)*
	Oh! Encore!
	(Il suit Roxane)

Ce qui se passe après.

Roxane épouse Christian. Le comte de Guiche, un aristocrate qui lui aussi voulait Roxane, est furieux, et promet de se venger de Cyrano. Un peu plus tard, Christian est tué lors d'une bataille. Roxane se retire dans un couvent. Chaque samedi, Cyrano lui rend visite et lui raconte toutes les nouvelles parisiennes.

Un soir, en route vers le couvent, Cyrano est attaqué et mortellement blessé. Cyrano ne peut pas manquer son rendez-vous. Il arrive au couvent et parle à Roxane. Cyrano demande à voir la dernière lettre qu'elle a reçue de la part de Christian quand il savait qu'il allait mourir. C'est la nuit et il n'y a pas assez de lumière pour lui permettre de la lire, mais il la récite par cœur. Roxane reconnaît que l'auteur de la lettre était Cyrano et qu'il l'aime depuis toujours. Elle comprend aussi qu'il est en train de mourir. Roxane dit : *Je n'aimais qu'un seul être et je le perds deux fois!*

Je comprends...

Réponds aux questions suivantes.

1. À ton avis, pourquoi le capucin est-il accompagné de musiciens? Que cherche-t-il? Que fait Cyrano?

2. Complète la phrase inachevée de Cyrano : *J'aime mieux que ce soit à cause de...*

3. À quoi Cyrano compare-t-il un baiser?

4. Quelle est la réaction de Roxane?

5. Pourquoi Christian hésite-t-il?

6. Pourquoi Cyrano pense-t-il que c'est à lui que Roxane donne ce baiser?

7. Que fait Cyrano quand il entend revenir le capucin et les musiciens?

8. Explique les réactions de Christian.

Je mets en application

Explique ce que Roxane veut dire en disant *Je n'aimais qu'un seul être et je le perds deux fois!*

J'approfondis

1. Imagine qu'un courrier du cœur existait à Paris au 17e siècle. Écris une lettre de la part de Cyrano de Bergerac dans laquelle il explique son amour pour Roxane et ses raisons pour ne pas le lui déclarer.

   ⟹ Ensuite, échange ta lettre avec un ou une partenaire et écris-lui une réponse.

2. À ton avis, Cyrano est-il un héros tragique ou comique? Justifie ta réponse.

J'observe!
Les conjonctions suivies du subjonctif

Observe les phrases suivantes.

- Cyrano parlera *afin que* Roxane **puisse** aimer Christian.

- *Bien que* Cyrano **aime** Roxane, il se sacrifiera *pourvu qu'*elle **soit** heureuse.

- *Pour que* tu **aies** l'homme de ta vie, je resterai dans l'ombre.

- *Avant que* nous *ne* **partions**, il faudra se voir une dernière fois.

- Je me tairai *de peur que* tu *ne* te **fâches**.

- Christian n'ose parler *de crainte que* Roxane *ne* le **voie**.

- Vous resterez ici *jusqu'à ce que* nous **ayons** la voie libre.

- Cyrano partira *sans que* Roxane **sache** la vérité.

- *Quoiqu'*il **fasse** noir, Cyrano peut voir Roxane.

- Cyrano parle *en attendant que* le capucin **parte**.

➠ Quel mode de verbe utilise-t-on après les conjonctions *afin que, bien que, pourvu que, pour que, avant que, de crainte que, jusqu'à ce que, sans que, quoique, en attendant que* et *à moins que*?

➠ Certaines conjonctions sont suivies du *ne* explétif. Lesquelles?

➠ Est-ce que ce *ne* donne un sens négatif?

Je pratique...

A. Mets les phrases suivantes au subjonctif présent :

Exemple : Je viendrai au rendez-vous. Tu changes d'avis. (à moins que... ne)
Je viendrai au rendez-vous *à moins que* tu *ne* change d'avis.

1. Nous nous dépêcherons. Le temps peut changer. (quoique)

2. Tu devras préparer un repas superbe. Les invités se régaleront. (afin que)

3. C'est Christian qui plaît à Roxane. Cyrano est éloquent. (bien que)

4. Nous travaillons tous les soirs. Vous réussirez dans la vie. (pour que)

5. Elle te dira au revoir. Elle partira. (avant que... ne)

6. Je t'écrirai des lettres. Tu me répondras. (jusqu'à ce que)

7. Nous ne ferons pas de réservations. Vous ne venez pas. (à moins que... ne)

8. Ils rentreront avant minuit. Ils manqueront le dernier autobus. (de peur que... ne)

Je pratique... suite

B. Complète chaque phrase par une idée originale.
   N'oublie pas d'utiliser le subjonctif.

Exemple : J'irai voir cette pièce *pourvu que...*
   J'irai voir cette pièce *pourvu que tu ailles chercher les billets.*

1. Il y aura un test demain à moins que...

2. Nous ferons nos devoirs jusqu'à ce que...

3. Elle fera la vaisselle avant que...

4. Il ira à l'aéroport bien que...

5. J'expliquerai ces mots afin que...

Tâche riche 2

Avec un ou une partenaire, comparez la scène du balcon de *Cyrano de Bergerac* à celle de *Roméo et Juliette.*

➠ Donnez au moins cinq similarités et cinq
   différences. Ensuite, chaque partenaire écrira
   un paragraphe qui présentera les idées discutées.

➠ Qu'est-ce qui est semblable, qu'est-ce qui est
   différent? Comment?

➠ Laquelle préférez-vous et pourquoi?

➠ Présentez vos idées à la classe.

Exemple : *Juliette et Roxane sortent
   sur le balcon.*

Vous voulez de l'aide?

Utilisez l'organigramme dans votre cahier pour vous aide

Je lis

Le goût des rondelles d'oignons

par Anne Marie Lecomte

Avant de lire

- Que représente la famille pour toi?
- Tes cousins/cousines, font-ils/elles parties de ta vie? À quel point?

Je n'ai ni frère ni sœur mais j'ai trois douzaines de cousins. Quand ma mère est morte, l'un d'eux a voulu me remettre une copie d'un enregistrement vidéo où elle apparaissait, filmé à l'occasion d'un mariage. Si je n'ai pas encore eu le courage de visionner cette cassette, en revanche, j'ai drôlement appris à connaître ce vidéaste amateur qui m'était jusque là presque inconnu! Un grand aux yeux très bleus, de 23 ans mon aîné. Au fil de notre correspondance par courriel, mon cousin m'a raconté qu'il avait connu ma mère jeune fille. À l'époque, elle travaillait à un comptoir de crème glacée et confectionnait, en cachette, des sundaes dégoulinants de caramel pour « Sonny ». C'est le surnom de mon cousin, qui était alors un petit gars en culottes courtes. Ma mère, une personnalité singulière, avait son franc-parler. Elle ne plaisait pas à tout le monde. Mais Sonny avait apprécié sa tante et il me la dépeignait sous un jour tendre. Il m'a fait un bien immense.

Certes, nous n'avons pas été élevés ensemble. Mais on vient pratiquement du même giron. Mon cousin et moi avons en commun un bagage d'expressions vernaculaires et colorées que nous ont transmises nos mères respectives, deux soeurs. Ce code nous rend complices. Un seul mot peut nous faire crouler de rire! Nous partageons aussi un goût marqué pour les hot-dogs toastés et les rondelles d'oignon. Un autre héritage familial qu'on perpétue ensemble, à la moindre occasion, le midi.

Mon cousin a grandi au temps où une noce, célébrée dans la paroisse de son quartier ouvrier, était un événement. Avec un de ses meilleurs copains, Sonny n'en ratait pas une, même s'ils n'étaient jamais invités. À la dernière minute, sur le parvis de l'église, ces chenapans se postaient discrètement aux derniers rangs des invités, cordés pour la traditionnelle photo. Clic! Un jour, la fille du dentiste (un notable) a convolé. Dans la rue, quelques semaines après la cérémonie, la jeune mariée a recon-nu l'un des innocents à moitié édentés qui grimaçaient sur son portrait. Elle s'est écriée :

« C'est lui! » Mon cousin a pris ses jambes à son cou!

Il est devenu mon frère, par défaut. Passer une semaine sans lui donner de nouvelles? Impensable. Raoul et mes enfants l'estiment. Chez nous, il dépose régulièrement des beignets. À coups de deux douzaines, pour ne pas causer la zizanie dans la fratrie...

« T'aurais pas oublié ma fête, par hasard?» lui a une fois reproché ma fille. Mon cousin était mortifié! Depuis, il me mandate pour acheter, en son nom, des cadeaux pour l'anniversaire de naissance de mes petits.

Dans ma famille et dans son cercle d'amis, Sonny a été le chroniqueur, le rassembleur, la bonne épaule, le conseiller, le partenaire de voyage, les bras pour un déménagement, le chauffeur pour une urgence et le photographe des grands événements. Ajoutez à tout ce monde l'entourage de sa femme qu'il surnomme affectueusement Rose, et vous avez un grand réseau.

Rose... Éprise de littérature, de peinture et de bonne bouffe. Des jambes effilées. Le foulard de soie assorti à ses bas. Et, toujours, le commentaire à propos.

En janvier, l'an dernier, elle est tombée malade. Tumeur au cerveau. Dans leur modeste maison, pleine des tableaux qu'ils avaient achetés au gré de leurs voyages, la vie de Sonny et Rose s'est détricotée. Le malheur : il n'y a pas d'autre mot. L'onde de choc a été ressentie dans tout le réseau de ces gens aimés par tant d'autres gens. Brel chantait : « Mais voir un ami pleurer... »
Mais voir son cousin pleurer.

Je comprends...

Réponds aux questions suivantes en phrases complètes.

1. Comment l'auteure nous présente-t-elle son cousin? Qu'en penses-tu?

2. Pourquoi « Sonny » devient-il si important pour elle et sa famille?

3. Quel rôle Sonny joue-t-il dans sa famille?

4. Quels traits de caractère son cousin a-t-il d'après toi?
   Lequel considères-tu le plus important et pourquoi?

5. Quels héritages familiaux partagent-ils?

6. Où vois-tu le sens de l'humour de l'auteure?

7. Que veut dire « s'est détricotée »? Quelle image l'auteure crée-t-elle?

8. Comment réagis-tu à ce commentaire : « Mais voir son cousin pleurer. »

Je mets en application

As-tu un cousin ou une cousine spécial(e)?

Décris cette personne à un ou une partenaire.

Si tu n'as pas de cousin(e) spécial(e), décris quelqu'un qui t'est aussi important qu'un membre de ta famille.

Je discute

1. À ton avis, lequel est plus important, l'amour romantique ou l'amour de famille?
   Explique ton choix.

2. À la fin de l'article, l'auteure parle de la mort d'une personne bien-aimée.
   À ton avis, que pourrait-elle faire pour aider son cousin à accepter cette perte?

Deux poèmes de Pierre de Ronsard (1524- 1585)

Avant de lire

- Que veut dire le mot *éphémère*? Cherche-le dans un bon dictionnaire. Ensuite, à deux, faites une liste de choses dans la vie qui sont éphémères. Comparez votre liste avec celle d'un autre groupe.

- Avez-vous mis l'*amour* sur votre liste de choses éphémères? Expliquez vos raisons.

- Que signifie *Carpe diem*? Donne un exemple qui s'appliquerait à ta vie.

Pierre de Ronsard est né au château de la *Possonnière* dans le Vendôme, en France, en 1524. Il était de vieille famille noble. À douze ans, il s'est attaché aux enfants de la famille royale. Il a même suivi Madeleine de France, reine d'Écosse et épouse de Jacques Stuart, en Écosse.

À quinze ans, le jeune page est devenu malentendant à cause d'une maladie et a dû changer ses projets. Il étudie les œuvres des poètes Horace et Virgile. Il adapte en français les Odes de Horace et s'est remis à l'étude des lettres classiques. Il est devenu le « prince des poètes » à la cour grâce à son lyrisme simple et gracieux et a obtenu des charges à la cour de France. Il est mort le 27 décembre 1587.

Oublié pendant deux siècles, ce sont les romantiques qui ont reconnu le génie de Ronsard et nous l'ont fait découvrir.

Sonnets pour Hélène II, xliii :
« Quand vous serez bien vieille »

Quand vous serez bien vieille, au soir, à la chandelle,
Assise auprès du feu, dévidant et filant,
Direz, chantant mes vers, en vous émerveillant :
« Ronsard me célébrait du temps que j'étais belle. »

Lors vous n'aurez servante oyant telle nouvelle,
Déjà sous le labeur à demi sommeillant,
Qui au bruit de Ronsard ne s'aille réveillant,
Bénissant votre nom de louange immortelle.

Je serai sous terre, et fantôme sans os,
Par les ombres myrteux je prendrai mon repos;
Vous serez au foyer une vieille accroupie,

Regrettant mon amour et votre fier dédain.
Vivez, si m'en croyez, n'attendez à demain,
Cueillez dès aujourd'hui les roses de la vie.

Mignonne, allons voir si la rose

À Cassandre

Mignonne, allons voir si la rose
Qui ce matin avait déclose
Sa robe de pourpre au Soleil,
A point perdu cette vêprée
Les plis de sa robe pourprée
Et son teint au vôtre pareil.

Las! voyez comme en peu d'espace,
Mignonne, elle a dessus la place
Las! las ses beautés laissé choir!
Ô vraiment marâtre Nature,
Puis qu'une telle fleur ne dure
Que du matin jusques au soir!

Donc, si vous me croyez, mignonne,
Tandis que votre âge fleuronne
En sa plus verte nouveauté,

Cueillez, cueillez votre jeunesse :
Comme à cette fleur la vieillesse
Fera ternir votre beauté.

Quand les roses

par Salvatore Adamo

Quand les roses fleurissaient,
sortaient les filles.
On voyait dans tous les jardins
danser les jupons.
Puis les roses se fanaient,
rentraient les filles
pour passer dans leur doux écrin
le temps des flocons.

C'était charmant, c'était charmant,
c'était charmant, le temps des roses,
quand on y pense, paupières closes.

Mais les roses d'aujourd'hui
sont artificielles,
et les filles vont cueillir des fleurs
été comme hiver.
Elles ne supportent plus l'ennui,
ces demoiselles.
Elles se griment le corps et le cœur
et vont prendre l'air.

Je comprends...

Réponds aux questions suivantes.

1. Fais un résumé de chaque poème avec tes propres mots.

2. Comment est Hélène au début du premier poème?
   Pourquoi Ronsard commence-t-il ainsi son poème?

3. Quelle relation établit-il entre le poète et sa muse (Hélène)?

4. Quelle vie prévoit-il pour la jeune fille?

5. Quel contraste vois-tu entre la jeune fille et le poète?

6. Selon le poète, quelles similarités y a-t-il entre la jeune fille et la rose?

7. Pourquoi le poète utilise-t-il la répétition?

8. Pourquoi a-t-on la nostalgie du temps passé dans la chanson d'Adamo?

J'approfondis

En groupes de 2 ou 3, discutez des questions suivantes.

- Pourquoi Ronsard a-t-il mis l'accent sur le symbole de la rose dans les deux poèmes? Que veut-il démontrer?

➠ A-t-il réussi d'après toi? Comment?

- Comment Salvatore Adamo utilise-t-il le même thème plus de cinq cents ans plus tard? Que penses-tu que cela nous prouve?

Je mets en application

A. Nomme des chansons que tu connais qui ont un thème semblable à celui des poèmes de Ronsard et de la chanson d'Adamo.

B. Choisis un des deux poèmes et récris-le avec tes propres mots.
   Modernise-le et ajoute ton propre point de vue.

C. En groupes, discutez de la question suivante : Est-ce vrai que l'amour est pour les jeunes et les beaux, comme les poètes le suggèrent? Si on ne trouve pas l'amour quand on est jeune, est-il possible de le trouver un jour?

➠ Présentez vos idées à vos camarades de classe.

Toi : Ronsard a raison. On aime les autres seulement quand ils ou elles sont jeunes et beaux.

Partenaire : Non, Ronsard a tort. Si on aime vraiment quelqu'un, on accepte les changements qui viennent avec l'âge.

J'observe!
Les expressions de temps : *voilà, depuis, il y a, ça fait*

Observe les phrases suivantes.

- Ronsard <u>est</u> mort **depuis** près de 500 ans.
- **Voilà** près de 500 ans que Ronsard <u>est</u> mort.
- **Il y a** près de 500 ans que Ronsard <u>est</u> mort.
- **Ça fait** près de 500 ans que Ronsard <u>est</u> mort.
- Ronsard <u>connaissait</u> Hélène **depuis** un an quand il a écrit le premier poème.
- **Voilà** un an que Ronsard <u>connaissait</u> Hélène quand il a écrit le premier poème.
- **Il y avait** un an que Ronsard <u>connaissait</u> Hélène quand il a écrit le premier poème.
- **Ça faisait** un an que Ronsard <u>connaissait</u> Hélène quand il a écrit le premier poème.

Réponds aux questions suivantes.

➡ Dans les quatre premiers exemples, quel est le temps du verbe souligné?

➡ Quand l'action a-t-elle commencé et à quel point dure-t-elle?

➡ Dans les quatre derniers exemples, l'action du verbe souligné continue-t-elle au présent? À quel moment cette action s'arrête-t-elle?

➡ Quel est le temps du verbe souligné dans les derniers exemples?

➡ Comment les expressions *il y a* et *ça fait* ont-elles changé?

Je pratique...

Réponds aux questions personnelles avec l'expression de temps correspondante.

Exemple : *Il y avait* combien de temps que tu connaissais Sonny?
    Il y avait quinze ans que **je connaissais** Sonny.

1. Depuis quand lis-tu des poèmes de Ronsard?

2. Ça fait combien d'années que tu vas à cette école secondaire?

3. Il y a combien de temps que tu connais ton/ta meilleur/e ami/e?

4. Depuis quand apprends-tu le français?

5. Il y avait combien d'heures que tu jouais du piano?

6. Ça fait combien de jours que tu travailles à ton projet d'anglais?

7. Il y avait déjà combien d'années que tu habitais à cette adresse?

8. Voilà combien de mois que tu es capitaine d'une équipe?

Observe les phrases suivantes.

- Ronsard a écrit ces poèmes il y a près de 500 ans.
- Cyrano de Bergerac est mort il y a près de 450 ans.

⟶ Quel est le temps du verbe souligné?

⟶ Est-ce que *il y a + l'expression de temps* nous donne la durée de l'action ou le moment ou l'action a eu lieu?

Je pratique...

Quand a-t-on inventé les objets suivants?
Utilise il y a + une expression de temps approximative.

Exemple : l'automobile

On a inventé l'automobile *il y a 120 ans.*

1. le téléphone

2. la télévision

3. le sous-marin

4. le cellulaire

5. le lave-vaisselle

6. l'avion

7. la raquette de tennis

8. la montre-bracelet

Tâche riche 3

Imagine que tu écris des articles pour le journal de ton école.
Ce mois-ci on t'a demandé d'écrire un article sur le thème de *Carpe diem*.

- Familiarise d'abord tes lecteurs avec les poèmes de Ronsard et d'Adamo dans lesquels ce thème réside. Explique les idées principales des trois poèmes.
- Discute du vocabulaire, des images et de la structure des poèmes.
- Finalement, donne ton opinion personnelle de chaque poème. Si tu connais d'autres poèmes ou d'autres chansons sur le même thème, mentionne-les.
- Écris entre 300 et 400 mots.

Tu veux de l'aide?

Utilise l'organigramme dans ton cahier.

Tâche finale

La table ronde des auteurs

Formez des groupes de trois. Chaque personne choisira le rôle d'un des auteurs que vous avez étudiés. Vous avez le choix des auteurs de cette unité ou des auteurs des autres unités dans votre Livre.

- Chaque auteur(e) se présentera, en donnant des renseignements biographiques.
- Il ou elle parlera en détail de l'œuvre qui se trouve dans ce livre,

➠ en donnant une description de l'œuvre et des personnages

➠ en expliquant son but en écrivant cette œuvre

➠ en évaluant le succès de cette œuvre

- L'auteur(e) répondra à des questions posées par les autres membres du groupe, par les membres de la classe, ou par l'enseignant(e). Les membres du groupe devraient écrire leurs questions pour l'auteur(e) et les lui donner avant la présentation afin qu'il ou elle ait le temps de préparer de bonnes réponses.

Je m'appelle Michel Tremblay. Je suis né en 1942 à Montréal. Mon père était ouvrier, comme la plupart des gens du quartier où habitait ma famille. Très jeune, j'ai quitté l'école pour travailler comme mon père. J'ai aussi commencé à écrire des contes et des pièces de théâtre. Ma mère m'avait encouragé à lire et, enfant, je dévorais les livres. Un roman qui a eu un grand effet sur moi était *Bonheur d'occasion* par Gabrielle Roy. C'était dans ce livre que j'ai reconnu mon monde, mon Montréal, mon peuple, ma langue et que je me suis rendu compte qu'il était possible d'écrire à propos de ce monde.

Mon premier grand succès a été la pièce de théâtre *Les belles-sœurs*. Dans cette pièce, j'ai dépeint un groupe de femmes de mon quartier, à Montréal. Une de ces femmes venait de gagner un million de timbres. Elle rêvait de complètement changer sa vie en achetant des choses grâce à ces timbres. Elle invite ses sœurs, sa belle-sœur et des voisines à coller les timbres dans les livrets. Elle ne se rend pas compte que les autres vont être jalouses de son bonheur ou qu'elles essaieront de détruire son bonheur en volant ses timbres. J'ai essayé de dépeindre ces femmes que je connaissais depuis toujours : leurs rêves, leurs chicanes et la réalité de leurs vies. Questions?

Q : Oui, monsieur Tremblay. Il n'y a que des femmes dans cette pièce. Pourquoi n'y avez-vous pas inclus d'hommes?

Vous savez, j'étais un petit enfant pendant la Deuxième Guerre mondiale et les hommes étaient partis à la guerre. Quand ils sont rentrés, ils étaient souvent absents… au travail pour la plupart. J'ai été élevé essentiellement par des femmes; je les écoutais, je les connaissais. Pour décrire les hommes, j'aurais dû écrire une pièce où les hommes du quartier s'installaient à la taverne ou au salon mortuaire pour parler politique. Cela ne m'intéressait guère.

Personne n'était plus surpris que moi du succès des *Belles-sœurs*. C'était un risque pour ceux qui ont accepté de la monter : après tout, les gens que je décrivais ne sont pas ceux qui vont au théâtre. Et il y a de ceux qui vont au théâtre qui ne veulent pas qu'on leur parle de leurs racines. Le gouvernement du Québec a refusé de subventionner la pièce lors d'un festival de théâtre à Paris. Ils ne voulaient pas que le reste du monde sache qu'il existait des gens comme Germaine Lauzon à Montréal! Mais *Les belles-sœurs* a été un grand succès. Il y avait assez de spectateurs qui pouvaient ressentir ce que j'essayais de dire. Pas seulement au Québec d'ailleurs… on a traduit la pièce dans plusieurs langues. J'en suis très fier de mes *Belles-sœurs*.

Structures langagières

Les pronoms relatifs

D'habitude le pronom relatif a un <u>antécédent</u> : le mot qui le précède et auquel le pronom se réfère.

Pronom	Fonction	Exemple
qui	sujet du verbe	Le garçon **qui** parle est mon ami.
qui	objet d'une préposition (une personne)	Le garçon **à qui** tu parles est mon ami. Le garçon **avec qui** Michèle sort est mon ami.
que	objet du verbe	Le garçon **que** tu cherches est mon ami.
dont	objet de la préposition *de* * après des prépositions comme *à côté de…*, *autour de…*, il faut employer une forme de *lequel*	Le garçon **dont** tu parles est mon ami.
lequel, laquelle, lesquels, lesquelles * à + lequel * à + lesquels * de + lequel de + lesquel(le)s	objet d'une préposition	Le stylo **avec lequel** j'écris est bleu. La maison **dans laquelle** il habite est grande. Le parc **à côté duquel** il habite est beau. Le restaurant **auquel** ils vont est français. Les gens **auxquels** il parle sont ses amis. Le livre **duquel** (ou **dont**) j'ai besoin n'est pas ici.
où	remplace une préposition + un lieu ou un temps	Le magasin **où** j'ai acheté ces chaussures est dans le centre commercial. J'étais absent le jour **où** Michel a présenté.

Quand le pronom relatif n'a pas d'antécédent, on trouve ce.

Pronom	Fonction	Exemple
ce qui	sujet du verbe	**Ce qui** m'intéresse, c'est les arts.
ce que	objet du verbe	**Ce que** je veux comme cadeau coûte cher.
ce dont	objet de la préposition *de*	La bibliothèque n'a pas **ce dont** nous avons besoin.

Les pronoms interrogatifs *lequel*, *laquelle*, *lesquels* et *lesquelles*

Lequel?	Remplace *quel* + un nom masculin singulier	Je cherche un logiciel. **Lequel?**
Laquelle?	Remplace *quelle* + un nom féminin singulier	Nous aimons cette professeure. **Laquelle?**
Lesquels?	Remplace *quels* + un nom masculin pluriel	Deux de nos joueurs sont excellents. **Lesquels?**
Lesquelles?	Remplace *quelles* + un nom féminin pluriel	Jean nous a montré des photos. **Lesquelles?**
Auquel? Auxquels? Auxquelles?	Combinaison de la préposition *à* et du pronom	**Auquel** de ces garçons a-t-elle parlé? **Auxquels** de ces restaurants vont-ils? **Auxquelles** des règles n'a-t-il pas obéi?
Duquel? Desquels? Desquelles?	Combinaison de la préposition *de* et du pronom	Voici des livres. **Duquel** as-tu besoin? Voici mes disques. **Desquels** as-tu envie? Voici ses lettres. **Desquelles** te souviens-tu?

Les pronoms possessifs

Ces pronoms indiquent le possesseur de quelque chose. La forme du pronom est basée sur la possession.

Possesseur	Possession : ms	Possession : fs	Possession : mp	Possession : fp
moi	le mien	la mienne	les miens	les miennes
toi	le tien	la tienne	les tiens	les tiennes
lui ou elle	le sien	la sienne	les siens	les siennes
nous	le nôtre	la nôtre	les nôtres	les nôtres
vous	le vôtre	la vôtre	les vôtres	les vôtres
eux ou elles	le leur	la leur	les leurs	les leurs

Le pronom *on* pour remplacer la voix passive

Voix passive	Voix active avec le pronom on
Le français est parlé ici.	On parle français ici.
La statue a été exposée en 1890.	On a exposé la statue en 1890.

Si l'agent n'est pas connu, le français utilise souvent le pronom "on" comme sujet du verbe.

L'anglais utilise souvent la construction passive.
En français, il est préférable de l'exprimer à la voix active.

Les expressions négatives

Groupe 1

+	–
	ne...pas
encore aujourd'hui maintenant	ne...plus
déjà	ne...pas encore
toujours quelquefois parfois de temps en temps tout le temps souvent sans cesse	ne...jamais
quelque chose tout qu'est-ce que/que?	ne...rien

Groupe 2

+	–
tout le monde tout quelqu'un qui	ne...personne
quelque(s) plusieurs	ne...aucun(e)
partout quelque part	ne...nulle part

1. On ne combine pas *ne... pas* avec une autre expression négative.

2. Les autres expressions peuvent être combinées dans l'ordre ci-dessus.

   Exemples : Je **n**'achète **jamais rien** dans ce magasin-là.
   Elle **ne** parle **plus** à **personne** de ce groupe.

3. Avec un temps composé, *ne* précède le verbe auxiliaire. Les expressions du premier groupe précèdent le participe passé. Celles du deuxième groupe suivent le participe passé.

   Exemples : Mon ami **n**'a **rien** acheté.
   Nous **n**'y avons vu **personne**.

   Cet ordre existe aussi quand il y a un verbe suivi d'un infinitif.

   Exemples : Mon ami **ne** veut **rien** acheter.
   Nous **ne** voulons voir **personne**.

4. Certaines expressions négatives peuvent se trouver au début de la phrase.

   Exemples : **Personne n**'a répondu au téléphone.
   Aucun soldat **n**'a vu Antigone.
   Rien ne l'arrêtera.

L'infinitif négatif

Groupe 1	Les mots négatifs précèdent l'infinitif.	Je leur ai demandé de **ne pas** attendre ici. Mon père m'a conseillé de **ne jamais** mentir.
Groupe 2	Les mots négatifs vont autour de l'infinitif.	Elle m'a demandé de **ne** parler à **personne**. Elle avait peur de **n**'y trouver **aucun** ami. Je leur ai dit de **n**'aller **nulle part** sans moi.

Peut-être et *Peut-être que*

- **Peut-être qu**'ils deviendront amis.
- Ils deviendront **peut-être** amis.
- Deviendront-ils amis? **Peut-être**.

Quand *peut-être* se trouve au début d'une phrase, il faut le suivre du mot *que*.

Les verbes de perception et le verbe *laisser*

Quand une phrase qui contient un verbe de perception (*regarder, voir, écouter, entendre, sentir*) ou *laisser* a deux actions, le deuxième verbe est un infinitif.

> Je <u>regarde</u> les danseurs <u>préparer</u> leur spectacle.
> Je **les** regarde préparer leur spectacle.

Au passé composé (et aux autres temps composés), le participe passé s'accorde avec le complément d'objet direct s'il s'agit de l'objet du verbe de perception et sujet de l'infinitif.

> J'ai entendu les enfants chanter.
> Je les ai entendus chanter.

Si l'objet direct est l'objet de l'infinitif, le participe ne s'accorde pas.

> J'ai entendu chanter cette chanson de Mozart.
> Je l'ai entendu chanter.

Le faire causatif

On utilise le *faire causatif* quand le sujet provoque l'action mais ne la fait pas.

Mme Loisel **a confectionné** une robe pour le bal.	C'est Mme Loisel qui fait l'action.
Mme Loisel **a fait confectionner** une robe pour le bal.	Mme Loisel a demandé à une autre personne de faire l'action.
Mme Loisel **l'a fait confectionner**.	Les pronoms objets sont placés devant le verbe *faire*. Le participe passé est invariable. Il n'y a pas d'accord.
Mme Loisel a fait confectionner sa robe **à une couturière**.	Quand on sait qui est l'agent (ici, *la couturière*), on l'introduit par la préposition *à*.
Le professeur a fait chanter la chanson **par les élèves**.	Si la préposition *à* cause de l'ambiguïté, on introduit l'agent par la préposition *par*. Ici, il est clair que les élèves chantent la chanson. Si on avait dit *aux élèves* il ne serait pas clair si les élèves chantaient ou écoutaient la chanson.

L'infinitif passé

On utilise l'infinitif passé comme l'infinitif, mais dans une situation où l'action de l'infinitif précède celle du verbe principal.

	Infinitif passé	Exemple
avoir	avoir donné	Nous regrettons de vous **avoir donné** cette mauvaise nouvelle.
être	être allé	J'ai remercié Hélène **d'être allée** au magasin avec moi. Le participe passé s'accorde avec le sujet.
verbe pronominal	s'être promené	Après **nous être promenés** au bord du lac, nous sommes rentrés au chalet. Le pronom réfléchi doit s'accorder avec le sujet. Le participe passé s'accorde avec le pronom réfléchi si celui-ci est l'objet direct de l'infinitif.

La seule forme de verbe qui suit la préposition *après* est l'infinitif passé.

La concordance des temps passés.

le passé composé	Une action complète au passé. Pense à une photo	Je suis allé à Vancouver. J'y suis resté une semaine.
L'imparfait	1. une action incomplète au passé	1. Je faisais mes devoirs quand le téléphone a sonné. (Je n'ai pas fini mes devoirs.)
	2. une action habituelle au passé	2. Elle regardait toujours un téléroman le lundi.
	3. une description au passé Pense à un film ou à une vidéo.	3. Le ciel était gris.
	4. discours indirect : le reportage d'une phrase au présent	4. Il a dit : « Je vais à l'école » Il a dit qu'il allait à l'école
Le plus-que-parfait	1. Une action complète au passé qui précède une autre action.	1. Quand tu m'as téléphoné j'avais déjà accepté une autre invitation.
	2. discours indirect : le reportage d'une phrase au passé	2. Elle a dit : « Je suis allée à l'école. » Elle a dit qu'elle était allée à l'école. Il faisait beau. On a dit qu'il avait fait beau.

Les expressions de temps

L'action continue au moment d'en parler.	Depuis Voilà Il y a + le présent Ça fait	Elle fait du ballet depuis cinq ans. Voilà cinq ans qu'elle fait du ballet. Il y a cinq ans qu'elle fait du ballet. Ça fait cinq ans qu'elle fait du ballet.
L'action est terminée au moment d'en parler	Depuis Voilà + l'imparfait Il y avait Ça faisait	Elle faisait du ballet depuis cinq ans quand elle est devenue une vedette. Voilà/Il y avait/Ça faisait cinq ans qu'elle faisait du ballet quand elle est devenue une vedette.

Le subjonctif

On utilise le subjonctif après des expressions qui expriment :

Le sentiment	Je suis heureux que tu ne sois pas partie.
La volonté	Elle veut que nous passions toute la soirée ici.
La permission	Elle accepte que nous prenions l'avion.
La peur	Je crains qu'ils se soient perdus en route.
L'ordre	Il faut que vous choisissiez un roman.

Tu trouveras une liste assez complète de ces expressions à la page 30 de ton Livre.

On utilise le subjonctif après les conjonctions suivantes :

afin que	Le professeur parle lentement afin que nous le comprenions.
à moins que... ne	Tu viendras avec nous à moins que tes parents ne soient contre ce voyage.
avant que... ne	J'aurai fini mes devoirs avant que tu ne viennes chez moi.
bien que	Elle va en classe bien qu'elle soit malade.
de crainte que... ne	Ils chuchotent de crainte que quelqu'un ne les entende.
de peur que... ne	Elles prennent un autre couloir de peur que Gérard ne les voie.
jusqu'à ce que	Tu resteras ici jusqu'à ce que tu finisses tes devoirs.
pour que	Je travaille beaucoup pour que ma famille ait tout ce qu'elle veut.
pourvu que	Je viendrai avec toi pourvu que je ne doive pas travailler.
sans que	Ils sont sortis de la maison sans que leurs parents le sachent.

Après les expressions *à moins que*, *avant que*, *de crainte que* et *de peur que*, on met le mot *ne* devant le verbe. Ce *ne* explétif ne donne pas de sens négatif.

N'utilise pas *jusqu'à ce que* après le verbe *attendre*; utilise simplement la conjonction *que*.

Attendez ici que le médecin soit libre.

Le passé du subjonctif

Formation :	le subjonctif du verbe auxiliaire avoir ou être + le participe passé.
	Je regrette qu'elle **ait perdu** son livre.
	Nous sommes heureux que nos cousins **soient arrivés**.
	J'ai peur qu'elle ne **se soit** pas **réveillée**.

On utilise le passé du subjonctif quand l'action au subjonctif précède l'action principale de la phrase.

Les règles pour l'accord du participe passé sont exactement comme celles du passé composé.

Les verbes réguliers

-er Infinitif Parler / Participe présent Parlant / Participe passé parlé	Présent	Futur simple	Imparfait	Présent du subjonctif que/qu'...	Temps composés
Infinitif Parler	je parle	je parlerai	je parlais	je parle	**1. Passé composé**
Participe présent Parlant	tu parles	tu parleras	tu parlais	tu parles	j'**ai** parlé
Participe passé parlé	il, elle parle	il parlera	il parlait	il parle	**2. Plus-que-par-fait**
	nous parlons	nous parlerons	nous parlions	nous parlions	j'**avais** parlé
	vous parlez	vous parlerez	vous parliez	vous parliez	**3. Futur antérieur**
	ils, elles parlent	ils parleront	ils parlaient	ils parlent	j'**aurai** parlé
		Conditionnel Je parlerais*			**4. Conditionnel passé**
		*Les termi-naisons du conditionnel sont les mêmes que celles de l'imparfait	**Passé simple** je parlai / tu parlas / il parla / nous parlâmes / vous parlâtes / ils parlèrent		j'**aurais** parlé
					5. Passé du subjonctif que j'**aie** parlé

-ir (1)	Présent	Futur simple	Imparfait	Présent du subjonctif que/qu'...	Temps composés
Infinitif finir	je finis	je finirai	je finissais	je finisse	**1. Passé composé** j'**ai** fini
Participe présent finissant	tu finis	tu finiras	tu finissais	tu finisses	**2. Plus-que-par-fait** j'**avais** fini
Participe passé fini	il, elle finit	il finira	il finissait	il finisse	**3. Futur antérieur** j'**aurai** fini
	nous finissons	nous finirons	nous finissions	nous finissions	**4. Conditionnel passé** j'**aurais** fini
	vous finissez	vous finirez	vous finissiez	vous finissiez	**5. Passé du subjonctif** que j'**aie** fini
	ils, elles finissent	ils finiront	ils finissaient	ils finissent	
		Conditionnel Je finirais	**Passé simple** je finis / tu finis / il finit / nous finîmes / vous finîtes / ils finirent		

-ir (2)	Présent	Futur simple	Imparfait	Présent du subjonctif que/qu'...	Temps composés
Infinitif dormir	je dors	je dormirai	je dormais	je dorme	**1. Passé composé** j'**ai** dormi
Participe présent dormant	tu dors	tu dormiras	tu dormais	tu dormes	**2. Plus-que-par-fait** j'**avais** dormi
Participe passé dormi	il, elle dort	il dormira	il dormait	il dorme	**3. Futur antérieur** j'**aurai** dormi
*aussi mentir, partir, sentir, servir, sortir	nous dormons	nous dormirons	nous dormions	nous dormions	**4. Conditionnel passé** j'**aurais** dormi
	vous dormez	vous dormirez	vous dormiez	vous dormiez	*partir et sortir prennent l'auxiliaire **être**
	ils, elles dorment	ils dormiront	ils dormaient	ils dorment	**5. Passé du sub-jonctif** que j'**aie** dormi / que je **sois** parti
		Conditionnel Je dormirais	**Passé simple** je dormis / tu dormis / il dormit / nous dormîmes / vous dormîtes / ils dormirent		

Les verbes réguliers

-re Infinitif vendre Participe présent vendant Participe passé vendu	Présent je vends tu vends il, elle vend nous vendons vous vendez ils, elles vendent	Futur simple je vendrai tu vendras il vendra nous vendrons vous vendrez ils vendront **Conditionnel** je vendrais	Imparfait je vendais tu vendais il vendait nous vendions vous vendiez ils vendaient **Passé simple** je vendis tu vendis il vendit nous vendîmes vous vendîtes ils vendirent	Présent du subjonctif que/qu'... je vende tu vendes il vende nous vendions vous vendiez ils vendent	Temps composés 1. Passé composé j'ai vendu 2. Plus-que-par-fait j'avais vendu 3. Futur antérieur j'aurai vendu 4. Conditionnel passé j'aurais vendu 5. Passé du subjonctif que j'aie vendu

Les verbes auxiliaires

avoir Participe présent ayant Participe passé eu	Présent j'ai tu as il, elle a nous avons vous avez ils, elles ont	Futur simple j'aurai tu auras il aura nous aurons vous aurez ils auront **Conditionnel** j'aurais	Imparfait j'avais tu avais il avait nous avions vous aviez ils avaient **Passé simple** j'eus tu eus il eut nous eûmes vous eûtes ils eurent	Présent du subjonctif que/qu'... j'aie tu aies il ait nous ayons vous ayez ils aient	Temps composés 1. Passé composé j'ai eu 2. Plus-que-par-fait j'avais eu 3. Futur antérieur j'aurai eu 4. Conditionnel passé j'aurais eu 5. Passé du subjonctif que j'aie eu
être Participe présent étant Participe passé été	Présent je suis tu es il, elle est nous sommes vous êtes ils, elles sont	Futur simple je serai tu seras il sera nous serons vous serez ils seront **Conditionnel** je serais	Imparfait j'étais tu étais il était nous étions vous étiez ils étaient **Passé simple** je fus tu fus il fut nous fûmes vous fûtes ils furent	Présent du subjonctif que/qu'... je sois tu sois il soit nous soyons vous soyez ils soient	Temps composés 1. Passé composé j'ai été 2. Plus-que-par-fait j'avais été 3. Futur antérieur j'aurai été 4. Conditionnel passé j'aurais été 5. Passé du subjonctif que j'aie été

Les verbes irréguliers

| aller
Participe présent
allant
Participe passé
allé | Présent
je **vais**
tu **vas**
il, elle **va**
nous all**ons**
vous allez
ils, elles **vont** | Futur simple
j'**irai**
tu **iras**
il **ira**
nous ir**ons**
vous irez
ils ir**ont**
Conditionnel
j'**irais** | Imparfait
j'allais
tu allais
il allait
nous allions
vous alliez
ils allaient

Passé simple
j'alla**i**
tu alla**s**
il alla
nous all**âmes**
vous all**âtes**
ils all**èrent** | Présent du subjonctif que/qu'...
j'**aille**
tu **ailles**
il **aille**
nous allions
vous alliez
ils **aillent** | Temps composés
1. Passé composé
je suis allé(e)
2. Plus-que-par-fait
j'étais allé(e)
3. Futur antérieur
je serai allé(e)
4. Conditionnel passé
je serais allé(e)
5. Passé du subjonctif
que je sois allé(e) |
| connaître
Participe présent
connaissant
Participe passé
connu | | | | | |

| boire
Participe présent
buvant
Participe passé
bu | Présent
je bois
tu bois
il, elle boit
nous bu**y**ons
vous bu**y**ez
ils, elles boi**v**ent | Futur simple
je boirai
tu boiras
il boira
nous boir**ons**
vous boirez
ils boir**ont**
Conditionnel
je boir**ais** | Imparfait
je buvais
tu buvais
il buvait
nous buvions
vous buviez
ils buvaient

Passé simple
je bus
tu bus
il but
nous b**ûmes**
vous b**ûtes**
ils b**urent** | Présent du subjonctif que/qu'...
je boive
tu boives
il boive
nous buvions
vous buviez
ils boivent | Temps composés
1. Passé composé
j'ai bu
2. Plus-que-par-fait
j'avais bu
3. Futur antérieur
j'aurai bu
4. Conditionnel passé
j'aurais bu
5. Passé du subjonctif
que j'aie bu |

| connaître
Participe présent
connaissant
Participe passé
connu | Présent
je connais
tu connais
il, elle connaî**t**
nous connaiss**ons**
vous connaissez
ils, elles connaissent | Futur simple
je connaîtrai
tu connaîtras
il connaîtra
nous connaîtr**ons**
vous connaîtrez
ils connaîtr**ont**
Conditionnel
je connaîtr**ais** | Imparfait
je connaissais
tu connaissais
il connaissait
nous connaissions
vous connaissiez
ils connaissaient

Passé simple
je connus
tu connus
il, elle connut
nous conn**ûmes**
vous conn**ûtes**
ils, elles conn**urent** | Présent du subjonctif que/qu'...
je connaisse
tu connaisses
il connaisse
nous connaissions
vous connaissiez
ils connaissent | Temps composés
1. Passé composé
j'ai connu
2. Plus-que-par-fait
j'avais connu
3. Futur antérieur
j'aurai connu
4. Conditionnel passé
j'aurais connu
5. Passé du subjonctif
que j'aie connu |

Les verbes irréguliers

croire Participe présent croyant Participe passé cru	Présent je crois tu crois il, elle croit nous croyons vous croyez ils, elles croient	Futur simple je croirai tu croiras il croira nous croirons vous croirez ils croiront **Conditionnel** je croirais	Imparfait je croyais tu croyais il croyait nous croyions vous croyiez ils croyaient **Passé simple** je crus tu crus il crut nous crûmes vous crûtes ils crurent	Présent du subjonctif que/qu'... je croie tu croies il croie nous croyions vous croyiez ils croient	Temps composés 1. Passé composé j'ai cru 2. Plus-que-parfait j'avais cru 3. Futur antérieur j'aurai cru 4. Conditionnel passé j'aurais cru 5. Passé du subjonctif que j'aie cru
devoir Participe présent devant Participe passé dû	Présent je dois tu dois il, elle doit nous devons vous devez ils, elles doivent	Futur simple je devrai tu devras il devra nous devrons vous devrez ils devront **Conditionnel** je devrais	Imparfait je devais tu devais il devait nous devions vous deviez ils devaient **Passé simple** je dus tu dus il dut nous dûmes vous dûtes ils durent	Présent du subjonctif que/qu'... je doive tu doives il doive nous devions vous deviez ils doivent	Temps composés 1. Passé composé j'ai dû 2. Plus-que-parfait j'avais dû 3. Futur antérieur j'aurai dû 4. Conditionnel passé j'aurais dû 5. Passé du subjonctif que j'aie dû
dire Participe présent disant Participe passé dit	Présent je dis tu dis il, elle dit nous disons vous dites ils, elles disent	Futur simple je dirai tu diras il dira nous dirons vous direz ils diront **Conditionnel** je dirais	Imparfait je disais tu disais il disait nous disions vous disiez ils disaient **Passé simple** je dis tu dis il dit nous dîmes vous dîtes ils dirent	Présent du subjonctif que/qu'... je dise tu dises il dise nous disions vous disiez ils disent	Temps composés 1. Passé composé j'ai dit 2. Plus-que-parfait j'avais dit 3. Futur antérieur j'aurai dit 4. Conditionnel passé j'aurais dit 5. Passé du subjonctif que j'aie dit

Les verbes irréguliers

écrire	Présent	Futur simple	Imparfait	Présent du subjonctif que/qu'...	Temps composés
Participe présent écrivant **Participe passé** écrit	j'écris tu écris il, elle écrit nous écrivons vous écrivez ils, elles écrivent	je écrirai tu écriras il écrira nous écrirons vous écrirez ils écriront **Conditionnel** j'écrirais	j'écrivais tu écrivais il écrivait nous écrivions vous écriviez ils écrivaient **Passé simple** j'écrivis tu écrivis il écrivit nous écrivîmes vous écrivîtes ils écrivirent	j'écrive tu écrives il écrive nous écrivions vous écriviez ils écrivent	1. Passé composé j'ai écrit 2. Plus-que-parfait j'avais écrit 3. Futur antérieur j'aurai écrit 4. Conditionnel passé j'aurais écrit 5. Passé du subjonctif que j'aie écrit
envoyer	Présent	Futur simple	Imparfait	Présent du subjonctif que/qu'...	Temps composés
Participe présent envoyant **Participe passé** envoyé	j'envoie tu envoies il, elle envoie nous envoyons vous envoyez ils, elles envoient	j'enverrai tu enverras il enverra nous enverrons vous enverrez ils enverront **Conditionnel** j'enverrais	j'envoyais tu envoyais il envoyait nous envoyions vous envoyiez ils envoyaient **Passé simple** j'envoyai tu envoyas il envoya nous envoyâmes vous envoyâtes ils envoyèrent	j'envoie tu envoies il envoie nous envoyions vous envoyiez ils envoient	1. Passé composé j'ai envoyé 2. Plus-que-parfait j'avais envoyé 3. Futur antérieur j'aurai envoyé 4. Conditionnel passé j'aurais envoyé 5. Passé du subjonctif que j'aie envoyé
faire	Présent	Futur simple	Imparfait	Présent du subjonctif que/qu'...	Temps composés
Participe présent faisant **Participe passé** fait	je fais tu fais il, elle fait nous faisons vous faites ils, elles font	je ferai tu feras il fera nous ferons vous ferez ils feront **Conditionnel** je ferais	je faisais tu faisais il faisait nous faisions vous faisiez ils faisaient **Passé simple** je fis tu fis il fit nous fîmes vous fîtes ils firent	je fasse tu fasses il fasse nous fassions vous fassiez ils fassent	1. Passé composé j'ai fait 2. Plus-que-parfait j'avais fait 3. Futur antérieur j'aurai fait 4. Conditionnel passé j'aurais fait 5. Passé du subjonctif que j'aie fait

Les verbes irréguliers

lire Participe présent lisant Participe passé lu	Présent je lis tu lis il, elle lit nous lisons vous lisez ils, elles lisent	Futur simple je lirai tu liras il lira nous lirons vous lirez ils liront Conditionnel je lirais	Imparfait je lisais tu lisais il lisait nous lisions vous lisiez ils lisaient Passé simple je lus tu lus il lut nous lûmes vous lûtes ils lurent	Présent du subjonctif que/qu'… je lise tu lises il lise nous lisions vous lisiez ils lisent	Temps composés 1. Passé composé j'ai lu 2. Plus-que-par-fait j'avais lu 3. Futur antérieur j'aurai lu 4. Conditionnel passé j'aurais lu 5. Passé du subjonctif que j'aie lu
mettre Participe présent mettant Participe passé mis	Présent je mets tu mets il, elle met nous mettons vous mettez ils, elles mettent	Futur simple je mettrai tu mettras il mettra nous mettrons vous mettrez ils mettront Conditionnel je mettrais	Imparfait je mettais tu mettais il mettait nous mettions vous mettiez ils mettaient Passé simple je mis tu mis il mit nous mîmes vous mîtes ils mirent	Présent du subjonctif que/qu'… je mette tu mettes il mette nous mettions vous mettiez ils mettent	Temps composés 1. Passé composé j'ai mis 2. Plus-que-par-fait j'avais mis 3. Futur antérieur j'aurai mis 4. Conditionnel passé j'aurais mis 5. Passé du subjonctif que j'aie mis
mourir Participe présent mourant Participe passé mort	Présent je meurs tu meurs il, elle meurt nous mourons vous mourez ils, elles meurent	Futur simple je mourrai tu mourras il mourra nous mourrons vous mourrez ils mourront Conditionnel je mourrais	Imparfait je mourais tu mourais il mourait nous mourions vous mouriez ils mouraient Passé simple je mourus tu mourus il mourut nous mourûmes vous mourûtes ils moururent	Présent du subjonctif que/qu'… je meure tu meures il meure nous mourions vous mouriez ils meurent	Temps composés 1. Passé composé je suis mort(e) 2. Plus-que-par-fait j'étais mort(e) 3. Futur antérieur je serai mort(e) 4. Conditionnel passé je serais mort(e) 5. Passé du subjonctif que je sois mort(e)

Les verbes irréguliers

ouvrir Participe présent ouvrant Participe passé ouvert	**Présent** j'ouvre tu ouvres il, elle ouvre nous ouvrons vous ouvrez ils, elles ouvrent	**Futur simple** j'ouvrirai tu ouvriras il ouvrira nous ouvrirons vous ouvrirez ils ouvriront **Conditionnel** j'ouvrirais	**Imparfait** j'ouvrais tu ouvrais il ouvrait nous ouvrions vous ouvriez ils ouvraient **Passé simple** j'ouvris tu ouvris il ouvrit nous ouvrîmes vous ouvrîtes ils ouvrirent	**Présent du subjonctif** que/qu'... j'ouvre tu ouvres il ouvre nous ouvrions vous ouvriez ils ouvrent	**Temps composés** 1. Passé composé j'ai ouvert 2. Plus-que-parfait j'avais ouvert 3. Futur antérieur j'aurai ouvert 4. Conditionnel passé j'aurais ouvert 5. Passé du subjonctif que j'aie ouvert
peindre Participe présent peignant Participe passé peint	**Présent** je peins tu peins il, elle peint nous peignons vous peignez ils peignent	**Futur simple** je peindrai tu peindras il peindra nous peindrons vous peindrez ils peindront **Conditionnel** je peindrais	**Imparfait** je peignais tu peignais il peignait nous peignions vous peigniez ils peignaient **Passé simple** je peignis tu peignis il peignit nous peignîmes vous peignîtes ils peignirent	**Présent du subjonctif** que/qu'... je peigne tu peignes il peigne nous peignions vous peigniez ils peignent	**Temps Composés** 1. Passé composé j'ai peint 2. Plus-que-parfait j'avais peint 3. Futur antérieur j'aurai peint 4. Conditionnel passé j'aurais peint 5. Passé du subjonctif que j'aie peint
pouvoir Participe présent pouvant Participe passé pu	**Présent** je peux tu peux il, elle peut nous pouvons vous pouvez ils, elles peuvent	**Futur simple** je pourrai tu pourras il pourra nous pourrons vous pourrez ils pourront **Conditionnel** je pourrais	**Imparfait** je pouvais tu pouvais il pouvait nous pouvions vous pouviez ils pouvaient **Passé simple** je pus tu pus il put nous pûmes vous pûtes ils purent	**Présent du subjonctif** que/qu'... je puisse tu puisses il puisse nous puissions vous puissiez ils puissent	**Temps composés** 1. Passé composé j'ai pu 2. Plus-que-parfait j'avais pu 3. Futur antérieur j'aurai pu 4. Conditionnel passé j'aurais pu 5. Passé du subjonctif que j'aie pu

Les verbes irréguliers

prendre Participe présent prenant Participe passé pris	Présent je prends tu prends il, elle prend nous prenons vous prenez ils, elles prennent	Futur simple je prendrai tu prendras il prendra nous prendrons vous prendrez ils prendront **Conditionnel** je prendrais	Imparfait je prenais tu prenais il prenait nous prenions vous preniez ils prenaient **Passé simple** je pris tu pris il prit nous prîmes vous prîtes ils prirent	Présent du subjonctif que/qu'... je prenne tu prennes il prenne nous prenions vous preniez ils prennent	Temps composés 1. Passé composé j'ai pris 2. Plus-que-par-fait j'avais pris 3. Futur antérieur j'aurai pris 4. Conditionnel passé j'aurais pris 5. Passé du subjonctif que j'aie pris
recevoir Participe présent recevant Participe passé reçu	Présent je reçois tu reçois il, elle reçoit nous recevons vous recevez ils, elles reçoivent	Futur simple je recevrai tu recevras il recevra nous recevrons vous recevrez ils recevront **Conditionnel** je recevrais	Imparfait je recevais tu recevais il recevait nous recevions vous receviez ils recevaient **Passé simple** je reçus tu reçus il, elle reçut nous reçûmes vous reçûtes ils, elles reçurent	Présent du subjonctif que/qu'... je reçoive tu reçoives il reçoive nous recevions vous receviez ils reçoivent	Temps composés 1. Passé composé j'ai reçu 2. Plus-que-par-fait j'avais reçu 3. Futur antérieur j'aurai reçu 4. Conditionnel passé j'aurais reçu 5. Passé du subjonctif que j'aie reçu
savoir Participe présent sachant Participe passé su	Présent je sais tu sais il, elle sait nous savons vous savez ils, elles savent	Futur simple je saurai tu sauras il saura nous saurons vous saurez ils sauront **Conditionnel** je saurais	Imparfait je savais tu savais il savait nous savions vous saviez ils savaient **Passé simple** je sus tu sus il, elle sut nous sûmes vous sûtes ils, elles surent	Présent du subjonctif que/qu'... je sache tu saches il sache nous sachions vous sachiez ils sachent	Temps composés 1. Passé composé j'ai su 2. Plus-que-par-fait j'avais su 3. Futur antérieur j'aurai su 4. Conditionnel passé j'aurais su 5. Passé du subjonctif que j'aie su

Les verbes irréguliers

venir Participe présent venant Participe passé venu	Présent je viens tu viens il, elle vient nous venons vous venez ils, elles viennent	Futur simple je viendrai tu viendras il viendra nous viendrons vous viendrez ils viendront **Conditionnel** je viendrais	Imparfait je venais tu venais il venait nous venions vous veniez ils venaient **Passé simple** je vins tu vins il, elle vint nous vînmes vous vîntes ils, elles vinrent	Présent du subjonctif que/qu'... je vienne tu viennes il vienne nous venions vous veniez ils viennent	Temps composés 1. Passé composé je suis venu(e) 2. Plus-que-par-fait j'étais venu(e) 3. Futur antérieur je serai venu(e) 4. Conditionnel passé je serais venu(e) 5. Passé du subjonctif que je sois venu(e)
vivre Participe présent vivant Participe passé vécu	Présent je vis tu vis il, elle vit nous vivons vous vivez ils, elles vivent	Futur simple je vivrai tu vivras il vivra nous vivrons vous vivrez ils vivront **Conditionnel** je vivrais	Imparfait je vivais tu vivais il vivait nous vivions vous viviez ils vivaient **Passé simple** je vécus tu vécus il, elle vécut nous vécûmes vous vécûtes ils, elles vécurent	Présent du subjonctif que/qu'... je vive tu vives il vive nous vivions vous viviez ils vivent	Temps composés 1. Passé composé j'ai vécu 2. Plus-que-par-fait j'avais vécu 3. Futur antérieur j'aurai vécu 4. Conditionnel passé j'aurais vécu 5. Passé du subjonctif que j'aie vécu
voir Participe présent voyant Participe passé vu	Présent je vois tu vois il, elle voit nous voyons vous voyez ils, elles voient	Futur simple je verrai tu verras il verra nous verrons vous verrez ils verront **Conditionnel** je verrais	Imparfait je voyais tu voyais il voyait nous voyions vous voyiez ils voyaient **Passé simple** je vis tu vis il, elle vit nous vîmes vous vîtes ils, elles virent	Présent du subjonctif que/qu'... je voie tu voies il voie nous voyions vous voyiez ils voient	Temps composés 1. Passé composé j'ai vu 2. Plus-que-par-fait j'avais vu 3. Futur antérieur j'aurai vu 4. Conditionnel passé j'aurais vu 5. Passé du subjonctif que j'aie vu

vouloir Participe présent voulant Participe passé voulu	Présent je veux tu veux il, elle veut nous voulons vous voulez ils, elles veulent	Futur simple je voudrai tu voudras il voudra nous voudrons vous voudrez ils voudront Conditionnel je voudrais	Imparfait je voulais tu voulais il voulait nous voulions vous vouliez ils voulaient Passé simple je voulus tu voulus il voulut nous voulûmes vous voulûtes ils voulurent	Présent du subjonctif que/qu'... je veuille tu veuilles il veuille nous voulions vous vouliez ils veuillent	Temps composés 1. Passé composé j'ai voulu 2. Plus-que-par-fait j'avais voulu 3. Futur antérieur j'aurai voulu 4. Conditionnel passé j'aurais voulu 5. Passé du subjonctif que j'aie voulu

Lexique

nm : nom masculin
nf : nom féminin
pl : pluriel
pron : pronom

adj : adjectif
adv : adverbe
v : verbe
pp : participe passé

prép : préposition
conj : conjonction
interj : interjection
abr : abréviation

pop : langue populaire /informelle

a

abattre	v	to kill
s' abattre	v	to crash down
abattu, abattue	adj	exhausted
l' abeille	nf	bee
l' abîme	nf	abyss
aboutir	v	to succeed
s' abreuver	v	to drink
l' abri	nm	shelter
l' absolution	nf	pardon
absous (du verbe "absoudre")	p.p.	pardoned
abstrait, abstraite	adj	abstract
l' accablement	nm	depression
accentuer	v	to accentuate
l' accès	nm	access
l' accord	nm	agreement
accorder	v	to tune
accoudé, accoudée	adj	with his or her elbows resting
accrocher	v	to hang up
accroupi, accroupie	adj	crouching
l' accueil	nm	welcome, greeting
accueillir	v	to welcome
achevé, achevée	adj	complete, finished
acquérir	v	to acquire
acquis: prendre pour acquis	expr	to take for granted
actuel, actuelle	adj	current
l' adjoint, adjointe	nmf; adj	assistant
aérer	v	to air
les affaires	nfpl	belongings
affaires: plein d'affaires	expr	lots of things
l' affiche	nf	poster, billboard
affirmer	v	to state
l' afflux	nm	influx
affolé, affolée	adj	panic-stricken; mad
affreux, affreuse	adj	terrible
affronter	v	to confront
affût: à l'affût de	expr	on the look-out
afin de	prép	in order to
afin que	conj	in order that
agacé, agacée	adj	annoyed
s' agenouiller	v	to kneel
l' agent d'assurances	nm	insurance agent
agir	v	to act
s' agir de	v	to be a question of
agresser	v	to attack
l' agresseur	nm	bully
s' agripper à	v	to cling to
aigu, aigüe	adj	sharp
l' aile	nf	wing
ailleurs	adv	elsewhere
d' ailleurs	adv	besides
aimer mieux	v	to prefer
aîné, aînée	adj	older
ainsi	adv	thus

ainsi que	conj	as well as
aisé, aisée	adj	comfortable; well-off economically
aise: à l'aise	expr	comfortable
ajouter	v	to add
l' alchimie	nf	alchemy
allemand, allemande	adj	German
aller: s'en aller	v	to go away
allumer	v	to light
l' alouette	nf	lark
altruiste	adj	one who thinks of others or gives charitably to others
amasser	v	to put together
l' amateur d'art	nm	art lover
l' ambiance	nf	atmosphere
l' âme	nf	soul
améliorer	v	to improve
l' amende	nf	fine
amener	v	to bring someone
amer, amère	adj	bitter
amiable; à l'amiable	expr	amicable
l' amitié	nf	friendship
ancré, ancrée	adj	anchored
l' ange	nm	angel
l' angoisse	nf	anguish
l' animateur, animatrice	nmf	host of a program
s' animer	v	to come to life
s' apercevoir	v	to notice
l' appareil	nm	telephone
apparemment	adv	apparently
appartenir	v	to belong
l' appel	nm	call
apposer	v	to apply
l' apprentissage	nm	studies; apprenticeship
appuyer	v	to emphasize, to stress; to support
l' aquarelle	nf	watercolour
l' arbouse	nf	berry
l' argenterie	nf	silverware
l' argile	nf	clay
l' arme à feu	nf	firearm, gun
l' armoire à glace	nf	wardrobe with a mirror
l' armoire à médicaments	nf	medicine cabinet
l' armure	nf	armour
arpenter	v	to walk back and forth
arracher	v	to pull out
arrière: à l'arrière	adv	in back
l' asile d'aliénés	nm	mental hospital
l' asile psychiatrique	nm	psychiatric institution
asperger	v	to sprinkle
aspiré, aspirée	adj	sucked up
s' asseoir	v	to sit down
assidûment	adv	faithfully
s' assombrir	v	to grow dark
assommer	v	to knock out
assorti, assortie	adj	matching

	assoupi, assoupie	adj	made sleepy
s'	assoupir	v	to become drowsy
l'	astre	nm	star
l'	atelier	nm	workshop
	atteindre	v	to reach, to attain
s'	atteler	v	to get down to work
s'	attendre à ce que	v	to expect
	attendrissant, attendrissante	adj	touching
	atterré, atterrée	adj	shattered
l'	attirail	nm	paraphernalia
	attirer	v	to attract
	attraper froid	expr	to catch cold
l'	aubépine	nm	hawthorn
l'	aubergine	nf	eggplant
	aucun, aucune: ne… aucun/aucune	expr	not one, no
	audacieux, audacieuse	adj	daring
l'	auditeur, auditrice	nmf	listener
	augmenté, augmentée	adj	increased
	augmenter	v	to increase
	auparavant	adv	before, first, earlier
	auprès de	prép	with, beside
	aussi	adv	therefore (at beginning of sentence)
	aussitôt	adv	right away
	autoritaire	adj	authoritarian
	autour de	prép	around
	autrefois	adv	in the past
	autrui	pron	another person
	avaler	v	to swallow
	avant que	conj	before
l'	avenir	nm	future
l'	aveu	nm	confession
	aveugle	adj	blind
s'	aveugler	v	to blind oneself
	avidement	adv	greedily
l'	avis	nm	notice; opinion
	avis: changer d'avis	expr	to change one's mind
	aviser	v	to think about
l'	avocat, avocate	nmf	lawyer
	avoir: Qu'as-tu?	expr	What's the matter?
s'	avouer	v	to confess
	avouer		to confess, to state
l'	azur	nm	sky (poetic)

b

	bâcler	v	to skip over
le	badinage	nm	banter
la	baffe	nf	punch, slap
	bafoué, bafouée	adj	ridiculed
la	baignade	nf	swimming
se	baigner	v	to go swimming
la	baignoire	nf	bathtub
le	bain	nm	bath
le	bain tombeau	nm	bathtub (Canada)
le	baiser	nm	kiss
	baissé, baissée	adj	lowered
	baisser	v	to lower
se	baisser	v	to bend down
le	bal	nm	dance
la	balance	nf	scale
	balancer	v	to hesitate
	balbutier	v	to stammer
le	balcon	nm	balcony
le	balustre	nm	baluster
	banal, banale	adj	ordinary

le	banc	nm	bench
le	banco	nm	clay brick
	bandoulière: en bandoulière	expr	slung across the shoulder
la	banlieue	nf	suburbs
	banqueter	v	to feast
la	banquette	nf	bench
la	baraque	nf	cabin
le	barbelé	nm	barbed wire
le	barbiturique	nm	barbiturate
le	barbouillis	nm	scribbling
la	barcelonnette	nf	swinging cradle
la	barre	nf	sandbar, ridge
le	barreau	nm	bar
le	bas	nm	stocking
	bas, basse	adj	low
la	basse-classe	nf	lower class
la	bataille	nf	battle
le	bâton de baseball	nm	bat
se	battre	v	to fight
	battre	v	to beat
le	baudrier	nm	shoulder belt
	baver	v	to drool
le	bec	nm	beak
	bégayer	v	to stammer
le	béhavioriste	nm	behavioural scientist
le	beignet	nm	donut
	bêler	v	to bleat
la	belle-sœur	nf	sister-in-law, step-sister
	bénir	v	to bless
le	berceau	nm	cradle
	bercer	v	to cradle
la	besogne	nf	work
la	bête	nf	animal
le	béton	nm	concrete
le	bibelot	nm	knick-knack
	bien que	conj	although
le	bijou	nm	jewel
le	bijoutier	nm	jeweller
le	billet	nm	promissory note
le	billet doux	nm	love letter
la	biscotte	nf	rusk (hard biscuit)
le	bitume	nm	asphalt
	blâmer	v	to accuse
la	blancheur	nf	whiteness
	blanchir	v	to whiten, to bleach
	blessant, blessante	adj	hurtful
	blesser	v	to wound
la	blessure	nf	wound
le	bleu	nm	bruise
	bleuâtre	adj	blueish
le	bloc	nm	block
le	blogue	m	blog
le	blouson à manches	nm	long-sleeved jacket
la	bohème: la vie de bohème	nf	bohemian/ unconventional life
la	boîte	nf	box
	bomber; peindre à la bombe	v;expr	to spray paint
	bondir	v	to leap
	bondissant, bondissante	adj	bounding
le	bonheur	nm	happiness
la	bonne	nf	maid
le	bord	nm	edge; side (of a question)
	bordure: en bordure de	expr	along the side of
la	bottine	nf	ankle-high boot
le	boubou	nm	long flowing shirt
le	boucher	nm	butcher

se boucher le nez	v	to hold one's nose
la bouffe	nf, pop	food
bouger	v	to move
la bougie	nf	candle
bouillonner	v	to boil, to bubble
boule: en boule	expr	upset
bouleversé, bouleversée	adj	stunned
la bourgeoisie	nf	middle class
le bourreau	nm	executioner
la bourse	nf	scholarship
le bout	nm	end; small piece
les boutons	nmpl	acne
brailler	v	to howl
le bredouillage	nm	mumbling
bref, brève	adj	brief
breton, bretonne	adj	from Brittany
briller	v	to shine
la brise	nf	breeze
briser	v	to break
la broche	nf	brooch
brodé, brodée	adj	embroidered
broder	v	to embroider
le brouillard	nm	fog
le brouillon	nm	first draft
le bruit	nm	noise
la brume	nf	mist
brusquement	adv	sharply, suddenly
le buisson	nm	hedge
le buste	nf	upper body
le but; à but non-lucratif	nm; expr	goal; non-profit
le butin	nm	loot

C

le câble	nm	cable TV
cacher	v	to hide something
se cacher	v	to hide oneself
cacheter	v	to seal
cachette: en cachette	xpr	in secret
le cadavre	nm	dead body
le cade	nm	juniper (tree in Provence)
cadet, cadette	adj	younger, youngest
le cadre; dans le cadre de	nm	setting; picture frame; within the scope of
le caillou	nm	pebble
la caisse	nf	cardboard box
la caissière	nf	cashier
le calcul	nm	arithmetic
le calorifère	nm	stove
la calotte	nf	type of hat
calqué, calquée	adj	copied exactly
la camaraderie	nf	comradeship
caméléoniser	v	to change, to adapt
la canne	nf	cane
le canneçon	nm	underwear
capitonné, capitonnée	adj	lined, padded
captiver	v	to seize the interest of
le capucin	nm	type of monk
le car	nm	bus (non-municipal}
car	conj	because
la carène	nf	lower part of a ship's hull
le carnassier	nm	carnivore
le carnet	nm	notebook
le carquois	nm	quiver (for arrows)
le carrosse	nm	horse-drawn carriage
le carton	nm	cardboard

le casier judiciaire	nm	police record
casqué, casquée	adj	wearing a helmet
la casquette	nf	cap
cassé, cassée	adj	broken
la casserole	nf	pot
les castagnettes	nfpl	castanets
catholique	adj	Catholic; proper
cause: à cause de	prép	because of
la causerie	nf	conversation, gossip
céder	v	to yield
célibataire	adj	single, unmarried; celibate
le cellulaire	nm	cell phone
le cendrier	nm	ashtray
le cercueil	nm	coffin
cerner	v	to define
certes	adv	certainly
le cerveau	nm	brain
le chacal	nm	jackal
le chagrin	nm	sorrow, displeasure
chahuter	v	to make a lot of noise
la chair	nf	flesh
la chaise roulante	nf	wheelchair
le chalet	nm	cottage
la chaleur	nf	heat
chambrer	v	to rent a room
le chameau	nm	camel
le champ	nm	field
chandelle: à la chandelle	expr	by candlelight
le changement	nm	change
le chantage	nm	blackmail
chantonner	v	to hum
le chapelet	nm	necklace, rosary
la chapelle	nf	chapel
la charité	nf	charity
le chas d'une aiguille	nm	the eye of a needle
la chasse	nf	hunting
le chassé	nm	chassé (ballet step)
le chasseur	m	hunter
le chasseur alpin	nm	mountain infantryman
le château	nm	castle
le château d'If	nm	castle near Marseille, made famous in the novel Monte-Cristo
le chaudron	nm	large pot
la chaussée	nf	roadway
la chaussure	nf	shoe, footwear
le chef d'accusation	nm	charge
le chef-d'œuvre	nm	masterpiece
le chemin	nm	road
la cheminée	nf	chimney
le chenapan	nm	rascal
le chêne	nm	oak
cher; ne pas donner cher	adj, expr	dear; not to value
le chevalier	nm	knight
la chevelure	nf	hair
la chicane	nf (pop)	fight, quarrel
se chicaner	v	to fight
chiffonner	v	to crumple
chinois, chinoise	adj	Chinese
le choc	nm	shock
chœur: en chœur	expr	singing together
choir	v	to fall
choisir	v	to choose
le choix	nm	choice
le chômeur	nm	unemployed person
choquant, choquante	adj	shocking
le, la choriste	mf	member of a chorus

chouette	adj: pop	great
le, la chrétien, chrétienne	nmf	Christian
le chroniqueur	nm	historian
chuchoter	v	to whisper
la chute	nf	waterfall
le ciboire	nm	ciborium: vessel containing the communion wafers
le ciel	nm	sky
le, la cinéaste	nmf	film maker
le cirque	nm	circus
le ciseau	nm	chisel
la citation	nf	a quotation
citer	v	to quote
le, la citoyen, citoyenne	nmf	citizen
le clair de lune	nm	moonlight
le claquement	nm	slamming
claquer	v	to slam
la clarté	nf	light
le classisme	nm	prejudice, based on social class
la clé; un événement clé	nf; expr	key; a major event
le clin d'œil	nm	wink
la cloche	nf	bell
le cobaye	nm	guinea pig
la cocarde	nf	official sticker
le cocher	nm	cab driver, coachman
le cochon	nm	pig
le cœur	nm	heart
le coffret	nm	box
le, la cofondateur, cofondatrice	nmf	co-founder
se coiffer	v	to do one's hair
le coin	nm	corner
se coincer	v	to get stuck
coincer	v	to catch
la colère	nf	anger, rage
le collabo	nm	collaborator with the enemy
collaborer	v	to cooperate
le collège	nm	secondary school, grades 6-12 (France)
coller	v	to glue
le collier	nm	necklace
le collier à perles	nm	string of pearls
la colline	nf	hill
la colo	nm, pop	camp
la colonie de vacances	nf	holiday camp
la colonne	nf	column
comble: pour comble	expr	to top it all
la commande	nf	order
le commanditaire	nm	sponsor
la commandite	nf	financing, sponsorship
le commerçant	nm	store owner, trader
le commis	m	clerk
commode	dj	convenient
la communauté	nf	community
le, la communiant, communiante	nmf	a person taking communion
le commutateur	nm	light switch
compatissant, compatissante	adj	compassionate
compenser	v	to compensate
le complet	nm	suit
le, la complice	nmf	accomplice
le comportement	nm	behaviour
se comporter	v	to behave
le comprimé	nm	pill
se compromettre	v	to compromise oneself

le comptable	nm	accountant
le compte	nm	account
compter		to count; to score
le comptoir	nm	counter
concevoir (p.p. conçu)	v	to conceive, to think up
le concours	nm	contest
concrétiser	v	to solidify
concupiscent, concupiscente	adj	amorous
confectionner	v	to make
conférer	v	to grant
la confiance	f	trust
confier	v	to confide
la confiture	nf	jam
le conflit	m	fight, quarrel, conflict
confus, confuse	adj	confused
congédier	v	to dismiss
le, la conjoint, conjointe	nmf	partner
conjugal, conjugale	adj	married
la connaissance	nf	acquaintance
la connerie	nf	stupidity
la conquête	nf	conquest
consacrer	v	dedicate
se consacrer	v	to dedicate oneself
le conseil	nm	piece of advice
conseiller	v	to advise
le conseilleur	m	counsellor, adviser
le conservateur	nm	curator
conserver	v	to preserve
constamment	adv	constantly
constater	v	to point out
le conte	nm	short story
le conte de fées	nm	fairy tale
contemporain, contemporaine	adj	contemporary
le contour	nm	shape
contraindre	v	to stop, to restrain
contrarier	v	to annoy
contre; par contre	prép; expr	against; on the other hand
contredire	v	to contradict
le contrôleur	nm	conductor (train)
convaincant, convaincante	adj	convincing
convaincre	v	to convince
convaincu, convaincue	adj	convinced
convenable	adj	appropriate, suitable
convenir	v	to admit
convoité, convoitée	dj	coveted
convoler	v	to get married
copieusement	adv	heartily
coquet, coquette	adj	flirtatious
cor: réclamer à cor et à cri	expr	to demand loudly
le corbeau	nm	crow
la corde	nf	cord, rope
le corps	nm	body
corrompre	v	to corrupt
le costume	nm	suit
le costume de bain	nm	bathing suit
le côté	nm	side
le cotillon	nm	dance
cotiser		to contribute
le cou	nm	neck
la couche d'ozone	nf	ozone layer
la couche: la fausse couche	nf	miscarriage
se coucher	v	to go to bed
couillon	adj; pop	stupid

couler	v	to flow
couler à flots	v	to flow abundantly
le couloir	nm	corridor
le coup de canon	nm	cannon shot
le coup de foudre	nm	bolt of lightning and thunder
le coup de fusil	nm	gunshot
le coup de mine	nm	explosion
le coup de règle	nm	strap
coupable	adj	guilty
le/la coupable	nmf	guilty person
le coupé	m	small carriage
la cour	nf	court, courtyard
courbe	adj	curved
courber l'échine	expr	to submit
courir	v	to run
la couronne	nf	crown
le courriel	nm	e-mail
le courrier	nm	mail
le courrier du cœur	m	advice to the lovelorn
cours: laisser libre cours	expr	to let run free
court, courte	adj	brief, short
le coût	nm	cost
la coutellerie	nf	cutlery
coûter cher	v	to be expensive
la couturière	nf	seamstress
le couvent	nm	convent
couver	v	to look lovingly at
le covoiturage	nm	sharing a car, car pooling
craindre	v	to fear
la crainte	f	fear
le crâneur	nm	show-off
craquer	v	to make a cracking noise
la crèche	nf	Nativity scene
créer	v	to create
le crépitement	nm	crackling
crépiter	v	to crackle
crépusculaire	adj	dark, dusky
la crête	nf	crest
creusé, creusée	adj	sunken
le creux	nm	hollow
crevé, crevée	adj	dead tired
crever	v	to burst
se crever les yeux	v	to put out one's eyes
le cri de ralliement	nm	rallying cry
criard, criarde	adj	garish
crier		to shout
crier chou	expr	to boo for cowardice
la crise	nf	crisis, attack
la crise alimentaire	nf	famine
le cristal	nm	wineglass
les critères	nmpl	criteria
croche	adj	hooked
la croisée	nf	window (poetic)
la croix	nf	cross
crouler de rire	expr	to break up
croustillant, croustillante	adj	crunchy
la croyance	nf	belief
la cuculle	nf	silliness
cueillir	v	to pick
le cuir	nm	leather
la culotte (culotte courte)	nf	breeches, pants
la culpabilité	nf	guilt

d

d'ailleurs	adv	besides, in addition
davantage	dv	more
le dé à coudre	m	thimble; tiny glass
de crainte que	conj	lest
de peur que	conj	lest
débarquer	v	to leave
le débat	nm	debate
déboucher	v	to come out
débourser	v	to pay
debout	adv	standing
se débrouiller	v	to manage
le début	nm	beginning
le, la débutant, débutante	nmf	beginner
déceler	v	to detect
la déception	nf	disappointment
décerner	v	to grant
le décès	nm	death
la décharge électrique	f	electric shock
déchirant, déchirante	dj	loud and sharp
déchirer	v	to tear
le, la déclassé, déclassée	nmf	social outcast
déclose (old French)	v	opened
déçoit (du verbe decevoir)	v	disappoint
se décomposer	v	to rot
découler	v	to result from
découvrir	v	to discover, to uncover
décrocher	v	to pick up the phone, to unhook
déçu, déçue	adj	disappointed
dédaigner	v	to treat with disdain
le dédain	nm	disdain
dedans	adv	inside
dédommager	v	to pay the costs
se défaire de	v	to get rid of
se défausser	v	to discard
le défaut	m	fault, flaw
défendre	v	to forbid
déferler	v	to unfurl
défoncer	v	to smash
se défouler	v	to let off steam
se dégager de	v	to emanate from
les dégâts	nmpl	damages
dégénérer	v	to deteriorate
dégouliner	v	to drip
le dégoût	nm	disgust
dégoûter	v	to disgust
se dégrader	v	to deteriorate
déguiser	v	to disguise
dehors	adv	outside
déjeuner	v	to have lunch
délacer	v	to undo shoelaces
se délasser	v	to relax
la délicatesse	nf	delicacy
se demander	v	to wonder
la démarche	nf	way of life
le déménagement	nm	moving
déménager	v	to move
démentir	v	to contradict, to refute
demeurer	v	to reside
la démission	nf	resignation
se dépêcher	v	to hurry
dépeindre	v	to depict
dépenser	v	to spend
les dépenses	nfpl	expenses

le dépit: avec dépit	nm; expr	spite; spitefully
le déplacement	nm	travel
déplacer	v	to displace
déplié, dépliée	adj	stretched out
la dépouille	nf	remains
déprimant, déprimante	adj	depressing
déprimé, déprimée	adj	depressed
le député	nm	member of parliament
déraisonnable	adj	unreasonable
déranger	v	to bother
dérisoire	adj	pathetic
dériver	v	to drift away
le dérouillage matinal	nm	morning exercises
se dérouler	v	to develop
dès; dès que	prép; conj	as soon as; since
la désapprobation	nf	disapproval
désarmer	v	to disarm
le désarroi	nm	helplessness
désemparé, désemparé	adj	distraught
le déséquilibre	nm	unbalance
désert, déserte	adj	empty, deserted
déserté, désertée	adj	deserted
désespéré, désespérée	adj	desperate
le désespoir	nm	despair
déshabillé, déshabillée	adj	undressed
se déshabiller	v	to undress
désherber	v	to weed
se désintéresser de	v	to lose interest
dessécher	v	to wither
le dessein	nm	plan
le dessus de bureau	nm	furniture cover
dessus; avoir le dessus	expr	to win out
le destin	nm	fate
détacher	v	to undo
détenir	v	to hold
détourner	v	to divert
la détresse	nf	distress
se détricoter	v	to unravel
la dette	nf	debt
le deuil	nm	mourning
dévaloriser	v	to depreciate
devenir	v	to become
se dévêtir	v	to undress
dévêtu, dévêtue	adj	undressed
dévider	v	to unwind the wool
dévoiler	v	to disclose
le devoir	nm	duty
dévorer	v	to devour
dévoué, dévouée	adj	devoted
le diagnostic	nm	diagnosis
le diamant	nm	diamond
diaphane	adj	filmy, translucent
diriger	v	to direct
le discours d'ouverture	nm	opening statement
discuter	v	to discuss
disparaître (p.p. disparu)	v	to disappear
la disparition	nf	disappearance
se disputer	v	to argue, to fight
dissipé, dissipée	adj	undisciplined
dissiper	v	to waste away, squander
distordu, distordue	adj	twisted
la diva	nf	opera star
la dizaine	nf	ten, more or less
docile	adj	tame
le doigt	nm	finger
le domaine	nm	field
dompter	v	to control

le dompteur	nm	tamer
doré, dorée	adj	golden
le dortoir	nm	dormitory
le dos	nm	back
la dot	nf	dowery
doucement	adv	gently, quietly
la douleur	nf	pain
douloureux, douloureuse	adj	painful
douter	v	to doubt
doux, douce	adj	sweet
la douzaine	nf	dozen
le dramaturge	nm	playwright
le drapeau	nm	flag
se dresser	v	to stand up straight
le droit	nm	right
drôle	adj	funny, strange
drôlement	adv	extremely
dru, drue	adj	thick
dur, dure	adj	hard
durer	v	to last

E

l' ébauche	nf	outline
ébloui, éblouie	adj	dazzled
l' éboueur	nm	garbage collector
l' éboulis	nm	mass of fallen rocks
écarquillé, écarquillée	adj	wide open
écarté, écartée	adj	separated
écarter	v	to separate
échanger	v	to exchange
s' échapper	v	to escape
l' échec	nm	failure
l' échine: courber l'échine	expr	to submit
l' échoppe	nf	shop
échouer	v	to fail
l' éclair	nm	lightning bolt
l' éclairage	nm	lighting
s' éclaircir	v	to clear
éclairé, éclairée	adj	lit
l' éclat	nm	burst
éclatant, éclatante	adj	brilliant
éclater	v	to burst
éclater de rire	v	to burst out laughing
l' éclosion	nf	birth
écœurant, écœurante	adj	nauseating, sickening
l' économe	nmf	bursar
économe	adj	economical
écourter	v	to cut short
l' écran; le grand écran	nm	screen; movie screen
écraser	v	to crush
s' écrier	v	to cry, to shout
l' écrin	nm	jewel case
l' écueil	nm	coral reef
l' écurie	nf	stable
édenté, édentée	adj	toothless
effacer	v	to erase
s' effacer	v	to get out of the way; to fade
effaré, effarée	adj	terrified
l' effarement	nm	alarm
effectuer	v	to make, effect, carry out
effilé, effilée	adj	slender
s' effondrer	v	to collapse
s' efforcer	v	to endeavour
effrayé, effrayée	adj	frightened

	effrayer	v	to frighten
	effroyable	adj	terrible
l'	égal, égale	nmf; adj	equal
	également	adv	as well
l'	égard; à l'égard de	expr	towards, relating to
l'	églantier	nm	wild rose bush
	égoïste	adj	selfish
l'	élan	nm	spirit
s'	élargir	v	to widen
	élevé, élevée	adj	high
	élever	v	to raise
	éloigné, éloignée	adj	distant
s'	éloigner	v	to grow distant
	embellir	v	to beautify
	embrasser	v	kiss
s'	émerveiller	v	to be surprised
l'	émission	nf	broadcast, program
	emmener	v	to take someone
l'	emmerdeur, emmerdeuse	nmf	trouble maker
l'	émoi	nm	emotion
	émouvant, émouvante	adj	touching
	émouvoir	v	to move emotionally
s'	emparer de	v	to seize
	empêcher	v	to prevent
l'	emploi	nm	job
l'	emportement	nm	great emotion
	emprunter	v	to borrow
	émuler	v	to imitate
les	enchères (la vente aux enchères)	nfpl	auction
l'	encre	nf	ink
	endosser	v	to put on
l'	endroit	nm	place
	endurer	v	to put up with
s'	énerver	v	to get upset
l'	enfance	nf	childhood
	enfanter	v	to give birth to
	enfantinement	adv	childishly
l'	enfer	nm	hell
	enfermer	v	to lock up
s'	enflammer	v	to get excited
	enflammer	v	to excite
s'	enfoncer	v	to plunge
s'	enfuir	v	to run away
l'	engagement	nm	undertaking to pay
l'	engouement	nm	passion
	engourdir	v	to numb
l'	énigme	nf	riddle
	enivrant, enivrante	adj	exhilarating
	enjamber	v	to jump over
	enlacer	v	to embrace
	enlever	v	to kidnap
l'	ennemi	nm	enemy
	ennuyer	v	to bother
s'	ennuyer; s'ennuyer de	v	to be bored; to miss
	ennuyeux, ennuyeuse	adj	boring
l'	enquête	nf	investigation
	enrager	v	to drive mad
l'	enregistrement	nm	recording
	enrhumé/e: être enrhumé/e	expr	to have a cold
	enrichir	v	to enrich
	ensanglanter	v	to cover with blood
l'	enseignant, enseignante	nmf	teacher
	enseigner	v	to teach
	ensemble	adv	together
	entamer	v	to start
	entasser	v	to pile up
s'	entendre	v	to get along
	entendu, entendue	adj	agreed, understood
l'	entente	nf	agreement
	enterrer	v	to bury
	entièrement	adv	completely
s'	entonner	v	to strike up
l'	entourage	nm	friends and family
	entourer	v	to surround
s'	entraîner	v	to train
l'	entrepreneur	nm	business person
l'	entreprise	nf	business
s'	entre-tuer	v	to kill each other
	entrouvert, entrouverte	adj	half-open
	envahir	v	to invade
	envers	prép	towards
	envers: à l'envers	adv	backward
l'	envie; avoir envie de	nf; expr	desire; to want
	envier	v	to envy
	envisager	v	to imagine
s'	envoler	v	to fly away
	envoyer	v	to send
	épais, épaisse	adj	thick
l'	épanouissement	nm	flowering
	épars, éparse	adj	loose
l'	épaule	nf	shoulder
l'	épée	nf	sword
	éperdu, éperdue	adj	frantic
l'	épervier	nm	sparrowhawk
	éphémère	adj	ephemeral, passing
l'	épicier	nm	grocer
l'	épitre	nf	epistle (Bible reading)
	éploré, éplorée	adj	bathed in tears
l'	époque; à cette époque	nf; expr	time; at that time
	épouser	v	to marry
l'	épouvante	nf	terror
	épouvanté, épouvantée	adj	terrified
l'	époux; épouse	nmf	husband, wife
l'	épreuve	nf	test
	épris, éprise de	adj	in love with
	éprouver	v	to experience, to feel
	épuisé, épuisé	adj	exhausted
l'	épuisement	nm	exhaustion
	épuiser	v	to exhaust
l'	équilibre	nm	balance
l'	ère	nf	era
	ériger	v	to erect
	errer	v	to wander
	erroné, erronée	adj	erroneous
	escalader	v	to climb
l'	escalier	nm	stairs
l'	escrime	nf	fencing
l'	escrimeur	nm	fencer
l'	espace	nm	space
	espacer	v	to space
l'	espérance	nf	hope, expectation
	espérer	v	to hope
l'	espoir	nm	hope
l'	esprit; traverser l'esprit	nm; expr	mind, spirit, wit; to cross one's mind
s'	esquinter	v	to tire oneself out
l'	esquisse	nf	sketch
	essai: à l'essai	expr	on trial
	essuyer	v	to wipe
l'	est	nm	east
	estimer	v	to hold in high esteem
	établir	v	to establish
l'	établissement de bains-douches	nm	public bath
l'	étage	nm	floor of a building

s' étaler	v	to spread out
l' étape	nf	stage
l' état; état d'âme	nm	condition, state; mood, mental condition
éteindre	v	to put out
s' étendre	v	to stretch out
étendre	v	to hang up the laundry
éternellement	adv	forever
l' étoffe	nf	material, cloth
étoiler	v	to stud with stars
étonné, étonnée	adj	surprised
étouffé, étouffée	adj	stifled
étouffer	v	to smother
étrange	adj	strange
étranger, étrangère	adj	foreign
l' étranger, étrangère	nmf	foreigner
l' être	nm	being
étroit, étroite	adj	narrow
s' évader	v	to escape
l' Évangile	nm	gospel
s' évanouir	v	to faint
éveiller	v	to awaken
l' événement	nm	event
éviter	v	to avoid
évocateur, évocatrice	adj	creating images, evacative
évoluer	v	to develop
exaucer	v	to grant
exemplaire	adj	setting an example
l' exigence	nf	necessity, requirement
exiger	v	to demand
expédier	v	to send
expirer	v	to die away
exprimer	v	to express
exquis, exquise	adj	exquisite, precious
l' extase	nf	ecstasy
exténué, exténuée	adj	exhausted
l' extrait	nm	excerpt

f

la façade	nf	face of a building
face: en face de	expr	across from
se fâcher	v	to get angry
la facilité	nf	the easy way, ease
le facteur	nm	letter carrier
la facture	nf	bill
la Faculté de Droit	nf	law school
fade	adj	tasteless, bland
la faiblesse	nf	weakness
faillir; j'ai failli + infinitif	v	to almost do something
la faim	nf	hunger
le fait	nm	fact
la famille d'accueil	nf	foster family
la famille décomposée	nf	broken home
la famille recomposée	nf	blended family
se faner	v	to wither
la farce plate	nf	dumb joke
farfelu, farfelue	adj	hare-brained
le fatalisme	nm	acceptance of what happens
la fausse couche	nf	miscarriage
le fauteuil	nm	armchair
le faux-cul	nm	bustle (suggesting that Aramis is effeminate)
fébrile	adj	feverish
fébrilement	adv	feverishly
la féerie	nf	fairyland

feindre	v	to pretend
le Feldgendarme (allemand)	nm	military policeman
la femelle	nf	female
fendre	v	to split
la fente	nf	crack
la fermeture	nf	clasp
la fermeture d'éclair	nf	zipper
le, la fermier, fermière	nmf	farmer
le festin	nm	feast
le, la fêtard, fêtarde	nmf	person who lives for pleasure
le feu	nm	fire
feu: le feu roi	adj	late: the late king
le feuillage	nm	foliage
la feuille	nf	leaf
le fiacre	nm	cab
fichu, fichue	adj	clever
fidèle	adj	faithful
fier, fière	adj	proud
se figer	v	to become motionless; to freeze
fignoler	v	to add the finishing touches
figuratif, figurative	adj	not literal
la figure	nf	face
le fil	nm	wire
fil: au fil de	expr	in the course of
la file	nf	row, line
filer	v	to spin
fin, fine	adj	delicate, elegant
fin: en fin de compte	expr	in the end
la finesse	nf	refinement
le flacon	nm	bottle (pills, perfume)
flagrant, flagrante	adj	out in the open
le flanc	nm	side
la flèche	nf	arrow
la fleurette	nf	small flower
fleuri, fleurie	adj	flowered pattern
fleurir	v	to flower
fleuronner	v	to flourish
la flexion	nf	bending
le flocon	nm	flake
florissant, florissante	adj	flourishing
le flot	nm	wave
flot: remettre l'économie à flot	expr	to bring the economy back
la foi	nf	faith
folâtre	adj	lively
la folie	nf	madness
follement	adv	madly
le fonctionnaire	nm	civil servant
le fond; au fond; au fond de	adv; nm; expr	bottom; down deep; in the depths of
le fonds de retraite	nm	retirement fund
la force	nf	strength
la forêt	nf	forest
la forfanterie	nf	bragging
fort, forte	adj	strong
fortifier	v	to strengthen
fou, folle	adj	crazy
fouiller	v	to search
le fouillis	nm	mess
le foulard	nm	scarf
la foule	nf	crowd
fournir	v	to furnish, to supply
la fourrure	nf	fur
Fous-moi la paix!	expr	Leave me alone!
se foutre de quelqu'un	v	to make fun of someone

le foyer	nm	fireplace
la fraîcheur	nf	coolness
les frais	nmpl	expenses
frais, fraîche	adj	cool, fresh
franc, franche	adj	open
franchir	v	to cross
le franc-parler	nm	outspokenness
frapper	v	to hit
fraterniser	v	to come together
la fratrie	nf	brothers and sisters
freiner	v	to brake, to stop
les freins	nmpl	brakes
fréquemment	adv	frequently, often
frissonnant, frissonnante	adj	shuddering
frissonner	v	to shudder
froissé, froissée	adj	offended
le front	nm	forehead
la frontière	nf	border
se frotter	v	to rub
le fruit de mer	nm	seafood
le fruitier	nm	fruit merchant
fumer	v	to smoke
funèbre	adj	funereal
les funérailles	nfpl	funeral services
la fureur	nf	fury
furtif, furtive	adj	silent, furtive
la fusée	nf	rocket
fuser	v	to burst forth
le fusil	nm	rifle
fût: ne fût-ce que pour	expr	if only for

g

gagner	v	to win; to get to
gai, gaie	adj	cheerful, gay, carefree
le gaillard	nm	young man
la gaîté	nf	joy
la galanterie	nf	gallant remark
la garde partagée	nf	joint custody
la garderie	nf	day-care
la gare	nf	railway station
la garrigue	nf	scrubland
le gars	nm	boy
gâté, gâtée	adj	spoiled
gazouiller	v	to chirp
la gélinotte	nf	small bird
gémir	v	to moan
le gendarme	nm	police officer
gêné, gênée	adj	embarrassed
gêner	v	to bother
génial, géniale	adj	inspired
le génie	nm	genius
le genou	nm	knee
gentiment	adv	kindly
le, la géologue	nmf	geologist
le, la gérant, gérante	nmf	manager
gesticuler	v	to gesticulate
la gestion	nf	management
le gibier	nm	prey
la gifle	nf	slap
le giron	nm	bosom
la glace	nf	mirror
la glaise	nf	clay
glisser	v	to slide
se glisser	v	to slip away
la gloire	nf	glory

goguenard. goguenarde	adj	mocking
gonflé, gonflé	pop; adj	puffy (hair)
la gorge	nf	throat
le gouffre	nm	abyss; bottomless pit
le goût	nm	taste
la goutte	nf	drop
la goutte à l'imaginative	nf	a cold in your imagination
grâce à	prép	thanks to
grâce: De grâce!	expr	I beg you!
grâce: demander grâce	expr	ask for pardon
le grain majuscule	nm	the principal rosary bead
graisser	v	to grease
le grand-duc	nm	eagle owl
la grange	nf	barn
le graphique	nm	graph
le, la graphiste	nmf	graphic artist
gras, grasse	adj	greasy
gratter	v	to scratch
gratuit, gratuite	adj	free
le gravier	nm	gravel
la gravité	nf	seriousness
gré: au gré de	expr	drifting along
grec, grecque	adj	Greek
le grelot	nm	small bell
grelotter	v	to shiver
le grignotement	nm	nibbling sound
grignoter	v	to nibble
le grillon	nm	cricket
grimacer	v	to grimace
se grimer	v	to put on make up
grimper	v	to climb
grisé, grisée	adj	intoxicated
le grondement	nm	deep growling sound
gronder	v	to scold
gros, grosse	adj	big
la guêpe	nf	wasp
guère: ne... guère	adv	hardly
guérir	v	to cure
la guerre	nf	war
guetter	v	to watch over

h

habile	adj	skilled
habituellement	adv	usually
hachurer	v	to hatch
la haine	nf	hatred
haïr	v	to hate
l' haleine	nf	breath
hanter	v	to haunt
happer	v	to drag down
harassé, harassée	adj	exhausted
le hasard; par hasard	nm; expr	fate; by chance
hâtif, hâtive	adj	hurried
hausser les épaules	v	to shrug
haut, haute	adj	high
la hauteur	nf	height
l' hébergement	nm	lodging
hélas!	interj	alas!
herbe: un artiste en herbe	expr	a young artist
le héros (pl: les héros)	nm	hero
hésiter	v	to hesitate
heurter de front	expr	to stand up to
le hibou	nm	owl
la hiérarchie	nf	social standing

hiérarchisé, hiérarchisée	adj	strictly organized
l' hirondelle	nf	swallow
l' hommage	nm	praise, tribute
honte: avoir honte de	expr	to be ashamed of
honteux, honteuse	adj	ashamed
l' horaire	nm	schedule, timetable
hors de	prép	outside of
l' hôtel	nm	private residence
l' hôtesse	nf	hostess
l' huile	nf	oil
l' huile; la grosse huile	nf	big shot
l' humeur	nf	mood
humiliant, humiliante	adj	humiliating
hurlant, hurlante	adj	screaming
hurler	v	to scream

i

l' idée	nf	idea
ignoble	adj	vile
illuminer	v	to light
l' immeuble	nm	apartment building
immodéré, immodérée	adj	uncontrollable
immuable	adj	unchanging
l' imperméable	nm	raincoat
impitoyablement	adv	without pity
imposant, imposante	adj	impressive
imprimer	v	to print
improviste: à l'improviste	expr	without warning, off the cuff
impudemment	adv	shamelessly
l' impuissance	nf	impotence
inachevé, inachevée	adj	incomplete
inattendu, inattendue	adj	unexpected
l' incapacité	nf	inability
incarner	v	to embody
l' incendie	nm	fire
incestueux, incestueuse	adj	incestuous
inciter	v	to prompt
incliner	v	to tilt
inclure	v	to include
inconnu, inconnue	adj	unknown
inconscient, inconsciente	adj	unconscious
incrédule	adj	incredulous
indigne	adj	unworthy
inéluctable	adj	unchangeable
inestimable	adj	priceless
infini, infinie	adj	great
l' injure	nf	insult
injurié, injuriée	adj	insulted
inné, innée	adj	innate
inoccupé, inoccupée	adj	empty
inquiet, inquiète	adj	worried
l' inquiétude	nf	anxiety
insondable	adj	unimaginable, incomprehensible
l' inspecteur des Postes	nm	postal inspector
s' installer	v	to settle
instantané	adj	immediate (gratification)
l' instituteur	nm	teacher
s' instruire	v	to receive an education
instruire	v	to educate; to instruct
instruit, instruite	adj	educated
intemporelle	adj	timeless
intensément	adv	deeply, intensely
interdire	v	to forbid

interdit, interdite	adj	forbidden
interminable	adj	endless
interrompu, interrompue	adj	interrupted
l' intimidation	nf	bullying
intimidé, intimidée	adj	intimidated
intrépide	adj	brave
intrépidement	adv	bravely
l' intrigue	nf	plot
intriguer	v	to plot, to fascinate
inutile	adj	useless
invoqué, invoquée	adj	mentioned, invoked
isoler	v	to isolate
ivre	adj	intoxicated
l' ivresse	nf	intoxication

j

jaillir	v	to spring forth
jaloux, jalouse	adj	jealous
jamais; ne... jamais	adv; expr	ever; never
jambes: prendre les jambes à son cou	expr	to take off
jaunir	v	to turn yellow
le jet d'eau	nm	spray
jeter	v	to throw
le jeu	nm	gambling
le joaillier	nm	jeweller
joint, jointe	adj	joined together
la joue	nf	cheek
le journal intime	nm	diary
le juge	nm	judge
juger	v	to judge
juif, juive	adj	Jewish
la jupe de travers	nf	ill fitting skirt
le jupon	nm	petticoat
jurer	v	to swear; to contradict
jusqu'à	prép	up to
jusqu'à ce que	conj	until
juste	adj	fair

k

le kermès	nm	a spiny shrub
le klaxon	nm	horn

l

lâcher	v	to let go of
la lâcheté	nf	cowardice
là-haut	adv	up there
laïc, laïque	adj	non-religious, secular
laid, laide	adj	ugly
la laideur	nf	ugliness
se laisser avoir	v	to fall into a trap
lancer	v	to throw
lancinant, lancinante	adj	haunting, shooting (pain)
le langage	nm	choice of words
la langue	nf	language; tongue
la langue maternelle	nf	first language
le lapin; poser un lapin à quelqu'un	nm; expr	rabbit; to stand someone up
large	adj	wide
la larme	nf	tear
las!	interj	Alas!
se lasser	v	to tire
la lavande	nf	lavender
laver	v	to wash
le lavier	nm	sink (Canada)

la lecture	nf	reading	
léger, légère	adj	light, slight	
le lendemain	nm	the next day	
lentement	adv	slowly	
la lenteur	nf	slowness	
se leurrer	v	to be deceived	
la lèvre	nf	lip	
le Liban	nm	Lebanon	
libre	adj	free	
librement	adv	freely	
lié, liée	adj	tied to, linked to	
lié, liée avec quelqu'un	adj	close to someone	
le lien	nm	connection, link	
le lieu	nm	place	
lieu: au lieu de; avoir lieu	prép; expr	instead of; to take place	
la ligne de temps	nf	time line	
le Lignon	nm	river in the Loire area	
le linge	nm	household linen	
la litanie	nf	series of prayers	
le livret	nm	libretto (opera script); booklet	
le logement	nm	lodging	
la loi	nf	law	
lointain, lointaine	adj	distant	
les loisirs	nmpl	pastimes	
lors de	prép	during	
lorsque	conj	when	
la louange	nf	praise	
louer	v	to rent; to praise	
le louis	nm	gold coin = 20 francs	
le loup	nm	wolf	
lourd, lourde	adj	heavy	
le loyer	nm	rent	
la lueur	nf	light, glimmer	
lugubre	adj	slow and solemn	
luisant, luisante	adj	shiny	
la lumière	nf	light	
lumineux, lumineuse	adj	shining	
lutter	v	to struggle	
le lutteur	nm	wrestler	
le luxe	nm	luxury	
luxueux, luxueuse	adj	luxurious	
le lycée	nm	public high school	

m

mâcher	v	to chew	
le magasinage	nm	shopping	
maigre	adj	thin	
maigrir	v	to grow thin	
la maille; passer à travers les mailles	nf; expr	net; to slip through the cracks	
maintenir le cap	expr	stick to one's goals	
la maison d'édition	nf	publishing house	
le maître	nm	teacher; master	
la maîtrise	nf	master's degree	
maîtriser	v	to control	
mal à la tête; mal au ventre	expr	headache; stomach ache	
mal à l'aise	expr	uncomfortable	
malentendant, malentendante	adj	hard of hearing	
malgré	prép	in spite of	
la manchette	nf	headline	
mandater	v	to commission	
la manie	nf	habit	
le manque	nm	lack	
manquer	v	to miss	

la mansarde	nf	attic	
le manteau	nm	coat	
maquiller	v	to apply make up	
la marâtre	nf	cruel mother	
le marbre	nm	marble	
le, la marchand, marchande	nmf	merchant	
marchander	v	to bargain, to haggle	
le marché	nm	market	
marché: par-dessus le marché	expr	on top of everything	
la marée montante	nf	high tide	
la mariée	nf	bride	
se marier	v	to get married	
le marin	nm	sailor	
mariner	v	to stew	
le marmot	nm	small child, brat	
marmotter	v	to mumble	
le marquage	nm	marking; branding	
marron	adj	chestnut coloured	
le marteau	nm	hammer	
le massif	nm	clump	
massif: l'or massif	nm	solid gold	
le mât	nm	mast	
maudit, maudite	adj	damned	
méchant, méchante	adj	bad, evil	
méjuger	v	to judge badly	
se mêler	v	to mix	
la mélopée	nf	monotone chant	
les membres	nmpl	body parts	
la menace	nf	threat	
menacer	v	to threaten	
le ménage	nm	housework	
ménage: faire le ménage	expr	to do housework	
les menottes	nfpl	handcuffs	
le mensonge	nm	lie	
mentir	v	to lie	
le mépris	nm	scorn	
mépriser	v	to scorn	
la merde: être dans la merde	expr	to be in a hopeless situation, to be up the creek	
la mère d'accueil	nf	foster mother	
mériter	v	to deserve	
merveilleux, merveilleuse	adj	wonderful	
mesure: dépasser la mesure	expr	to go too far	
méticuleusement	adv	very carefully	
le métier; C'est le métier qui le veut.	nm; expr	profession; It goes with the job.	
se mettre à	v	to begin, to start	
mettre au net	expr	to copy out	
mettre de l'argent de côté	expr	to save money	
mettre la main au collet	expr	to catch, nab	
mettre sur le dos	expr	to wear	
le meuble	nm	piece of furniture	
meubler	v	to furnish	
le meurtre	nm	murder	
le, la meurtrier, meurtrière	nmf	murderer	
la miette	nf	crumb	
mieux: à qui mieux mieux	expr	as well as they can	
mignon, mignonne	adj	pretty, delicate	
le mil	nm	millet (type of grain)	
la milice	nf	militia	
le milicien	nm	member of a militia	
le milieu	nm	environment	
la mine	nf	expression	
minimiser	v	to reduce	
le Ministère de l'instruction publique	nm	Ministry of Education	

le ministre	nm	government minister
minutieusement	adv	in great detail
la misère	nf	poverty
le misogyne	nm	woman-hater
la mitraillette	nf	machine gun
le mobilier	nm	furnishings
moduler	v	modulate
moindre	adj	slightest
moins: à moins que	conj	unless
la moitié	nf	half
moitié: à moitié	adv	half
mondial, mondiale	adj	relating to the world, global
la monnaie de singe	expr	of no value
la montagne	nf	mountain
le montant	nm	amount
se moquer de	v	to make fun of
morose	adj	dreary
mortel, mortelle	adj	killing, lethal
mortifié, mortifiée	adj	mortified
le motif	nm	design
mouillé, mouillée	adj	wet
se mouiller	v	to get wet
mourir	v	to die
le mousquetaire	nm	musketeer
le mouton	nm	sheep
le moyen	nm	means, way
les moyens	nmpl	means
muet, muette	adj	silent
la muraille	nf	wall
musulman, musulmane	adj	Muslim
myrteux, myrteuse	adj	rel. to myrtle tree, found in cemeteries

n

naguère	adj	not long ago
la naissance	nf	birth
naître	v	to be born
la nappe	nf	tablecloth
narguer	v	to thumb one's nose at
natal, natale	adj	of one's birth
le naufrage	nm	shipwreck
le navire	nm	ship
néanmoins	adv	nevertheless
le, la nécessiteux, nécessiteuse	nmf	needy person
néerlandais, néerlandaise	adj	Dutch
neigeux, neigeuse	adj	snow-covered
les nerfs	nmpl	nerves
net	adv	sharply
net, nette	adj	clean
nettoyer	v	to clean
neuf, neuve	adj	new
neuf: à neuf	adv	anew
la névrose	nf	neurosis
le nez	nm	nose
nez: lever le nez sur	expr	to look down one's nose at
niaiser; se faire niaiser	v; expr; pop	to act foolish; to be treated badly
le nid	nm	nest
nippé, nippée	adj	dressed
la noce	nf	marriage
noctambule	adj	related to the night
la noirceur	nf	darkness
noircir	v	to darken
non plus	adv	either, not... either
le nord	nm	north

normand, normande	adj	from Normandy
notamment	adv	notably
noué, nouée	adj	knotted
la nourrice	nf	children's nurse, nanny
nourrir	v	to feed
le nouveau-né	nm	newborn son
la nouveauté	nf	novelty
la nouvelle	nf	long story or short novel
noyé, noyée	adj	drowned
se noyer	v	to drown
nu, nue	adj	nude
le nuage	nm	cloud
nulle part: ne... nulle part	expr	nowhere
la nuque	nf	back of the neck, nape

o

obéir	v	to obey
obséder	v	to obsess
s' obstiner	v	to be stubborn
obtenir	v	to get
s' occuper de	v	to take care of
l' odeur	nf	smell
odieux, odieuse	adj	hateful
l' œuvre	nf	work of art
offensant, offensante	adj	insulting, offensive
officier	v	to be in charge, to officiate
offrir	v	to offer
l' oliveraie	nf	olive grove
l' olivier	nm	olive tree
l' ombre	nf	shadow; ghost
l' onde de choc	nf	shock wave
l' ondée	nf	rain shower
l' ongle	nf	fingernail
opter	v	to settle for
l' or	nm	gold
or	conj	now
l' orage	nm	thunderstorm
l' ordinateur	nm	computer
les ordures	nfpl	garbage
l' oreiller	nm	pillow
l' orgue	nm	organ
l' orgueil	nm	pride
orgueilleux, orgueilleuse	adj	proud
s' orienter	v	to direct oneself
l' orteil	nm	toe
l' os	nm	bone
oser	v	to dare
ôter	v	to take off
oublier	v	to forget
l' ouest	nm	west
l' ouragan	nm	hurricane
l' outil	nm	tool
outre: en outre	expr	besides
ouvertement	adv	outright
l' ouvrage	nm	a piece of work
l' ouvrier, ouvrière	nmf	manual labourer

p

le pagne	nm	African dress
la paille	nf	straw
la paillotte	nf	straw hut
pain: il y a du pain sur la planche	expr	there are many things to do
la paix; garder la paix	nf; expr	peace; respect the law

le palais	nm	palace
le palier	nm	landing
pâlir	v	to turn pale
la pancarte	nf	sign
le panier	nm	basket
le panneau	nm	billboard
le paquet	nm	package
paraître	v	to seem
paré, parée	adj	well-dressed and bejewelled
pareil, pareille	adj	similar
parfaire	v	to perfect
parfait, parfaite	adj	perfect
parfois	adv	sometimes
le parfum	nm	perfume
le paria	nm	outcast
parmi	prép	among
la paroi rocheuse	nf	rockface
la paroisse	nf	parish
la parole	nf	word
parsemer	v	to scatter
partager	v	to share
particulier, particulière	adj	special
partout	adv	everywhere
la parure	nf	necklace; piece of jewellery
parvenir	v	to succeed
le parvis	nm	square in front of a church
le pas	nm	step
pas: au pas de course	expr	at a run
pas: faire les cent pas	expr	to pace back and forth
pas: revenir sur les pas	expr	to go back to the start
le passage clouté	nm	pedestrian crossing
passif, passive	adj	passive
le pasteur	nm	protestant minister
le patin	nm	skate
la patinoire	nf	rink
la patrie	nf	native land
le, la patron, patronne	nmf	boss
la patte	nf	foot (of an animal)
la paupière	nf	eyelid
le pavé	nm	street, pavement
le pays natal	nm	native land
le paysage	nm	countryside
le, la paysan, paysanne	nmf	peasant
la peau	nf	skin
la pêche	nf	fishing
le pêcheur	nm	Provençal tree
le pédopsychiatre	nm	child psychologist
peigné: mal peignée	adj	her hair uncombed
peindre (p.p. peint)	v	to paint
la peine	nf	difficulty
la peine capitale	nf	capital punishment
peine: à peine	adv	hardly, scarcely
peine: Ce n'est pas la peine.	expr	It's not worth it.
peiner	v	to hurt
le peintre	nm	painter
se pencher	v	to lean
pendre	v	to hang
pénible	adj	difficult
la pensée	nf	thought
le, la pensionnaire	nmf	live-in student at a school
percer	v	to pierce
percevoir	v	to perceive
percutant, percutante	adj	forceful

le perdrix (pl: les perdrix)	nf	partridge
la perfidie	nf	perfidy, treachery
le périple	nm	voyage
la perle	nf	pearl
permettre	v	to allow
le permis	nm	licence (hunting)
persévérer	v	to persevere
le personnage	nm	character in a story
personne: ne… personne	expr	nobody, no one
la perte	nf	loss
perturbant, perturbante	adj	disturbing
pervertir	v	to pervert
pesant, pesante	adj	heavy
peser	v	to weigh
la peste	nf	plague
le pétélin	nm	a type of tree
le, la petit/petite bourgeois, bourgeoise	nmf	lower middle class person
le peuple	nm	common people
peupler	v	to inhabit
le pic	nm	peak
la pièce de deux sous	nf	small coin
pied: au pied de la lettre	expr	to the letter
le piège	nm	trap
la pierre	nf	stone
les pierreries	nfpl	small precious stones
piger	v	to understand
le pilier	nm	pillar
pimpant, pimpante	adj	trim, smart, chic
le pin	nm	pine
le pinceau	nm	brush (artist)
le pincement	nm	pinching
la pinède	nf	pine forest
le pire	nm; adj	the worst, worse, worst
la piscine	nf	swimming pool
la piste cyclable	nf	bicycle path
le pistolet-jouet	nm	toy gun
le placard	nm	closet, wardrobe
la place	nf	town square
la place de stationnement	nf	parking lot
le plafond	nm	ceiling
se plaindre	v	to complain
plaire	v	to please
le plaisir	nm	pleasure
le plan d'affaires	nm	business plan
la planche	nf	plank
la planification financière	nf	financial planning
planter	v	to leave someone standing
se planter	v	to place oneself
le plat	nm	dish of food
plat, plate	adj (pop. Can.)	flat; boring
plein de	adj	many
plein: en plein air	expr	outdoors
pleurer	v	to cry
les pleurs	nmpl	tears
pleuvoir	v	to rain
le pli	nm	fold
plonger	v	to plunge
la pluie	nf	rain
la plume	nf	feather, quill pen
la plupart	nf	majority
plus: ne… plus	expr	no more, no longer
plutôt	adv	rather
la poche	nf	pocket
le pochoir	nm	stencil
le poêle	nm	stove

le poids	nm	weight	
poignant, poignante	adj	touching	
poignarder	v	to stab	
le poignet	nm	wrist	
le poing	nm	fist	
point: ne... point	adv	not (stronger than "ne...pas")	
la poitrine	nf	chest	
la poivrière	nf	pepper-shaker	
le poivron	n	pepper (green or red)	
polir	v	to polish	
le, la pompier, pompière	nmf	firefighter	
pondre	v	to take time (lit: to lay an egg)	
porter sur	v	to deal with	
le porte-voix	nm	megaphone	
la portière	nf	car door	
se poser	v	to settle	
posséder	v	to possess	
le poste	nm	job	
potable	adj	drinkable	
le pot-au-feu	nm	broth with meat and vegetables	
la poterie	nf	pottery dish	
la poubelle	nf	garbage pail	
le pouce	nm	thumb, inch	
la poupée	nf	doll	
pour que	conj	so that	
le pourcentage	nm	percentage	
pourpre	adj	purple	
pourrir	v	to rot	
poursuivre	v	to pursue	
pourtant	adv	and yet	
pousser	v	to push	
pousser un cri	v	to cry out	
la poussière	nf	dust	
le pouvoir	nm	power	
pratique	adj	practical	
le, la précédent, précédente	nmf	the one before	
précéder	v	to go before	
se précipiter	v	to rush	
précis, précise	adj	precise	
se préciser	v	to become clear	
préconçu, préconçue	adj	preconceived	
le prédicateur	nm	preacher	
prédire	v	to predict	
la préfecture	nf	police station	
le préfet; le sous-préfet	nm	regional governor	
prendre: Qu'est-ce qui lui prend?	expr	What's got into him/her?	
près: à peu près	adv	almost	
pressé, pressée	adj	in a hurry	
presser le pas	expr	to move quickly	
prestigieux, prestigieuse	adj	prestigious	
prétendre	v	to claim	
prétendument	adv	supposedly	
prêter	v	to lend	
prétexter	v	to give as an excuse	
le prêtre	nm	priest	
la preuve; faire preuve de	nf; expr	proof; to demonstrate	
prévenir	v	to foresee	
prévoir	v	to foresee	
prier	v	to pray, beg, ask	
la prière	nf	prayer	
la privation	nf	deprivation	
privé, privée	adj	private	
le prix	nm	price; prize	

le, la proche	nmf	close relatives or friends	
le procureur	nm	prosecutor	
profond, profonde	adj	deep	
la profondeur	nf	depth	
la progéniture	nf	offspring	
le programme de fidélité	nm	program such as Air Miles	
la proie	nf	prey	
prolonger	v	to prolong	
promouvoir	v	to promote	
propice	adj	good for	
propos: à propos de	prép	about	
propre	adj	own (before noun); clean (after noun)	
le propriétaire	nm	landlord	
propulser	v	to propel	
protéger	v	to protect	
la proue	nf	prow	
la proximité	nf	closeness	
la publicité	nf	advertising	
publier	v	to publish	
la pudeur	nf	modesty	
puer	v	to stink	
puisque	conj	since	
la puissance	nf	power	
puissant, puissante	adj	powerful	
la pulsion	nf	drive	
pulvériser	v	to pulverise; to spray	
punir	v	to punish	
la punition	nf	penalty	
se purger	v	to get rid of water	

q

le quai	nm	platform	
le quartier	nm	part of a town or city	
quasiment	adv	almost	
quel que soit	expr	whatever	
quelconque	adj	just any	
quelque part	adv	somewhere	
quiconque	pron	whoever	
quoique	conj	although	
quotidien, quotidienne	adj	daily	

r

rabibocher	v	to patch together	
raccrocher	v	to hang up	
la racine	nf	root	
le radin	nm	skinflint	
radoter	v	to ramble	
railler	v	to mock	
ralentir	v	to slow down	
ramasser	v	to pick up	
le rameau	nm	branch	
ramener	v	to take/bring someone back	
ramer	v	to row	
la ramure	nf	foliage	
le rang	nm	rank; row	
le rang social	nm	class	
rangé, rangée	adj	in order	
ranger	v	to put away	
raplapla	adj	tired out	
le rappel	nm	recall	
le rapport	nm	relationship	
rapport: la maison de rapport	nf	apartment house	
rapproché, rapprochée	adj	close	

se rapprocher	v	to become closer
le ras	nm	level
se raser	v	to shave
le rasoir	nm	razor
le rassemblement	nm	assembly, gathering
rassembler	v	to assemble
le rassembleur	nm	the person who gets people together
rassuré, rassurée	adj	reassured
le, la raté, ratée	nmf	failure
rater	v	to miss
la rature	nf	erasure
raturer	v	to scratch out
ravi, ravie	adj	thrilled
ravir	v	to delight
le rayon	nm	ray of light
réagir	v	to react
le, la réalisateur, réalisatrice	nmf	film director
réalisé, réalisée	adj	carried out
réaliser	v	to make something come true
rebrousser chemin	v	to retrace one's steps
se réchauffer	v	to warm up
réchauffer	v	to reheat
réchauffer le banc	expr	warm the bench
recherché, recherchée	adj	sought-after
le récit	nm	story
réclamer	v	to demand
la récompense	nf	reward
la reconnaissance	nf	recognition
recouvrir	v	to cover
recueillir	v	to gather
reculer	v	to back up
reculons: à reculons	expr	moving backward
le rédacteur	nm	editor
rédiger	v	to write out
réfléchir	v	to reflect
le reflet	nm	reflection
le refus	nm	refusal
se régaler	v	to enjoy food
régir	v	to govern
les règles de conduite d'usage	nfpl	rules of accepted behaviour
le règne	nm	reign
la reine	nf	queen
réintégrer	v	to go back to
rejeter	v	to reject
rejoindre	v	to join
se réjouir	v	to rejoice
se relayer	v	to take turns
relevé, relevée	adj	lifted
relever de	v	to be a matter for
la religieuse	nf	nun
le religieux	nm	member of a religious order
reluisant, reluisante	adj	shining
rembourser	v	to pay back
remercier	v	to thank
le remords	nm	remorse, grief
remplacer	v	to replace
remplir	v	to fill
le remue-méninges	nm	brainstorming
se rendre	v	to go
se rendre compte de	v	to realize
renforcer	v	to reinforce
renier	v	to disown
renommé, renommée	adj	well known

renoncer	v	to renounce, to give up
se renouer	v	to come together
le renouveau doré	nm	a new Golden Age
renouveler	v	to renew
les renseignements	nmpl	information
la rentrée	nf	return to school
se renverser	v	to spill
renvoyer	v	to send away
réparer	v	to repair
répartir	v	to allocate
le repassage	nm	ironing
la répercussion	nf	reprisal
répéter	v	to rehearse; repeat
se replier	v	to withdraw
reporter	v	to bring back
reposé, reposée	adj	rested
se reposer	v	to rest
repousser	v	to push away
reprendre	v	to take up again; to take back
reprendre en main	expr	to take control
reprocher	v	to reproach
reproduire	v	to reproduce
répudier	v	to repudiate, cast out
le réseau	nm	network
résolu (p.p. de résoudre)	pp	solved
respirer	v	to breathe
ressentir	v	to feel
ressusciter	v	to bring back to life
restituer	v	to pay back
le resto	nm	abr. of "restaurant"
retenir	v	to hold back
retirer	v	to take away
rétorquer	v	to reply
le retour	nm	return
rétracté, rétractée	adj	withdrawn
réuni, réunie	adj	together
réussir	v	to succeed
la réussite	nf	success
revanche: en revanche	expr	on the other hand
le rêve	nm	dream
se réveiller	v	to wake up
révéler	v	to reveal
revenir: ne pas en revenir	expr	to not get over it
la revente	nf	resale
rêver	v	to dream
le rêveur	nm	dreamer
revirer à l'envers	v	to turn upside down
revoir	v	to see again
la revue	nf	magazine
se rhabiller	v	to get dressed again
le ricanement	nm	giggling
ricaner	v	to giggle, to snicker
la ride	nf	wrinkle
le rideau; le rideau de douche	nm	curtain; shower curtain
rien: ne... rien	pron; expr	nothing
rigoler	v	to laugh
rigolo	adj; pop	fun, amusing
rincer	v	to rinse
la rivière de diamants	nf	diamond necklace
la robe de chambre	nf	dressing gown
le robinet	nm	tap
robotisé, robotisée	adj	robotic
rôder	v	to lurk, to prowl
romain, romaine	adj	Roman
le roman	nm	novel
le romantisme	nm	the Romantic movement

le romarin	nm	rosemary
rompre	v	to break
le rond	nm	spot, dot
la rondelle d'oignon	nf	onion ring
ronger	v	to chew
rose	adj	pink
rougeâtre	adj	reddish
rougir	v	to blush
le roulement	nm	roll
rouler	v	to roll
roux, rousse	adj	red
le royaume	nm	kingdom
rude	adj	rough
rudimentaire	adj	rudimentary
le ruisseau	nm	stream
ruisseler	v	to flow
la rupture	nf	break-up

S

sabrer	v	to cut down
saccadé, saccadée	adj	halting, jerky
sacrer	v	to curse, to swear
sacrifier	v	to sacrifice
sage	adj	well-behaved; wise
saigner	v	to bleed
saint, sainte	adj	holy
la Sainte Hostie	nf	communion wafer
sale	adj	dirty
la salière	nf	salt-shaker
le salon littéraire	nm	literary salon
le salon mortuaire	nm	funeral home
saluer	v	to greet, to salute
sanglant, sanglante	adj	bleeding
le sanglot	nm	sob
sans cesse	expr	endlessly
la santé	nf	health
sauf	prép	except
sauter	v	to leap
se sauver	v	to go away, to leave
savonner	v	to soap
la saynète	nf	skit
le sayre	nm	wild bird found in Provence
la scène	nf	stage
scolariser	v	to educate
scruter	v	to examine closely
sec, sèche	adj	dry
sèchement	adv	drily
sécher	v	to dry
la sécheresse	nf	drought
secoué, secouée	adj	shaken
secours: au secours	expr	help!
séduire	v	to attract; to seduce
séduisant, séduisante	adj	seductive
le Seigneur	nm	the Lord, God
le séjour	nm	stay
séjourner	v	to spend time
le sel	nm	salt
selon	prép	according to
semblable	adj	similar
sembler	v	to seem
les sens	nmpl	senses
la sensibilité	nf	sensitivity
sensible	adj	sensitive
le sentiment	nm	emotion, feeling
se sentir	v	to feel
sentir	v	to smell
la sépulture	nf	tomb
le serment	nm	oath, sermon
serrer	v	to tighten, to squeeze
serrer la main à	v	to shake hands with
la serviette de toilette	nf	bath towel
le serviteur	nm	servant
le seuil de pauvreté	nm	poverty level
le siècle	nm	century
le siège	nm	seat (chair, sofa)
siffloter	v	to whistle to oneself
singulier, singulière	adj	peculiar
sinon	adv	if not
sinueux, sinueuse	adj	winding
sitôt	adv	so soon
la situation	nf	job
le slip	nm	bathing suit (male)
la soie	nf	silk
la soirée	nf	evening; party
soit	adj	so be it, all right
soit... soit	conj	either... or
le sol	nm	soil
le soldat	nm	soldier
solennel, solennelle	adj	holy, solemn
sombre	adj	dark
sombrer	v	to sink
la somme	nf	sum of money
le sommeil	nm	sleep
le sommet	nm	top
le son	nm	sound
le sondage	nm	survey
songer	v	to dream, to think
sonner	v	to ring
la sonnette	nf	bell
le sorbier	nm	type of tree
le sou	nm	equivalent of a cent
le souci	nm	worry
le souffle	nm	breath
souffler	v	to blow
souffler les mots	v	to prompt
la souffrance	nf	suffering
souffrir	v	to suffer
le souhait	nm	wish
souhaiter	v	to wish
soulagé, soulagée	adj	calmed, relieved
le soulagement	nm	calm, relief
soulever le cœur	expr	to nauseate
souligner	v	to underline; to emphasize
soumettre	v	to give in
le soupçon	nm	suspicion
soupçonner	v	to suspect
la soupière	nf	tureen
soupirer	v	to sigh
la souplesse	nf	flexibility
la souplesse d'esprit	nf	quick wit
les sourcils	nmpl	eyebrows
sourdement	adv	heavily
le sourire	nm	smile
sourire	v	to smile
sous	prép	under
sous-marin	adj	underwater
soutenir	v	to support
soutenir le regard	v	not to look away
le souvenir	nm	memory
le, la spectateur, spectatrice	nmf	audience member
stipuler	v	to require, to stipulate

striduler	v	to chirr; sound made by crickets
la strophe	nf	verse
stupéfait, stupéfaite	adj	astonished
subir	v	to be subjected to
subitement	adv	all at once
subvenir	v	to be responsible for, to provide for
la subvention	nf	subsidy
subventionner	v	to subsidize
se succéder	v	to follow
le sud	nm	south
suffisamment	adv	sufficiently
suggérer	v	to suggest
suivre	v	to follow
superflu, superflue	adj	unnecessary
superposé, superposée	adj	accumulated
supplémentaire	adj	additional
supplier	v	to beg
supprimer	v	to suppress
surdoué, surdouée	adj	gifted
surgir	v	to appear suddenly
le surlendemain	nm	two days later
surmonter	v	to overcome
le surnom	nm	nickname
le surplomb	nm	the overhang
surprendre	v	to take by surprise
surtout	adv	especially
le, la surveillant, surveillante	nmf	monitor
surveiller	v	to watch, to supervise
survenir	v	to take place
susciter	v	to arouse

t

le tableau	nm	painting
la tache	nf	mark, spot
tâcher	v	to try
la taille	nf	size
tailler	v	to sculpt
se taire	v	to stop talking
tandis que	conj	while
tannant, tannante	adj (pop, Can)	boring, troublesome
tant que	conj	as much as
tant: en tant que	expr	as, in so far as
taper	v	to type; to word process
le tapis	nm	carpet
la tapisserie	nf	tapestry; wallpaper (Canada)
le tas	nm	heap, pile
tâter	v	to feel
tâtons: marcher à tâtons	expr	to feel one's way
le taux	nm	rate
le taux de l'usure	nm	interest
le, la technicien, technicienne	nmf	technician
le teint	nm	complexion
la teinte	nf	colour
tel, telle	adj	such
témoigner	v	to bear witness
le témoin	nm	witness
la tempête	nf	storm
tenailles: tirer aux tenailles	expr	pull off with pliers
la tendance	nf	tendency
tendre	v	to set
tendre	adj	tender, loving
se tendre l'oreille	expr	listen carefully (to one another)
tenir	v	to hold

tenir à ce que	v	to insist that
la tentative nulle	nf	useless effort
la tente	nf	tent
tenter	v	to try
la tenture	nf	wall hangings
se terminer	v	to end
ternir	v	to dull
le terrain	nm	piece of land
terrible	adj; pop	fantastic
la tête; en faire une tête	nf; expr	head; to make a face
le théorbe	nm	theorbo (like a large guitar)
le thon	nm	tuna
le thym	nm	thyme
Tiens!	interj	Oh!; Well!
le timbre; timbre-prime	nm	stamp; gift stamp
tinter	v	to tinkle
se tirer	v	to get out of a situation
le tiroir	nm	drawer
la toile	nf	canvas, painting
la toilette	nf	outfit
toiser	v	to look scornfully
le toit	nm	roof
tolérer	v	to tolerate, to put up with
le tombeau	nm	tomb
le tonnerre	nm	thunder
la torchère	nf	candelabrum
le torchon	nm	dust cloth
tordre	v	to twist
la tornade	nf	storm
le torse	nm	upper body
tort: avoir tort	expr	to be wrong
tôt	adv	early
touffe: en touffe	expr	in a clump
le tour de rein	nm	backache
tour: à tour de rôle	expr	in turn
tourmenter	v	to torture mentally
le tournage	nm	filming
se tourner	v	to turn towards
tourner un film	v	to make a movie
tousser	v	to cough
tout à fait	adv	completely
tout en + participe présent	adv	while, at the same time
toutefois	adv	nevertheless
tout-puissant	adj	all-powerful
tracer	v	to sketch
traduire	v	to translate
trahir	v	to betray
train: être en train de	expr	to be in the process of
traîner	v	to drag
se traîner	v	to hang around
trait: avoir trait à	expr	to deal with
le traité	nm	treatise
traiter	v	to treat
le trajet	nm	course
trancher	v	to slice
la tranquillité	nf	calm
la Trappe	nf	order of cloistered monks
les travaux communautaires	nmpl	community service
la travée	nf	row of seats
traverser	v	to cross
se travestir	v	to dress up (in disguise)
le tremplin	nm	springboard
la trentaine	nf	thirty or so
le trésor	nm	treasure

tressaillir	v	to shudder	
tricher	v	to cheat	
tricolore	adj	red, white and blue	
le triomphe	nm	triumph	
Troie	nf	Troy	
se tromper	v	to make a mistake; to be fooled	
la trompette	nf	trumpet	
trompeur, trompeuse	adj	deceptive	
le tronc	nm	tree trunk	
le trône	nm	throne	
le trottoir	nm	sidewalk	
le trou	nm	hole	
le trouble	nm	distress	
se trouver	v	to be located	
les trucs du métier	nmpl	tricks of the trade	
la truite	nf	trout	
tuer	v	to kill	
turbulent, turbulent	adj	violent	
le type	nm: pop	guy	
le tyran	nm	tyrant	

U

unique	adj	only
urbain, urbaine	adj	urban
l' urgence	nf	emergency
l' usage	nm	use
l' usé	nm	triteness
l' usure	nf	wear and tear
l' usurier	nm	money lender
utile	adj	useful

V

le vacarme	nm	racket
la vache	nf	cow
la vague	nf	wave
la vaillance	nf	courage
le vaisseau	nm	ship
la vaisselle	nf	serving dish
le valet	nm	male servant
la valeur	nf	value
valeur: mettre en valeur	expr	to exploit, to emphasize, to highlight
la valise	nf	suitcase
le vallon	nm	small valley
valoir	v	to be worth
valser	v	to waltz
le vaurien	nm	good-for-nothing
la vedette	nf	star
le velours	nm	velvet
vénérer	v	to worship
se venger	v	to take vengeance
vénitien, vénitienne	adj	Venetian
la vente	nf	sale
le ventre	nm	belly
la vêprée	nf	evening
le ver	nm	worm
véritable	adj	real
véritablement	adv	really
la vérité	nf	truth
vermeil, vermeille	adj	red
vernaculaire	adj	slang
le verre; le verre taillé; le verre soufflé	nm	glass; etched glass; blown glass
vers	prép	towards
le versant	nm	side of a valley
verser	v	to pour
le vertige	nm	dizziness

la veste	nf	suit jacket
le vestiaire	nm	change room
le vestibule	nm	cloakroom
le veston	nm	jacket
vêtu, vêtue	adj	clothed
veule	adj	cowardly
la veuve	nf	widow
vexé, vexée	adj	angry
la viande	nf	meat, flesh
vibrer	v	to vibrate
le, la vidéaste	nmf	video maker
vider	v	to empty
la vieillesse	nf	old age
vieilli, vieillie	adj	aged
vieillir	v	to grow old
vieillot, vieillotte	adj	antiquated
vif, vive	adj	lively
la vigne	nf	vine
vigueur: en vigueur	expr	in force
virevolter	v	to twirl
vis: du verbe "vivre"	v	live
le visage	nm	face
vis-à-vis de	prép	about, towards
visionnaire	adj	visionary
visionner	v	to view
la vitesse	nf	speed
la vivacité	nf	liveliness
vivant, vivante	adj	alive
vivant: le temps de son vivant	expr	lifetime
vivement	adv	quickly
vivre	v	to live
le vœu	nm	wish, prayer
les vœux	nmpl	vows
voiler	v	to cover (as with a veil)
le voilier	nm	sailboat
le, la voisin, voisine	nmf	neighbour
le voisinage	nm	neighbourhood
la voiture	nf	car, vehicle
Voiture	nm	French writer (1597-1648), popular in the salons
la voix	nf	voice
le vol	nm	theft
se volatiliser	v	to vanish into thin air
volée: à toute volée	expr	slamming into
le volet	nm	shutter
le, la voleur, voleuse	nmf	thief
la volonté	nf	will
volontiers	adv	willingly
voué, vouée	adj	dedicated
vouloir: en vouloir à	expr	to be angry with someone
la voûte ogivale	nf	vaulted ceiling
le voyou	nm	hooligan
vrillé, vrillée	adj	pierced

W

les W.C.	nmpl	toilets
le wagon	nm	train car

Z

la zizanie	nf	bad feelings, discord